어휘력
자신감

초등 국어

3

단계

★ 초등 국어 어휘력 자신감은 이런 교재예요!

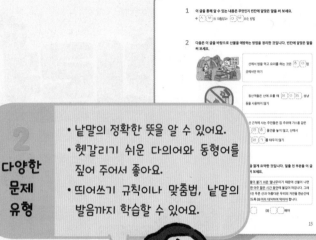

2 다양한 문제 유형

- 낱말의 정확한 뜻을 알 수 있어요.
- 헷갈리기 쉬운 다의어와 동형어를 짚어 주어서 좋아요.
- 띄어쓰기 규칙이나 맞춤법, 낱말의 발음까지 학습할 수 있어요.

1 쉽고 재미있는 지문

- 글 내용이 쉽고 재미있어요.
- 주제가 다양해서 지루하지 않아요.
- 글이 길지 않아 부담스럽지 않아요.
- 글을 읽으면서 속담과 관용어는 물론, 한자 성어와 교과 어휘까지 익힐 수 있어서 좋아요.

독해력을 키우는 즐거운 공부 습관!

3 교과서 배경 지식

- 교과서에 나오는 개념어를 쉽고 깊이 있게 익힐 수 있어요.
- 글을 통해 배경 지식을 알 수 있어서 교과서 내용이 머리에 쏙쏙 들어와요.

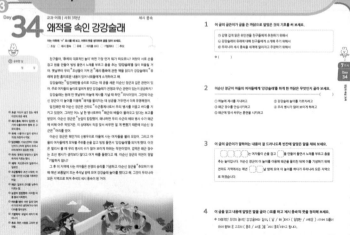

하루 15분 ❤️
어휘력 자신감!

한자로 공부하면
어려울 것 같았는데
그렇지 않았어요!

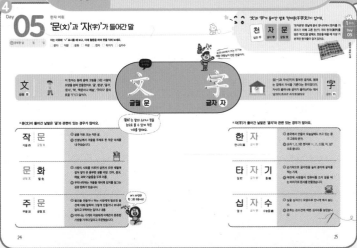

✦ 이 책의 차례 ✦

별책 부록 **주간 테스트**

독해력을 키우는
건강한 공부 습관

하루 15분

· 어휘력을 위한 하루 15분 건강한 루틴!
· 어휘력 자신감과 함께 시작하세요.

어휘력 자신감   1단계 I 2단계 I 3단계 I 4단계 I 5단계 I 6단계

1주 어휘 미리보기

뜻을 알고 있는 낱말에 V표 해 보세요.

알고 있는 낱말은 글에서 어떻게 쓰였는지 확인하고,
모르는 낱말은 글을 읽으며 재미있게 익혀 보아요.

	배울 내용	배울 낱말		공부한 날
Day 01	속담 고양이 목에 방울 달기	☐ 회의 ☐ 지긋이 ☐ 선뜻 ☐ 공연히	☐ 수 ☐ 의논 ☐ 실행 ☐ 낭비	월 일
Day 02	관용어 눈 깜짝할 사이	☐ 통틀어 ☐ 까다롭다 ☐ 간신히 ☐ 허용	☐ 자연 경관 ☐ 가파르다 ☐ 예방 ☐ 발견	월 일
Day 03	한자 성어 조삼모사(朝三暮四)	☐ 여기다 ☐ 형편 ☐ 거세다 ☐ 차이	☐ 정성껏 ☐ 반발 ☐ 항의 ☐ 잔꾀	월 일
Day 04	교과 어휘 – 사회 낙성대의 유래	☐ 지명 ☐ 인재 ☐ 지휘하다	☐ 사신 ☐ 용맹하다 ☐ 기리다	월 일
Day 05	한자 어휘 '문(文)'과 '자(字)'가 들어간 말	☐ 문자 ☐ 문화 ☐ 한자 ☐ 십자수	☐ 작문 ☐ 주문 ☐ 타자기	월 일

속담

고양이 목에 방울 달기

아는 어휘에 ✔ 표시를 해 보고, 어휘의 뜻을 생각하며 글을 읽어 보세요.

☐ 회의 ☐ 수 ☐ 지긋이 ☐ 의논 ☐ 선뜻 ☐ 실행 ☐ 공연히 ☐ 낭비

🕐 공부한 날

　　월　　일

어느 집에 쥐를 보면 놓치지 않고 아주 잘 잡는 고양이가 살고 있었어요. 온 집 안의 쥐들이 그 고양이가 두려워 쥐구멍 밖으로 나가는 것을 ❶꺼리었어요.

고양이 때문에 숨죽여 살던 어느 날, 이대로는 못 살겠다 생각한 쥐들이 한자리에 모여 ❷회의를 했어요.

"다른 데로 이사를 갑시다!"

어느 한 쥐가 ❸의견을 내었어요. 하지만 집 밖에는 더 많은 고양이와 무서운 짐승들이 살고 있을 것이라는 다른 쥐의 말에 그 의견은 받아들여지지 않았어요. 쥐들은 온종일 고양이를 피할 방법을 생각했지만 뾰족한 ❹수가 나오지 않았어요. 모두가 회의로 지쳐가던 그때 나이가 ❺지긋이 든 늙은 쥐가 말했어요.

"고양이 목에 방울을 다는 것이 어떠할꼬? 그러면 방울 소리를 듣고 미리 도망칠 수 있을 게야."

나이 든 쥐의 의견은 방울을 달면 고양이가 근처에 올 때마다 '딸랑딸랑' 소리가 날 것이고, 그럼 고양이가 오기 전에 도망칠 수 있다는 거였어요. 쥐들은 그것이 아주 좋은 의견이라고 생각했어요. 그래서 이번에는 누가 고양이 목에 방울을 달 것인가를 놓고 또 ❻의논을 했어요. 하지만 고양이 근처에 가는 것만 해도 무서운 일인데, 바로 고양이 코앞까지 가야 하는 목숨이 달린 위험한 일에 아무도 ❼선뜻 나서지 않았어요. 며칠 동안 회의를 해 보았지만 서로 미루기만 할 뿐이었어요.

"나는 뚱뚱해서 재빠르지 못해 안 될 거야."

"나는 고양이 숨소리만 들어도 기절하는걸. 방울을 들고 갔다간 그 앞에서 쓰러지고 말 거야."

고양이 목에 방울을 달 쥐를 뽑기에만 정신이 팔린 쥐들은 결국 어떤 방법도 찾지 못한 채 쥐구멍에서 나오는 데 실패했어요.

이처럼 고양이 목에 방울 달기란 ❽실행에 옮기지도 못할 거면서 ❾공연히 시간만 ❿낭비하며 의논만 한다는 뜻이에요. 어떤 일에 대해 의논을 할 때 고양이 목에 방울 달기가 되지 않기 위해 실행에 옮길 수 있는 일인지 아닌지를 먼저 잘 따져 보아야 하겠죠?

❶ **꺼리었어요**: 자신에게 피해가 생길까 하여 어떤 일이나 사물을 싫어하거나 피하였어요.

❷ **회의**: 여럿이 모여 의논함.

❸ **의견**: 어떤 대상에 대하여 가지는 생각.

❹ **수**: 어떤 일을 하는 방법.

❺ **지긋이**: 나이가 비교적 많아 듬직하게.

❻ **의논**: 어떤 일에 대해 서로 의견을 나눔.

❼ **선뜻**: 아무 망설임이나 어려움 없이 쉽게.

❽ **실행**: 실제로 행동함.

❾ **공연히**: 특별한 이유나 실속이 없게.

❿ **낭비**: 돈, 시간, 물건 등을 헛되이 함부로 씀.

1 이 글의 내용으로 맞는 것에는 ○표, 틀린 것에는 ×표를 해 보세요.

(1) 쥐들은 고양이가 무서워 쥐구멍 밖으로 잘 나오지 못했습니다. ──────── (○ / ×)

(2) 쥐들은 저마다 핑계를 대며 고양이 목에 방울을 달지 않으려 했습니다. ────── (○ / ×)

(3) 쥐들은 결국 고양이 목에 방울을 달았습니다. ───────────────── (○ / ×)

2 다음은 이 글의 내용을 정리하는 과정입니다. 빈칸에 알맞은 낱말을 보기 에서 찾아 써 보세요.

보기	실행　　　낭비　　　지긋이

내용	• 고양이 때문에 쥐들은 쥐구멍 밖으로 나가는 것을 꺼리었습니다. • 쥐들은 회의를 해서 문제를 해결할 방법을 의논해 보았습니다. • 나이가 〔 〕〔 〕〔 〕 든 쥐가 고양이 목에 방울을 달자고 의견을 냈습니다. • 쥐들은 저마다 고양이 목에 방울을 달지 못하는 이유를 이야기하다 결국 쥐구멍 밖으로 나오지 못했습니다.

↓

정리	쥐가 고양이 목에 방울을 다는 것은 〔 〕〔 〕하기 어려운 일입니다. 그런데 쥐들은 어차피 할 수 없는 일임에도 며칠 동안 회의로 시간을 〔 〕〔 〕하였습니다.

3 이 글을 통해 '고양이 목에 방울 달기'의 뜻을 짐작하여 빈칸에 들어갈 알맞은 말을 써 보세요.

고양이	문제 상황	+	방울 달기	실행하기 어려운 해결 방법

➔ '고양이 목에 방울 달기'는 하기 어려운 것을 공연히 〔 〕〔 〕함을 이르는 말입니다.

4 사다리 타기를 해 보고, 빈칸에 들어갈 낱말의 뜻을 보기 에서 골라 기호로 써 보세요.

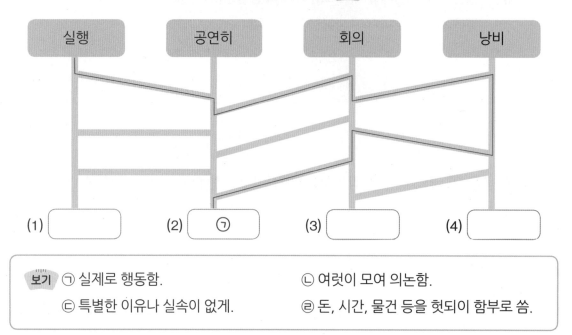

| 실행 | 공연히 | 회의 | 낭비 |

(1) [　　　]　(2) [㉠]　(3) [　　　]　(4) [　　　]

보기 ㉠ 실제로 행동함.　　　　　㉡ 여럿이 모여 의논함.
　　　 ㉢ 특별한 이유나 실속이 없게.　㉣ 돈, 시간, 물건 등을 헛되이 함부로 씀.

5 다음 문장에서 '꺼리다'가 잘못 쓰인 것을 골라 보세요. ·············· (　　)

① 장난꾸러기인 진수와 짝을 하기 꺼리어집니다.

② 민지는 목소리가 작아 발표하기를 꺼렸습니다.

③ 내 그림을 보여 주는 것이 꺼려져 손으로 가렸습니다.

④ 할머니께서는 내가 오는 것을 꺼리며 대문 앞까지 마중을 나오셨습니다.

6 밑줄 친 낱말의 뜻을 읽고, 바꾸어 쓸 수 있는 낱말을 보기 에서 찾아 써 보세요.

보기　　　　　　　　의논　　수　　선뜻

(1) 지영이는 좋은 방법이 생각났습니다.　　　　　　　➔ (　　　　　)
　　　 ↳ 어떤 일을 해 나가기 위한 수단이나 방식.

(2) 다혜는 질문에 막힘없이 시원스레 대답했습니다.　　➔ (　　　　　)
　　　 ↳ 말이나 행동이 막힘이 없고 활발하게.

(3) 수근이는 한마디 논의도 없이 제멋대로 결정했습니다.　➔ (　　　　　)
　　　 ↳ 어떤 문제에 대하여 서로 의견을 말하며 의논함.

7 다음 그림의 상황에 맞는 속담을 골라 보세요.━━━━━━━━ (   )

너희가 내 목에 방울을 달 수 있도록 도와줄게.

① 고양이한테 생선을 맡기다   ② 고양이 쥐 생각해 주다

틀리기 쉬워요!

8 다음 낱말과 뜻풀이를 보고, 문장의 밑줄 친 낱말이 틀리게 쓰인 것을 모두 찾아 괄호 안에 바르게 고쳐 보세요.

> • **지긋이**: ① 나이가 비교적 많아 듬직하게. ② 참을성 있고 끈기 있게.
> • **지그시**: ① 슬며시 힘을 주는 모양. ② 조용히 참고 견디는 모양.

(1) 그는 나이가 <u>지그시</u> 들어 보였습니다.━━━━━━━━━━━━ (   )
(2) 준호는 눈을 <u>지긋이</u> 감고 생각에 잠겼습니다.━━━━━━━━━ (   )
(3) 은주는 슬픔을 <u>지그시</u> 참는 어른스러운 성격입니다.━━━━━ (   )
(4) 맨발로 흙을 <u>지긋이</u> 밟으니 땅의 생명력이 느껴졌습니다.━━ (   )

9 문장을 더 자연스럽게 하는 낱말의 형태를 골라 ○표를 해 보세요.

(1) 너는 왜 그 일을 (실행하지 않았다 / 실행하지 않았어)?
(2) 어디로 놀러 갈지 (의논하게 / 의논하지만) 내일 우리 집으로 올래?
(3) 여럿이 문제를 해결하기 위해 (회의하는 / 회의하니) 것이 바람직합니다.

맞은 개수 _____ /9개   **11**

스스로 붙임딱지

Day 02

관용어

눈 깜짝할 사이

아는 어휘에 ✔ 표시를 해 보고, 어휘의 뜻을 생각하며 글을 읽어 보세요.

☐ 통틀어 ☐ 자연 경관 ☐ 까다롭다 ☐ 가파르다 ☐ 간신히 ☐ 예방 ☐ 허용 ☐ 발견

⏰ 공부한 날

월　　일

산불이란 산에서 자연적으로 일어나거나, 사람이 일부러 내는 모든 불을 ❶통틀어 가리키는 말이에요. 산불은 일단 한번 일어나게 되면 ❷눈 깜짝할 사이에 수많은 나무와 풀이 불타고, 동물들이 집을 잃고, 소중한 ❸자연 경관을 잃게 돼요.

또한 산불은 한번 일어나게 되면 불을 끄기가 매우 ❹까다로워요. 숲을 이루는 수많은 나무와 식물은 불이 붙어 타 버리기 너무나도 쉬워요. 산 전체가 불이 잘 붙는 ❺장작이나 다름이 없어요. 불붙기 쉬운 장작들이 널려 있으니 한번 불이 붙으면 금방 퍼져 집 한두 채에 불이 난 것과는 비교가 안 될 정도로 큰불이 나요. 그리고 산은 ❻가파른 경사 때문에 오르기도 힘들지요. 그래서 산에서는 소방관들이 불을 끄기가 어려워요. 큰 산불이 나면 소방 헬리콥터의 도움을 받아야 ❼간신히 불을 끌 수 있어요.

이처럼 위험한 산불을 미리 ❽예방하려면 어떻게 해야 할까요? 우선, 산에서 밥을 먹고 요리를 하는 것은 ❾허용된 곳에서만 해야 해요. 요리를 하다가 불이 옮겨붙을 수도 있고, 음식을 먹고 버린 비닐이나 은박지가 빛을 반사하여 불을 낼 수도 있기 때문이에요. 또, 등산객들은 산에 오를 때 라이터나 성냥 등을 사용하지 않고, 산 근처 도로에서는 자동차 밖으로 담뱃불을 버리지 말아야 해요. 그리고 산 근처에 사는 주민들도 집 주위에 가스통 같은 위험한 물건을 놓지 않고, 산에서 쓰레기를 태우지 않도록 주의해야 해요. 마지막으로 누구든 산에서 작은 불씨라도 ❿발견한다면 바로 119에 신고해야 해요.

산불로 산에 있는 많은 것들을 잃는 데는 많은 시간이 걸리지 않아요. 그렇지만 푸른 나무가 가득한 산이 만들어지는 데는 아주 오랜 시간이 걸려요. 그러니 우리 모두 조심하여 산불을 예방하고 오랜 시간에 걸쳐 만들어진 푸른 산과 아름다운 우리의 자연을 안전하게 지키도록 해요.

❶ **통틀어**: 하나도 남김없이 모두 합하거나 한데 묶어.

❷ **눈 깜짝할 사이**: 매우 짧은 순간.

❸ **자연 경관**: 사람의 손을 더하지 않은 자연 그대로의 풍경.

❹ **까다로워요**: 조건이나 방법이 복잡하고 엄격하여 다루기가 쉽지 않아요.

❺ **장작**: 통나무를 길게 쪼개 만든 땔나무.

❻ **가파른**: 바닥이 평평하지 않고 심하게 기울어져 있는.

❼ **간신히**: 힘들게 겨우.

❽ **예방**: 병이나 사고 등이 생기지 않도록 미리 막음.

❾ **허용**: 문제 삼지 않고 허락하여 받아들임.

❿ **발견**: 아직 찾아내지 못했거나 세상에 알려지지 않은 것을 처음으로 찾아냄.

12

1 이 글을 통해 알 수 있는 내용은 무엇인지 빈칸에 알맞은 말을 써 보세요.

→ ㅅ ㅂ 의 위험성과 ㅇ ㅂ 하는 방법

2 다음은 이 글을 바탕으로 산불을 예방하는 방법을 정리한 것입니다. 빈칸에 알맞은 말을 써 보세요.

산에서 밥을 먹고 요리를 하는 것은 ㅎ ㅇ 된 곳에서만 하기

등산객들은 산에 오를 때 ㄹ ㅇ ㅌ , 성냥 등을 사용하지 않기

산 근처에 사는 주민들은 집 주위에 가스통 같은 ㅇ ㅎ ㅎ 물건을 놓지 않고, 산에서 ㅆ ㄹ ㄱ 를 태우지 않기

3 이 글을 읽고 산불을 예방해야 하는 까닭을 짧게 요약한 것입니다. 밑줄 친 부분을 이 글에 나오는 알맞은 낱말로 바꾸어 빈칸에 써 보세요.

숲을 이루는 수많은 나무와 식물은 (1) 불이 붙기 쉬운 땔나무이기 때문에 산불이 나면 (2) 눈을 한 번 깜짝하거나 숨을 한 번 쉴 만한 아주 짧은 시간 동안에 불길이 퍼집니다. 그래서 산불이 한번 나면 오랜 시간 동안 만들어진 푸른 산과 아름다운 우리의 자연을 한순간에 잃게 됩니다. 따라서 우리는 산불이 나지 않도록 (3) 미리 대처하여 막아야 합니다.

(1) ☐ ☐   (2) ☐ 깜짝할 ☐ ☐   (3) ☐ ☐ 해야

4 다음 낱말의 뜻을 찾아 선으로 이어 보세요.

(1) 통틀어 •

(2) 허용 •

(3) 발견 •

(4) 예방 •

• ① 문제 삼지 않고 허락하여 받아들임.

• ② 하나도 남김없이 모두 합하거나 한데 묶어.

• ③ 병이나 사고 등이 생기지 않도록 미리 막음.

• ④ 아직 찾아내지 못하였거나 세상에 알려지지 않은 것을 처음으로 찾아냄.

5 보기 의 글자들로 주어진 뜻을 가지고 있는 낱말을 만들어 보세요.

(1) 바닥이 평평하지 않고 심하게 기울어져 있다.

→ ☐☐☐☐

(2) 사람의 손을 더하지 않은 자연 그대로의 풍경.

→ ☐☐☐☐

(3) 조건이나 방법이 복잡하고 엄격하여 다루기가 쉽지 않다.

→ ☐☐☐☐

6 다음 밑줄 친 낱말과 바꾸어 쓸 수 있는 낱말을 골라 보세요. ·······(   )

> 새벽녘이 되어서야 <u>간신히</u> 잠이 들었습니다.

① 간혹   ② 겨우   ③ 어쩌다   ④ 편안히

7 다음 중 빈칸에 공통으로 들어갈 알맞은 말을 골라 보세요. ································· (   )

> • 산불이 [＿＿＿＿＿] 번지고 있습니다.
>
> • 게임을 하니 시간이 [＿＿＿＿＿] 흘렀네.

① 눈을 밝히며

② 눈 깜짝할 사이에

③ 눈 둘 곳을 모르고

④ 눈 뜨고 볼 수 없게

틀리기 쉬워요!

8 **보기** 를 보고, 다음 문장에서 바른 표현에 ○표를 해 보세요.

> **보기**
>
> 봄과 가을에는 산불을 조심해야 해요.
> ↳ 산뿔(X)
>
> '산불'은 [산뿔]로 소리 나지만 글로 적을 때는 '산불'로 적어야 해요. 이와 같이 [ㄲ], [ㄸ], [ㅃ], [ㅉ]로 들리는 'ㄱ', 'ㄷ', 'ㅂ', 'ㅈ'을 소리 나는 대로 잘못 쓰지 않도록 주의해야 해요.

(1) 수현이는 (손등 / 손뜽)에 로션을 발랐습니다.

(2) 도현이는 새로운 장난감에 (눈길 / 눈낄)이 갔습니다.

(3) 우리 가족은 영화를 보러 함께 (극장 / 극짱)에 갔습니다.

틀리기 쉬워요!

9 주어진 뜻을 참고하여 문장에 어울리는 말에 ○표를 해 보세요.

타다	불씨나 높은 열로 불꽃이 일어나거나 불이 붙어 번지다.
태우다	불을 붙여 어떤 것을 타게 하다.

'타다'에 '-우-'가
덧붙어서 '~게 하다'의
뜻이 더해졌어요.

(1) 마른 잎을 모닥불에 (탔습니다 / 태웠습니다).

(2) 큰 산불로 숲이 몽땅 (탔습니다 / 태웠습니다).

(3) 벽난로에서 장작이 활활 (타고 / 태우고) 있습니다.

😊 맞은 개수 ＿＿＿＿＿ /9개

스스로
붙임딱지

한자 성어

조삼모사 (朝 아침 조 三 석 삼 暮 저물 모 四 넉 사)

아는 어휘에 ✔ 표시를 해 보고, 어휘의 뜻을 생각하며 글을 읽어 보세요.

☐ 여기다 ☐ 정성껏 ☐ 형편 ☐ 반발 ☐ 거세다 ☐ 항의 ☐ 차이 ☐ 잔꾀

⏰ 공부한 날

월 일

옛날 중국의 송나라에 원숭이를 좋아하여 수십 마리를 키우는 저공이란 사람이 있었습니다. 저공은 원숭이들을 자식과 같이 ❶여기며 ❷정성껏 돌보아서 원숭이와 말이 통할 정도로 가까워졌습니다. 저공은 원숭이들에게 주는 먹이도 항상 좋은 것으로 준비했습니다. 원숭이들은 저공이 주는 먹이 중에서 도토리를 가장 좋아했습니다. 그런데 도토리는 가을에만 구할 수 있는 열매라서 모든 원숭이를 먹일 도토리를 일 년 내내 구하는 일은 쉽지가 않았습니다. 저공은 자신이 먹을 음식도 줄여 가며 돈을 아껴 도토리를 구하였지만 결국 원숭이에게 줄 도토리를 줄여야 할 ❸형편이 되고 말았습니다.

'원숭이들에게는 미안하지만 이제 도토리를 하루에 여덟 개에서 일곱 개로 줄여야겠구나. 어떻게 하면 원숭이들의 마음을 상하지 않게 하면서 도토리를 덜 줄 수 있을까? …… 옳지, 그러면 되겠다.'

저공은 한참을 고민하다가 원숭이들을 모아 놓고 이렇게 말했습니다.

"얘들아, 더 이상 많은 수의 도토리를 구할 수 없게 되었단다. 그래서 이제부터는 너희들에게 도토리를 아침에 세 개, 저녁에 네 개씩 줄 거야. 괜찮겠니?"

그러자 원숭이들은 자신들이 먹을 도토리가 줄었다는 생각에 모두 ❹반발하고 나섰습니다.

"아침에 세 개만 먹으면 낮 동안 배가 고파 움직이기 힘들다고요!"

원숭이들은 저공에게 ❺거세게 ❻항의를 했습니다. 그러자 저공은 할 수 없다는 듯이 말했습니다.

"그럼 아침에 네 개, 저녁에 세 개를 주면 어떻겠니? 아침에 저녁보다 한 개를 더 먹는 것이니 괜찮겠지?"

원숭이들은 저공의 말에 모두 고개를 끄덕이며 뛸 듯이 기뻐했습니다.

"좋아. 그러면 내일부터는 아침에 네 개, 저녁에 세 개를 주는 것으로 하자."

그 후로 눈앞의 ❼차이만 알고 결과가 같은 것을 모를 때나 ❽잔꾀로 남을 속여 놀리는 것을 아침에 셋, 저녁에 넷이라는 뜻의 조삼모사(朝三暮四)라고 하게 되었습니다.

❶ **여기며**: 마음속으로 어떤 대상을 무엇으로 또는 어떻게 생각하며.

❷ **정성껏**: 있는 정성을 다하여.

❸ **형편**: 살림살이의 상태나 처지.

❹ **반발**: 어떤 상태나 행동 등에 대하여 반항함.

❺ **거세게**: 주장이나 영향이 강하게.

❻ **항의**: 어떤 일이 올바르지 않거나 마음에 들지 않아 반대하는 뜻을 주장함.

❼ **차이**: 서로 같지 않고 다름. 또는 서로 다른 정도.

❽ **잔꾀**: 자잘하고 약은 꾀.

1 이 글의 내용으로 알맞지 <u>않은</u> 것에 모두 ×표를 해 보세요.

(1) 저공은 자신이 기르는 원숭이를 미워했습니다. ·····················(   )

(2) 저공은 기르는 원숭이들에게 주는 도토리를 줄여야 했습니다. ·····················(   )

(3) 원숭이들은 도토리를 아침에 네 개, 저녁에 세 개 주는 것에 반대했습니다. ·····················(   )

2 이 글의 내용에 알맞은 낱말을 보기 에서 찾아 쓰고 줄거리를 완성해 보세요.

> 보기   형편   정성껏   반발

송나라의 저공은 원숭이들을 ☐☐☐ 키워 원숭이들과 말이 통하게 되었습니다.

↓

원숭이들은 도토리를 좋아했는데, 도토리를 구하기 힘들어진 저공은 원숭이들에게 줄 도토리의 양을 줄여야 하는 ☐☐ 이 되었습니다.

↓

저공은 처음에는 원숭이들에게 도토리를 아침에 세 개, 저녁에 네 개를 주겠다고 했습니다. 그러자 원숭이들은 모두 ☐☐ 했습니다.

↓

그래서 다시 저공은 원숭이들에게 도토리를 아침에 네 개, 저녁에 세 개를 주겠다고 했습니다. 그러자 원숭이들은 모두 기뻐했습니다.

3 빈칸에 알맞은 낱말을 넣어 '조삼모사'의 뜻을 정리해 보세요.

저공이 원숭이들에게 주게 된 도토리의 총 개수는 ☐☐ 개로 처음의 제안과 같습니다. 따라서 '아침에 세 개, 저녁에 네 개'라는 뜻의 '조삼모사'는 당장 눈앞의 ☐☐ 만을 알고 그 결과가 같은 것을 모를 때나 ☐☐ 로 남을 속여 놀리는 것을 이르는 말입니다.

4 다음 낱말의 뜻을 찾아 선으로 이어 보세요.

(1) 항의 •

(2) 여기다 •

(3) 반발 •

(4) 차이 •

• ① 어떤 상태나 행동 등에 대하여 반항함.

• ② 서로 같지 않고 다름. 또는 서로 다른 정도.

• ③ 어떤 일이 올바르지 않거나 마음에 들지 않아 반대하는 뜻을 주장함.

• ④ 마음속으로 어떤 대상을 무엇으로 또는 어떻게 생각하다.

5 빈칸에 들어갈 알맞은 낱말을 보기 에서 찾아 써 보세요.

보기	형편 잔꾀 차이

(1) 장사가 잘돼서 집안 ☐☐이 나아졌습니다.

(2) 형과 동생은 성격 ☐☐로 자주 싸웠습니다.

(3) 아기 염소들은 늑대의 ☐☐에 넘어갔습니다.

6 다음 밑줄 친 낱말과 바꾸어 쓸 수 있는 낱말을 골라 보세요. ············· ( )

마을 사람들은 <u>거세게</u> 항의했습니다.

① 강하게   ② 불편하게   ③ 부드럽게   ④ 끈기 있게

7 '조삼모사'의 의미를 바르게 알고 사용한 친구는 누구인지 골라 보세요. ·············(   )

① **수정**: 축구 시합에서 우리 반은 <u>조삼모사</u>로 지고 말았어.

② **진호**: 숙제도 하고 칭찬도 받고, 이게 바로 <u>조삼모사</u>로군.

③ **영은**: 똑같은 것인데 <u>조삼모사</u>식으로 속이는 행동은 옳지 않아.

틀리기 쉬워요!

8 다음 내용과 낱말 뜻을 보고, 빈칸에 들어갈 알맞은 낱말을 **보기** 에서 찾아 써 보세요.

엄마께서는 손님을 정성껏 대접하셨습니다.

↳ 있는 정성을 다하여.

| **보기** | 마음껏 | 목청껏 | 재주껏 | 지금껏 |

(1) 먹고 싶은 만큼 [　　　　] 먹어라.

↳ 마음에 흡족하도록.

(2) 이런 일은 [　　　　] 듣지도 보지도 못했습니다.

↳ 지금에 이르기까지 내내.

(3) 종현이는 [　　　　] 노래하며 실력을 뽐냈습니다.

↳ 있는 힘을 다하여 목소리를 크게.

'-껏'은 다른 말의 뒤에 붙어서 '그것이 닿는 데까지' 또는 '그때까지 내내'의 뜻을 더해 줍니다.

9 **보기** 를 보고, 밑줄 친 낱말을 문장 속에서 더 자연스럽게 고쳐 써 보세요.

보기 부모님께서 스마트폰을 사 주신다면 소중하게 <u>여긴다</u>. ➔ 여길 것입니다

(1) 까닭 없이 반대한다면 누구든 <u>반발합니다</u>. ➔ [　　　　　　]

(2) 돈을 계속 낭비한다면 필요한 것도 못 사는 <u>형편이 됩니다</u>. ➔ [　　　　　　]

낙성대의 유래

아는 어휘에 ✔ 표시를 해 보고, 어휘의 뜻을 생각하며 글을 읽어 보세요.

☐ 지명 ☐ 사신 ☐ 인재 ☐ 용맹하다 ☐ 지휘하다 ☐ 기리다

⏰ 공부한 날

월   일

❶ **지명**: 마을이나 지방, 지역 등의 이름.

❷ **사신**: (옛날에) 임금이나 나라의 명령을 받고 다른 나라에 파견되는 신하.

❸ **북두칠성**: 북쪽 하늘에 국자 모양으로 뚜렷하게 빛나는 일곱 개의 별.

❹ **인재**: 어떤 일을 할 수 있는 능력을 갖춘 사람.

❺ **용맹한**: 용감하고 날래며 기운찬.

❻ **지휘해**: 목적을 효과적으로 이루기 위해 단체의 행동을 다스려.

❼ **기리어**: 뛰어난 업적이나 본받을 만한 정신, 위대한 사람 등을 칭찬하고 기억해.

❽ **칭송하기**: 매우 훌륭하고 위대한 점을 칭찬하여 말하기.

❾ **비석**: 돌에 글자를 새겨서 세워 놓은 것.

❿ **사당**: 조상의 이름을 적은 나무패를 모셔 두는 집.

⓫ **비롯한**: 여럿 가운데서 앞의 것을 첫째로 삼아 그것을 중심으로 다른 것도 포함한.

서울특별시 관악구 낙성대동의 ❶지명은 이곳에 '낙성대(落星垈)'라는 곳이 있어 붙여진 것이에요. 낙성대는 무엇일까요? 이 이름에 관해 전해져 내려오는 옛이야기가 있어요.

옛날 고려 시대에 지금의 낙성대가 있던 자리에 살던 한 부인이 아기를 갖게 되었어요. 시간이 흘러 아기가 태어날 때가 가까워졌어요. 어느 날 밤 부인은 아기가 곧 나올 것처럼 배가 아프기 시작하자 서둘러 아기를 낳을 준비를 했어요. 이때, 중국에서 온 ❷사신이 이곳을 지나가고 있었어요. 사신은 밤하늘 ❸북두칠성의 큰 별 중 하나가 떨어져 어느 집으로 들어가는 것을 보았어요. 바로 아기를 낳고 있는 그 집이었어요.

"저게 무엇인고? 이상한 일이다. 가서 저 별이 떨어진 곳이 어디인지 찾아가 보아라."

사신의 명령을 받은 사람들이 그 집에 가 보니 사내아이가 막 태어나 힘차게 울고 있었어요.

"커다란 별이 떨어진 곳에서 아이를 낳았으니, 이 아이가 곧 별이로구나. 별이 사람으로 태어났으니 장차 나라에 큰일을 할 ❹인재가 될 것이다."

이 아기는 훗날 고려의 ❺용맹한 장수인 강감찬 장군이 되었어요. 강감찬 장군은 뛰어난 지혜로 거란족과 싸워 크게 이기는 귀주대첩을 ❻지휘해 나라를 구했어요.

후에 마을 사람들은 나라를 위해 용맹하게 싸운 강감찬 장군이 태어난 것을 ❼기리어 강감찬 장군이 태어난 곳을 낙성대라고 했어요. 낙성대는 '떨어질 낙(落)', '별 성(星)', '집터 대(垈)' 자를 써 별이 떨어진 터라는 뜻이에요. 지금은 낙성대가 있던 곳에 공원이 있어요. 그 안에는 고려 시대에 강감찬 장군이 세운 공을 ❽칭송하기 위해 장군의 집터에 세운 탑과 ❾비석이 있고, 안국사라는 ❿사당을 ⓫비롯한 건물들이 있어요. 그리고 낙성대가 있는 근처의 지명을 낙성대동이라 하고, 가까운 지하철역은 낙성대역 또는 강감찬역이라고 한답니다.

낙성대 안국사

낙성대 삼층 석탑

1 다음은 낙성대의 지명이 생긴 과정에 대한 옛이야기를 순서대로 정리한 것입니다. 빈칸에 알맞은 낱말을 채워 보세요.

중국에서 온 ☐☐이 북두칠성의 큰 별 중 하나가 떨어져 어느 한 집으로 들어가는 것을 보았습니다.

↓

별이 떨어진 집에서 사내아이가 막 태어났다는 것을 안 사신은 이 사내아이가 장차 나라에 큰일을 할 ☐☐가 될 것이라 생각했습니다.

↓

이 사내아이는 강감찬 장군으로, 훗날 귀주대첩을 ☐☐하여 큰 승리를 거뒀습니다.

↓

사람들은 강감찬 장군을 ☐☐하기 위해 강감찬 장군이 태어난 곳에 탑과 사당을 짓고, 그곳을 '별이 떨어진 터'라는 뜻의 '낙성대'라고 불렀습니다. 그리고 이 근처의 지명도 낙성대동이 되었습니다.

2 '낙성대'의 한자를 뜻풀이와 알맞게 연결해 보고, 지명의 뜻을 정리해 보세요.

(1) 落
떨어질 낙

(2) 星
별 성

(3) 坮
집터 대

① 별이

② 떨어진

③ 터

➡ '낙성대동'의 '낙성대'는 '별이 떨어진 터'라는 뜻으로, 강감찬 장군이 태어난 것을 ☐☐☐ 지어진 집터 '낙성대'가 있어 붙여진 지명입니다.

3 다음 낱말의 뜻을 찾아 선으로 이어 보세요.

(1) 인재 •

(2) 지명 •

(3) 기리다 •

(4) 용맹하다 •

• ① 용감하고 날래며 기운차다.

• ② 마을이나 지방, 지역 등의 이름.

• ③ 어떤 일을 할 수 있는 능력을 갖춘 사람.

• ④ 뛰어난 업적이나 본받을 만한 정신, 위대한 사람 등을 칭찬하고 기억하다.

4 다음 낱말의 뜻풀이를 보고, 밑줄 친 낱말의 뜻으로 알맞은 것의 번호를 써 보세요.

> **지휘**: ① 목적을 효과적으로 이루기 위해 단체의 행동을 다스림.
> ② 합창이나 합주 등에서 많은 사람의 노래나 연주가 조화를 이루도록 앞에서 이끄는 일.

(1) 군인들은 대장의 지휘에 따라 행동했습니다. ⋯⋯⋯⋯⋯⋯⋯⋯⋯ (　　)

(2) 은주는 조장이 되어 우리 모둠을 지휘했습니다. ⋯⋯⋯⋯⋯⋯⋯ (　　)

(3) 지휘자의 지휘 아래 연주가 시작되자 주변이 조용해졌습니다. ⋯⋯ (　　)

(4) 베토벤은 귀가 잘 들리지 않지만 훌륭하게 연주를 지휘했습니다. ⋯ (　　)

5 다음 중 짝 지어진 낱말 사이의 관계가 보기 와 다른 것을 골라 보세요. ⋯⋯⋯ (　　)

보기	용맹하다 – 비겁하다

① 이기다 – 지다　　　　　　　② 깨끗하다 – 더럽다

③ 기리다 – 기념하다　　　　　④ 밝아지다 – 어두워지다

6 다음 만화의 옛이야기가 가리키는 지명이 무엇인지 골라 보세요. ·········· (　　　)

① 잠실　　　　　　② 왕십리　　　　　　③ 말죽거리

틀리기 쉬워요!

7 다음 문장에서 틀린 부분에 밑줄을 긋고 바르게 고쳐 써 보세요.

(1) 선생님께서는 인제 양성에 힘쓰고 계십니다. ➜ (　　　　　　　)

(2) 이번 방학에는 제주도를 비로탄 전국 곳곳을 여행하고 싶습니다. ➜ (　　　　　　　)

8 문장을 더 자연스럽게 하는 낱말의 형태를 골라 ○표를 해 보세요.

(1) 저것은 누구의 (비석이야 / 비석이다)?

(2) 아버지께서는 돌아가신 할아버지의 뜻을 (기리어 / 기리지만) 어려운 이웃을 도우십니다.

(3) 이순신 장군은 임진왜란 때 병사들을 (지휘하지 / 지휘하다) 적군이 쏜 총탄을 맞으셨습니다.

맞은 개수 _____ /8개

'문(文)'과 '자(字)'가 들어간 말

 공부한 날 　월　　일

아는 어휘에 ✔ 표시를 해 보고, 아래 활동을 하며 뜻을 익혀 보세요.

☐ 문자 ☐ 작문 ☐ 문화 ☐ 주문 ☐ 한자 ☐ 타자기 ☐ 십자수

文
글월 **문**

이 한자는 원래 몸에 그림을 그린 사람의 모양을 본떠 만들었어요. '글', '문장', '글자', '문서', '책', '학문이나 예술', '꾸미다' 등의 뜻을 가지고 있어요.

순서대로 써 봐요

文
글월 **문**

'문자'는 말의 소리나 뜻을 눈으로 볼 수 있게 적은 기호를 말해요.

● 문(文)이 들어간 낱말은 '글'과 관련이 있는 경우가 많아요.

작 문
지을 作　글월 文

- 뜻 글을 지음. 또는 지은 글.
- 예 선생님께서 겨울을 주제로 한 작문 숙제를 내 주셨습니다.

문 화
글월 文　될 化

- 뜻 사람이 사회를 이루어 살면서 오랜 세월에 걸쳐 쌓아 온 풍부한 생활 바탕. 언어, 종교, 예술, 과학 기술들을 두루 이름.
- 예 우리나라에는 겨울을 대비해 김치를 담그는 김장 문화가 있습니다.

주 문
부을 注　글월 文

- 뜻 물건을 만들거나 파는 사람에게 필요한 물건에 대해 말하며 그렇게 만들거나 보내어 달라고 부탁하는 일이나 내용.
- 예 어머니는 가게의 직원에게 어깨끈이 튼튼한 가방을 가져다 달라고 주문했습니다.

여기 짜장면 한 그릇 주문이요!

사장님!

'文'과 '字'가 들어간 말로 '천자문(千字文)'이 있어요.

천	자	문
일천 千	글자 字	글월 文

'천자문'은 옛날에 중국 양나라에서 한자를 가르치기 위해 고른 천(千) 개의 한자(漢字)를 담은 책[文]을 말해요. 한문을 배울 때 가장 기본적인 한자들이 담겨 있어요.

우리나라에서 쓰는 문자는 세종 대왕님이 만든 한글이지.

字
글자 자

집[宀]과 자식[子]이 합쳐진 글자로, 원래는 집에서 자식을 기른다는 뜻이었다가, 자식이 불어나듯 글자가 불어난다는 데서 '글자'의 뜻으로 쓰이게 됐어요.

字
글자 **자**

● 자(字)가 들어간 낱말은 '글자'와 관련 있는 경우가 많아요.

한	자
한나라 漢	글자 字

- 뜻 중국에서 만들어 오늘날에도 쓰고 있는 중국 고유의 문자.
- 예 숫자 1, 2, 3은 한자로 '一, 二, 三(일, 이, 삼)'으로 씁니다.

타	자	기
칠 打	글자 字	틀 機

- 뜻 손가락으로 글자판을 눌러 종이에 글자를 찍는 기계.
- 예 예전에 사람들이 컴퓨터를 쓰지 않을 때는 타자기로 문서를 만들었습니다.

십	자	수
열 十	글자 字	수놓을 繡

- 뜻 실을 십자(十) 모양으로 만나게 해서 놓는 수.
- 예 준호는 손수건에 예쁜 십자수를 놓았습니다.

1 다음 낱말과 뜻이 알맞도록 선으로 이어 보세요.

(1) 주문(注文) •

(2) 작문(作文) •

(3) 문화(文化) •

• ① 글을 지음. 또는 지은 글.

• ② 물건을 만들거나 파는 사람에게 필요한 물건에 대해 말하며 그렇게 만들거나 보내어 달라고 부탁하는 일이나 내용.

• ③ 사람이 사회를 이루어 살면서 오랜 세월에 걸쳐 쌓아 온 풍부한 생활 바탕. 언어, 종교, 예술, 과학 기술들을 두루 이름.

2 빈칸에 공통으로 들어갈 글자를 보기 에서 찾아 써 보세요.

보기	아들 자(子)	글자 자(字)	사람 자(者)	스스로 자(自)

한나라 한(漢)		칠 타(打)		틀 기(機)	열 십(十)		수놓을 수(繡)

➔

3 빈칸에 들어갈 알맞은 낱말을 보기 에서 찾아 써 보세요.

보기	문화	작문	한자

우리나라의 □□ 는 이웃 나라인 중국의 영향을 받았습니다. 그래서 세종 대왕이 한글을 창제하기 전에는 중국에서 만든 문자인 □□ 를 사용했습니다.

4 빈칸에 들어갈 알맞은 낱말을 보기 에서 찾아 써 보세요.

보기 문자 문화 작문 한자 타자기 십자수

(1)

(2)

(3)

맞은 개수 _____ /4개

스스로
붙임딱지

다섯 손가락의 이름

　엄지손가락의 '엄'은 '첫머리'라는 뜻으로, '어미(엄마)'에서 나온 말이에요. 우리말로 '첫손가락'이라고도 불러요. 엄지의 또 다른 이름은 '대지(大指)'예요. 가장 큰 손가락이란 뜻이에요. 집게손가락은 주로 방향이나 물건을 가리킬 때 많이 쓰는 손가락이에요. 음식을 맛보는데 쓰는 손가락이라 해서 '식지(食指)'라고 부르기도 하고, 흔히 검지라고 불러요. 가운뎃손가락은 다섯 손가락 중 한가운데 있어서 이런 이름이 붙었어요. 한자로도 같은 뜻의 '중지(中指)'라고 하고, 손가락 중 가장 길어서 '장지(長指)'라고도 불러요. 약손가락은 손가락 중 유일하게 우리말로 된 이름이 없어요. 그래서 이름이 없다는 뜻의 '무명지(無名指)'라고도 불러요. 한약을 마시기 전 저을 때 쓰는 손가락이라 해서 '약지(藥指)'라고 불리다가 오늘날 약손가락이라고 부르게 되었어요. 약지가 약속할 때 쓰는 새끼손가락이 아니니 헷갈리지 않도록 해요. 새끼손가락은 가장 작고 가는 손가락이라 새끼손가락이에요. 가장 작기에 '소지(小指)'라고 부르기도 해요.

☑ 윗글을 읽고 빈칸에 알맞은 손가락의 이름을 써 보세요.

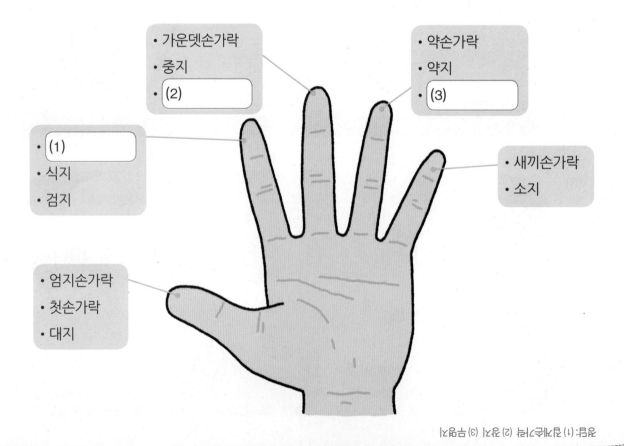

- 가운뎃손가락
- 중지
- (2)

- 약손가락
- 약지
- (3)

- (1)
- 식지
- 검지

- 새끼손가락
- 소지

- 엄지손가락
- 첫손가락
- 대지

정답: (1) 집게손가락 (2) 장지 (3) 무명지

2주 어휘 미리보기

뜻을 알고 있는 낱말에 V표 해 보세요.
알고 있는 낱말은 글에서 어떻게 쓰였는지 확인하고,
모르는 낱말은 글을 읽으며 재미있게 익혀 보아요.

속담

삼천포로 빠지다

아는 어휘에 ✔ 표시를 해 보고, 어휘의 뜻을 생각하며 글을 읽어 보세요.

☐ 하필 ☐ 비록 ☐ 흔적 ☐ 유래 ☐ 분리하다 ☐ 샛길 ☐ 졸지에 ☐ 배려하다

😊 공부한 날

월   일

"어제 예지와 만나서 같이 영화도 보고 책도 읽고 맛있는 간식도 먹었어요. 예지는 참 좋은 친구예요. 진수도 좋은 친구예요. 진수네 엄마는 선생님이시래요."

"왜 예지 이야기를 하다 삼천포로 빠지니?"

위의 대화처럼 우리는 하던 이야기가 ❶엉뚱한 방향으로 흘러 다른 이야기가 될 때 "말이 잘 나가다 삼천포로 빠진다."라고 해요. 많고 많은 지역 중에 왜 ❷하필이면 삼천 포로 빠진다고 할까요?

삼천포시는 예전에 경상남도에 있던 지역 이름이에요. 지금은 ❸비록 없어진 지역 이름이지만, 삼천포라는 항구가 여전히 사천시에 남아 있어 그 ❹흔적을 찾을 수 있어요.

"삼천포로 빠지다."라는 말에 대해서는 여러 가지 ❺유래가 전해져 내려오고 있어요. 그중 하나는 삼천포가 맛있는 생선도 많이 잡히고 풍경도 아름다운 바닷가 도시였기 때문에, 주변을 지나던 사람들이 자신도 모르게 삼천포에 많이 들렀다는 데서 유래되 었다는 거예요.

또 다른 유래로 이런 것도 있어요. 예전에는 경상남도의 삼랑진역에서 광주시의 광 주역으로 가는 기차가 개양이라는 역에서 열차를 몇 개 ❻분리해서 삼천포로 향하도록 하였어요. 이때 몇 호 차가 삼천포로 가는지 방송을 해 알려 주었는데, 광주 쪽으로 가 야 할 승객이 깜빡 잠이 들거나 ❼한눈파는 바람에 잘못해서 삼천포로 가는 일이 많았 다고 해요. 그래서 '삼천포로 빠지다'라는 말을 했다는 거예요.

이처럼 "삼천포로 빠지다."는 잘 가다가 ❽샛길로 빠지는 것, 또는 갑자기 ❾주제에서 벗어난 말을 하는 것을 뜻해요. 그래서 예전에 삼천포에 사는 사람들은 ❿졸지에 자기 동네가 샛길로 빠진 동네가 되어서 기분 나빠했다고 하네요. 비록 이제 삼천포시는 없 지만, 우리도 옛 삼천포가 있던 곳에 사는 친구들을 ⓫배려해서 '샛길로 빠지다'나 '샛길로 새다' 등으로 바꿔서 쓰는 것이 좋겠지요?

❶ **엉뚱한**: 사람이나 물건, 일 등 이 현재의 일과 관계가 없는.

❷ **하필**: 다른 방법으로 하지 않 고 어찌하여 꼭.

❸ **비록**: 아무리 그러하더라도.

❹ **흔적**: 어떤 것이 없어지거나 지나간 뒤에 남은 표시.

❺ **유래**: 사물이나 일이 생겨난 내력.

❻ **분리해서**: 서로 나누어 떨어 지게 해서.

❼ **한눈파는**: 마땅히 볼 데를 보 지 않고 딴 데를 보는.

❽ **샛길**: 사이에 난 길.

❾ **주제**: 대화에서 중심이 되는 문제.

❿ **졸지에**: 갑작스럽게.

⓫ **배려해서**: 도와주거나 보살펴 주려고 마음을 써서.

1 **이 글의 내용으로 맞는 것에는 ○표, 틀린 것에는 ×표를 해 보세요.**

(1) 사천시에는 삼천포라는 항구가 있습니다. ————————————————— (○ / ×)

(2) 삼천포시는 경상남도에 지금도 있는 지역 이름입니다. ——————————— (○ / ×)

(3) 예전에 삼천포에 사는 사람들은 '삼천포로 빠지다'는 말을 좋아했습니다. ——— (○ / ×)

2 **이 글을 읽고, "삼천포로 빠지다."의 유래에 대해 빈칸에 알맞은 낱말을 써 보세요.**

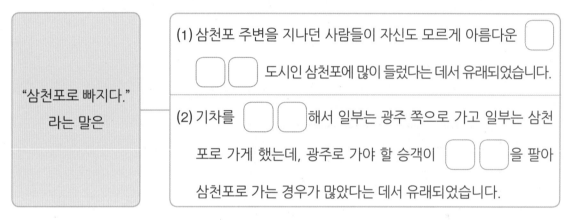

"삼천포로 빠지다."
라는 말은

(1) 삼천포 주변을 지나던 사람들이 자신도 모르게 아름다운 ☐ ☐ ☐ 도시인 삼천포에 많이 들렀다는 데서 유래되었습니다.

(2) 기차를 ☐ ☐ 해서 일부는 광주 쪽으로 가고 일부는 삼천포로 가게 했는데, 광주로 가야 할 승객이 ☐ ☐ 을 팔아 삼천포로 가는 경우가 많았다는 데서 유래되었습니다.

3 **다음 두 친구의 대화를 읽고, "삼천포로 빠지다."를 대신할 수 있는 말 두 개를 이 글에서 찾아 써 보세요.**

→ _____

4 다음 빈칸에 들어갈 낱말을 보기 에서 찾아 써 보세요.

> 보기　　　　　　　　비록　　　흔적　　　유래

(1) 불교는 어느 나라에서 ☐☐ 되었나요?

(2) 지진 때문에 건물이 ☐☐ 도 없이 사라졌습니다.

(3) ☐☐ 메달은 따지 못했지만 최선을 다해서 기쁩니다.

5 ㉠~㉅의 뜻에 알맞은 낱말을 그림에서 찾아 색칠해 보세요.

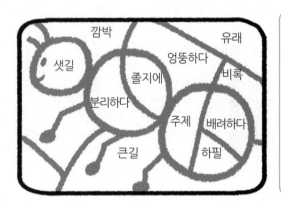

㉠ 갑작스럽게.
㉡ 사이에 난 길.
㉢ 대화에서 중심이 되는 문제.
㉣ 서로 나누어 떨어지게 하다.
㉤ 다른 방법으로 하지 않고 어찌하여 꼭.
㉅ 도와주거나 보살펴 주려고 마음을 쓰다.

6 다음 낱말과 뜻풀이를 보고, 밑줄 친 낱말의 뜻으로 알맞은 것의 번호를 써 보세요.

> **엉뚱하다:** ① 사람이나 물건, 일 등이 현재의 일과 관계가 없다.
> 　　　　　　② 상식적으로 생각하는 것과 전혀 다르다.

(1) 내 짝은 모습과는 다르게 엉뚱한 데가 있습니다. ·················· (　)

(2) 건물의 폭발 사고로 지나가는 엉뚱한 사람들이 다쳤습니다. ·················· (　)

7 다음 문장에 어울리는 낱말을 골라 ○표를 해 보세요.

(1) (비록 / 하필) 비 오는 날 소풍을 갈 게 뭐람.

(2) 흥부 가족은 (졸지에 / 절대로) 길가에 나앉게 되었습니다.

8 아버지의 물음에 대한 대답 중, "삼천포로 빠지다."와 어울리는 것을 골라 보세요.

.... (   )

> **아버지**: 이번 여름 방학 때 바닷가로 놀러갈까?

① 네, 좋아요. 그런데 바닷가에 가려면 수영복하고 수영 모자, 튜브가 필요해요. 아빠, 새것으로 언제 사 주실 건가요?

② 네, 좋아요. 바닷가에는 물고기도 살고 조개도 살고 오징어도 사니까요. 그런데 오징어 튀김은 정말 맛있어요. 아빠, 오징어 튀김 만들어 주세요!

틀리기 쉬워요!

9 다음 받아쓰기에서 밑줄 친 부분을 바르게 고쳐 써 보세요.

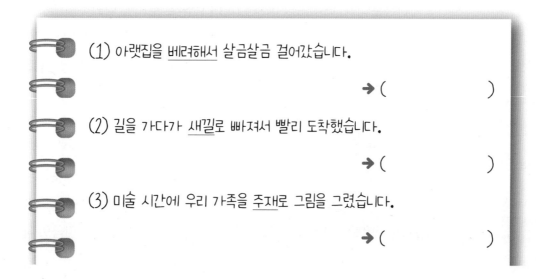

(1) 아랫집을 <u>베려해서</u> 살금살금 걸어갔습니다.

                                 ➔ (   )

(2) 길을 가다가 <u>새낄로</u> 빠져서 빨리 도착했습니다.

                                 ➔ (   )

(3) 미술 시간에 우리 가족을 <u>주재로</u> 그림을 그렸습니다.

                                 ➔ (   )

관용어

바가지를 씌우다

아는 어휘에 ✔ 표시를 해 보고, 어휘의 뜻을 생각하며 글을 읽어 보세요.

☐ 장기 ☐ 차지 ☐ 존경 ☐ 어색하다 ☐ 해어지다 ☐ 때마침 ☐ 사양하다 ☐ 냉랭하다

공부한 날

월   일

아주 오래전 나무에 올라 도토리 따는 것이 **❶장기**인 원숭이가 있었습니다. 어찌나 나무를 잘 타는지 마을의 도토리는 모두 원숭이의 **❷차지**였습니다. 어느 날 꾀 많은 너구리가 부드러운 가죽신을 들고 원숭이를 찾아왔습니다.

"**❸평소**에 **❹존경**하는 원숭이님에게 제가 만든 이 가죽신을 선물하고 싶습니다."

원숭이는 처음에는 가죽신을 신는 것이 **❺어색했지만**, 자꾸 신어 보니 좋아졌습니다. 거친 길을 걸어도 가죽신을 신고 다니니 무척 푹신하고 편했기 때문입니다. 그래서 원숭이는 가죽신을 신을 때마다 너구리를 생각하며 고마워했습니다.

그렇게 여러 날이 지나자 어느새 너구리가 준 가죽신이 다 **❻해어져서** 못 신을 정도가 되었습니다. 어떻게 알았는지 너구리가 원숭이에게 또 가죽신을 가져다주었습니다. 원숭이는 너구리가 **❼때마침** 온 것이 고마워서 도토리를 조금 나누어 주었습니다. 너구리는 몇 번 **❽사양하다**가 못 이기는 척 도토리를 받았습니다.

원숭이는 가죽신을 아껴 신었지만 가죽신은 금방 또 해어졌습니다. 다시 가죽신을 가지고 온 너구리에게 원숭이는 지난번보다 더 많은 도토리를 주었습니다. 이전과 달리 너구리는 사양하지 않고 그것을 받아 갔습니다.

계속 가죽신을 신고 다닌 원숭이의 발바닥은 두꺼운 굳은 살이 없어져 아기 발처럼 부드러워졌습니다. 이제 원숭이는 가죽신 없이는 발이 아파 걸을 수 없었습니다.

☐ ㉠ ☐ 이번에는 원숭이가 먼저 너구리네 집으로 찾아갔습니다. 너구리는 **❾냉랭한** 태도로 원숭이를 맞이했습니다. 너구리는 예전보다 더 많은 도토리를 달라고 했습니다. 원숭이는 너구리가 **❿바가지를 씌우더라도** 가죽신이 필요했기에 몇백 개의 도토리를 주고서 가죽신을 사 왔습니다. 원숭이는 다음에는 가죽신을 직접 만들겠다고 다짐했습니다.

☐ ㉡ ☐ 원숭이는 끝내 가죽신을 만들지 못했습니다. 원숭이는 계속 가죽신을 사다 보니 남은 도토리가 없었습니다. 원숭이는 너구리에게 가을에 도토리를 따서 주겠다고 약속하고서야 **⓫겨우** 가죽신 하나를 얻었습니다. 그 후로 원숭이는 다시는 가죽신을 사지 못했고, 살고 있는 집마저도 두고 나무 위로 올라가게 되었습니다. 이젠 가죽신이 없이는 땅에서 걸을 수 없었기 때문입니다. 그래서 원숭이는 지금도 나무 위에서 산다고 합니다.

❶ **장기**: 가장 잘하는 재주.

❷ **차지**: 사물이나 공간, 지위 등을 자기 몫으로 가짐.

❸ **평소**: 특별한 일이 없는 보통 때.

❹ **존경하는**: 어떤 사람의 훌륭한 인격이나 행위를 높이고 받드는.

❺ **어색했지만**: 격식이나 규범 등에 맞지 않아 자연스럽지 않았지만.

❻ **해어져서**: 닳아서 구멍이 나거나 찢어져서.

❼ **때마침**: 정해진 때에 알맞게.

❽ **사양하다가**: 겸손하여 받지 않다가.

❾ **냉랭한**: 태도 등이 다정하지 않고 차가운.

❿ **바가지를 씌우더라도**: 물건을 제 가격보다 비싸게 주어 손해를 보게 하더라도.

⓫ **겨우**: 어렵게 힘들여.

34

1 이 글의 내용으로 맞는 것을 골라 보세요. ────────────────── (   )

① 원숭이는 처음부터 나무 위에서 살았습니다.

② 너구리는 원숭이가 도토리를 줄 때마다 받지 않았습니다.

③ 원숭이는 가죽신을 신고 다니면서 발바닥의 굳은살이 없어졌습니다.

④ 원숭이는 가죽신을 얻기 위해 살던 집을 너구리에게 넘겨주고 말았습니다.

2 ㉠과 ㉡에 들어갈 이어 주는 말이 바르게 짝 지어진 것을 골라 보세요. ────── (   )

	㉠	㉡
①	그리고	그러나
②	그래서	그러나
③	그래서	그리고
④	그런데	그러므로

3 빈칸에 공통으로 들어갈 알맞은 말을 쓰고, 원숭이와 너구리의 성격을 알맞게 선으로 이어 보세요.

(1)

한 일
- 너구리가 준 가죽신을 아무 의심 없이 신었습니다.
- 너구리의 꾀에 넘어가 ☐☐☐ 를 쓰고 가죽신을 샀습니다.

원숭이

성격
- ① 교활함.
- 계획적임.
- 꾀가 많음.

(2)

- 원숭이가 가죽신 없이는 살 수 없도록 꾀를 내었습니다.
- 원숭이에게 ☐☐☐ 를 씌워 도토리를 많이 가져오도록 하였습니다.

너구리

- ② 순진함.
- 단순함.
- 어리석음.

4 다음 낱말과 뜻이 알맞도록 선으로 이어 보세요.

(1) 때마침 •

(2) 평소 •

(3) 차지 •

(4) 장기 •

• ① 가장 잘하는 재주.

• ② 정해진 때에 알맞게.

• ③ 특별한 일이 없는 보통 때.

• ④ 사물이나 공간, 지위 등을 자기 몫으로 가짐.

5 문장의 빈칸에 알맞은 낱말을 보기 에서 찾아 써 보세요.

보기   존경   사양   어색

(1) 나이에 맞지 않은 옷을 입으니 참 ☐☐했습니다.

(2) 경찬이는 위인 중에서 세종 대왕을 가장 ☐☐합니다.

(3) 동휘는 할머니께서 주시는 용돈을 끝까지 ☐☐했습니다.

6 다음 낱말과 뜻풀이를 보고, 문장의 밑줄 친 낱말의 뜻으로 알맞은 것의 번호를 써 보세요.

겨우: ① 어렵게 힘들여.
　　　　② 기껏해야 고작.

(1) 겨우 이 정도 먹고 배부르다고 한 거니? ⋯⋯⋯⋯⋯⋯⋯⋯⋯⋯⋯⋯⋯⋯ (　　　)

(2) 채운이는 좋아하는 가수의 콘서트 표를 겨우 구했습니다. ⋯⋯⋯⋯ (　　　)

7 다음의 상황에서 빈칸에 들어갈 알맞은 말을 골라 보세요. ┄┄┄┄┄┄┄┄┄┄ (   )

① 바가지를 씌우는군   ② 누워서 떡 먹기로군

③ 눈 가리고 아웅이군   ④ 땅 짚고 헤엄치기로군

틀리기 쉬워요!

8 보기 를 보고, 다음 문장의 밑줄 친 낱말을 바꿔 써 보세요.

> 보기
>
> 좋다 + -아지다 ➡ 좋아지다
>
> 상태를 나타내는 말 뒤의 '-아지다'는 '그런 상태가 점점 되어 가다.'의 뜻을 더해 줘요.

(1) 여름이 다가올수록 기온이 더 <u>높다</u>. ➡ [   ]

(2) 아침이 되었는지 창밖이 점차 <u>밝다</u>. ➡ [   ]

(3) 주사를 맞고 푹 쉬니 몸이 좀 <u>괜찮다</u>. ➡ [   ]

(4) 동생이 나이를 한 살 더 먹더니 점점 <u>점잖다</u>. ➡ [   ]

9 문장을 더 자연스럽게 하는 낱말의 형태를 골라 ○표를 해 보세요.

(1) 왜 이렇게 분위기가 (냉랭하다 / 냉랭하니)?

(2) 미국에 살다 온 유진이는 종종 (어색한 / 어색할) 문장을 사용했습니다.

(3) 선생님은 아이들을 가르쳐 본 경험이 (풍부하여 / 풍부하지만) 학생들에게 존경을 (하였습니다 / 받았습니다).

한자 성어

홍익인간 (弘 넓을 홍 益 더할 익 人 사람 인 間 사이 간)

아는 어휘에 ✓ 표시를 해 보고, 어휘의 뜻을 생각하며 글을 읽어 보세요.

☐ 다스리다 ☐ 굽어보다 ☐ 이롭다 ☐ 증명하다 ☐ 백성 ☐ 진동하다 ☐ 꿋꿋이 ☐ 지배자

🕐 공부한 날

월   일

멀고 먼 옛날, 아직 우리나라가 세워지기 전이었어요. 하늘의 신인 환인의 아들 환웅은 땅에 사는 사람들을 보면서 세상에 내려가 사람들을 ❶다스리고 싶어 했어요.

"아버지, 저는 하늘 아래 땅으로 내려가 사람들을 다스리면서 사람들이 잘살도록 해 주고 싶습니다."

아들의 마음을 알고 있던 환인은 인간 세상을 한번 ❷굽어보더니 빙그레 웃으며 말했어요.

"좋다. 네가 인간 세상으로 내려가 모든 이들이 널리 ❸이롭도록 다스려 보아라."

환웅은 태백산의 신단수라는 나무가 있는 곳으로 내려왔어요. 이때 환웅은 아버지가 준 청동으로 만든 검과 거울, 방울 세 가지의 물건을 가지고 왔어요. 이것들은 환웅이 환인 신의 아들임을 ❹증명하는 물건이에요. 그리고 비의 신, 바람의 신, 구름의 신 등 농사짓는 것을 돕는 신들도 함께 왔어요. 환웅은 이들과 함께 사람들이 농사짓도록 돕고, 평화롭게 세상을 다스렸어요. 농사를 지을 수 있게 된 사람들은 전보다 배부르고 행복하게 살았어요. 이 모습을 본 동물들도 사람을 부러워하게 되었어요. 사람을 부러워하는 동물 중에는 곰과 호랑이도 있었어요. 곰과 호랑이는 환웅에게 찾아가 부탁했어요.

"환웅님, 저희를 사람으로 만들어 주세요. 저희도 환웅님의 ❺백성으로 살고 싶습니다."

그러자 환웅이 곰과 호랑이에게 쑥과 마늘을 주며 말했어요.

"백 일 동안 햇빛을 보지 않고 이것들만 먹는다면 사람이 될 수 있을 것이다."

그날로 곰과 호랑이는 동굴로 들어갔어요. 하지만 동굴 안에서 햇빛도 못 보며 쓴맛이 나는 쑥과 매운 마늘만 먹고 살기란 쉽지가 않았어요.

"입에서 쑥 맛과 마늘 냄새가 ❻진동하는 것 같아. 더 이상은 못 참아!"

결국 버티지 못한 호랑이는 동굴에서 뛰쳐나가 버렸어요. 하지만 ❼꿋꿋이 참은 곰은 백 일이 지나 여자가 되었어요.

환웅은 여자에게 웅녀라는 이름을 붙여 준 후 그녀와 결혼했어요. 환웅과 웅녀 부부 사이에 태어난 아기가 바로 우리 민족의 조상님인 단군왕검이에요. '왕검'은 ❽지배자라는 의미예요. 단군은 우리 민족 최초의 나라인 고조선을 세웠어요. 그리고 널리 인간을 이롭게 한다는 홍익인간을 기본 정신으로 하여 나라를 다스렸어요. 우리 민족은 단군이 나라를 연 첫날인 10월 3일을 개천절로 정해 지금까지도 홍익인간의 정신을 기리고 있어요.

– 단군 신화

❶ **다스리고**: 국가나 사회, 단체, 집안의 일이나 그에 속한 사람들을 보살피고 관리하고.

❷ **굽어보더니**: 높은 위치에서 고개를 숙이거나 허리를 굽혀 아래를 보더니.

❸ **이롭도록**: 도움이나 이익이 되도록.

❹ **증명하는**: 어떤 사건이나 내용이나 판단이 진실인지 아닌지를 증거를 들어서 밝히는.

❺ **백성**: 나라의 근본이 되는 국민을 옛 말투로 이르는 말.

❻ **진동하는**: 냄새가 아주 심하게 나는.

❼ **꿋꿋이**: 어려움에도 불구하고 마음이나 뜻, 태도가 굳세고 곧게.

❽ **지배자**: 다른 사람이나 집단을 자신의 뜻대로 복종하게 하여 다스리는 사람.

1 환웅이 인간 세상으로 올 때, 가지고 온 물건과 함께 온 신을 빈칸에 써 보세요.

환인의 아들이라는 것을 증명하는 물건	농사짓는 것을 돕는 신
청동으로 된 검, ☐☐, ☐☐	비, ☐☐, ☐☐의 신

2 다음은 단군이 태어나는 과정을 정리한 것입니다. 빈칸에 알맞은 말을 써 보세요.

곰과 호랑이는 사람이 되고 싶어 ☐☐에게 사람이 되게 해 달라고 부탁했습니다.

↓

사람이 되기 위해서는 동굴에서 ☐과 ☐☐을 먹으며 백 일을 참아야 했는데, 호랑이는 실패했고 곰은 성공했습니다.

↓

곰은 웅녀라는 여자가 되었고, 환웅과 결혼하여 ☐☐을 낳았습니다.

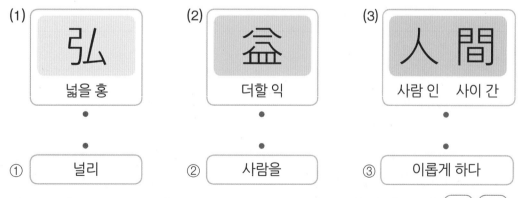

3 '홍익인간'의 한자를 뜻풀이와 알맞게 연결해 보고, 그 뜻을 빈칸에 써 보세요.

(1) 弘
넓을 홍

(2) 益
더할 익

(3) 人 間
사람 인 사이 간

① 널리

② 사람을

③ 이롭게 하다

→ '홍익인간'은 우리 민족 최초의 나라인 고조선을 세운 단군이 나라를 다스린 기본 ☐☐으로, 널리 사람을 이롭게 한다는 뜻입니다.

4 다음 낱말의 뜻을 보기 에서 골라 기호를 써 보세요.

(1) 굽어보다   (2) 이롭다   (3) 꿋꿋이   (4) 다스리다

(   )   (   )   (   )   (   )

> 보기 ① 도움이나 이익이 되다.
>
> ② 어려움에도 불구하고 마음이나 뜻, 태도가 굳세고 곧게.
>
> ③ 높은 위치에서 고개를 숙이거나 허리를 굽혀 아래를 보다.
>
> ④ 국가나 사회, 단체, 집안의 일이나 그에 속한 사람들을 보살피고 관리하다.

5 빈칸에 들어갈 알맞은 낱말을 보기 에서 찾아 써 보세요.

> 보기   증명   지배자   백성

(1) 그는 강력한 힘을 가진 [   ]였습니다.

(2) 당신이 범인이 아니라는 것을 [   ]해 보십시오.

(3) 세종 대왕은 한자를 어려워하는 [   ]들을 위해 한글을 만들었습니다.

6 보기 를 보고, 밑줄 친 낱말의 뜻이 나머지와 다른 하나를 골라 보세요. ⋯⋯⋯⋯⋯ (   )

> 보기 진동
>
> 1. 흔들려 움직임.
>
>   예 갑자기 땅이 진동하는 것을 느꼈습니다.
>
> 2. 냄새가 심하게 남.
>
>   예 전 부치는 냄새가 온 동네에 진동을 했습니다.

① 온 동네에 꽃향기가 진동을 했습니다.

② 쓰레기 씩는 악취가 진동을 했습니다.

③ 빵 냄새가 진동을 하니 배가 더 고파졌습니다.

④ 영화관에서는 휴대 전화를 진동 상태로 바꿔야 합니다.

7 다음은 「한국을 빛낸 백 명의 위인들」이라는 노래의 일부입니다. 빈칸에 들어갈 노랫말을 써 보세요.

> 아름다운 이 땅에 금수강산에 단군 할아버지가 터 잡으시고
>
> ☐☐☐☐ 뜻으로 나라 세우니
>
> 대대손손 훌륭한 인물도 많아.
>
> – 박문영 작사 / 작곡, 「한국을 빛낸 백 명의 위인들」

틀리기 쉬워요!

8 보기 를 보고, 밑줄 친 말을 바른 표현으로 고쳐 써 보세요.

> 보기   곰은 동굴에서 백 일 동안 <u>꿋꿋히</u> 버텼습니다.
> ↳ 꿋꿋이(○)
> → [꿋꾸시]처럼 끝말의 소리가 '이'로만 나는 경우에는 '이'로 적어요.

'이'를 '히'로 헷갈려 잘못 소리 내고 쓰는 말을 조심하도록 해요.

(1) 아침에 일어나 보니 눈이 <u>수북히</u> 쌓여 있었어요. ➡ (   )

(2) 오늘은 교실을 <u>깨끗히</u> 청소하는 날이에요. ➡ (   )

(3) 비 온 뒤 땅이 <u>촉촉히</u> 젖었어요. ➡ (   )

9 문장 속에서 더 자연스러운 낱말을 골라 ○표를 해 보세요.

(1) 임금은 오랫동안 나라를 훌륭하게 (다스렸니 / 다스렸구나)!

(2) 고기 굽는 냄새가 어디에서 (진동하니 / 진동합시다)?

(3) 수현아, 우리 같이 그 사실을 (증명하다 / 증명하자).

😊 맞은 개수 _____ /9개

스스로 붙임딱지

Day 09

뉴턴과 사과나무

아는 어휘에 ✔ 표시를 해 보고, 어휘의 뜻을 생각하며 글을 읽어 보세요.

☐ 위대하다 ☐ 업적 ☐ 관찰 ☐ 유행 ☐ 추리 ☐ 존재하다 ☐ 시초 ☐ 사소하다

🐰

⏰ **공부한 날**

월   일

아이작 뉴턴은 역사에서 가장 ❶위대한 과학자 중 한 명이에요. 뉴턴은 과학과 수학에 수많은 ❷업적을 남겼어요. 우리가 만드는 건물과 탈것을 비롯한 물건 대부분이 뉴턴이 발견한 과학과 수학 지식이 있어서 만들 수 있었어요. 뉴턴은 어떻게 이런 업적을 남길 수 있었을까요? 종일 방에서 공부만 했을까요? 뉴턴은 공부도 열심히 했지만, 주변에 있는 사물을 주의 깊게 ❸관찰하고 그것이 어떻게 움직이는지 이해하기 위해 노력했기 때문에 위대한 ❹발견을 할 수 있었어요.

뉴턴이 대학생이던 1665년, 영국에는 흑사병이라는 무시무시한 병이 ❺유행했어요. 많은 사람이 병에 걸리고 학교들도 문을 닫았어요. 다니던 학교가 문을 닫자 뉴턴도 2년 동안 고향에 내려가 있을 수밖에 없었어요. 어느 날, 뉴턴은 자신의 집 앞뜰에 있는 사과나무 아래에 앉아 졸고 있었어요.

"아야!"

아픔에 잠에서 깬 뉴턴은 주변을 둘러보았어요. 잘 익은 사과가 자신의 머리에 맞고 땅에 떨어져 있었어요. 잠시 후 뉴턴은 또다시 떨어지는 사과 하나를 보았어요. 그때 뉴턴의 머릿속에 한 가지 궁금증이 생겼어요.

'왜 사과는 위나 옆이 아니라 항상 아래로만 떨어지는 거지?'

자신의 의문을 해결하기 위해 사과가 떨어지던 모습을 관찰하며 ❻추리한 끝에 뉴턴은 어떤 ❼깨달음을 얻었어요.

"사과가 아래로만 떨어지도록 하는 '어떤 힘'이 있는 것은 아닐까? 보이지 않는 힘이 물건을 아래로만 떨어지게 하는 거지."

뉴턴이 생각한 '어떤 힘'은 바로 중력이에요. 뉴턴은 중력이라는 힘이 지구에 있기에 사과가 위나 옆으로 향하지 않고 아래로 떨어지는 것이고, 이 중력은 우주에 있는 모든 물체 사이에 ❽존재하는 힘이라고 생각했어요. 이것이 뉴턴이 밝혀낸 '만유인력의 법칙' 의 ❾시초가 된 것이에요. 만유인력이란 모든 물체에는 끌어당기는 힘이 있다는 뜻이에요. 뉴턴은 주변의 ❿사소한 사과나무와 사과를 관찰해서 우주의 법칙이라는 어마어마한 발견을 해낸 것이랍니다.

---

❶ **위대한**: 능력이나 업적 등이 뛰어나고 훌륭한.

❷ **업적**: 사업이나 연구 등에서 노력과 수고를 들여 이루어 낸 결과.

❸ **관찰**: 사물이나 현상을 주의 깊게 자세히 살펴봄.

❹ **발견**: 미처 찾아내지 못하였거나 알려지지 않은 사물이나 상태 또는 사실 등을 찾아냄.

❺ **유행**: 전염병이 널리 퍼져 돌아다님.

❻ **추리**: 알고 있는 것을 바탕으로 알지 못하는 것을 미루어 생각함.

❼ **깨달음**: 사물 본래의 특성이나 원리 등을 깊이 생각한 끝에 알게 되는 것.

❽ **존재하는**: 현실에 실제로 있는.

❾ **시초**: 맨 처음.

❿ **사소한**: 중요하지 않은 정도로 아주 작거나 적은.

1 이 글의 내용으로 맞는 것에는 ○표, 틀린 것에는 ×표를 해 보세요.

(1) 뉴턴은 영국에서 대학교를 다녔습니다. ⸺⸺⸺⸺⸺⸺⸺⸺⸺⸺⸺⸺⸺ (○ / ×)

(2) 뉴턴은 사물을 관찰하는 것에 흥미가 없었습니다. ⸺⸺⸺⸺⸺⸺⸺⸺⸺⸺ (○ / ×)

(3) 뉴턴은 '만유인력의 법칙'을 발견한 과학자입니다. ⸺⸺⸺⸺⸺⸺⸺⸺⸺ (○ / ×)

2 다음은 이 글의 줄거리를 정리한 것입니다. 빈칸에 알맞은 낱말을 써 보세요.

> 뉴턴은 대학생일 때, ☐☐☐ 때문에 학교에 갈 수 없어서 고향에 내려갔습니다.

↓

> 뉴턴은 사과나무 아래에서 떨어지는 사과에 머리를 맞고 '사과는 왜 항상 아래로만 떨어질까?' 하는 ☐☐☐이 생겼습니다.

↓

> 뉴턴은 떨어진 사과를 보고 추리한 끝에 ☐☐☐을 얻었습니다.

↓

> 결국 뉴턴은 ☐☐이라는 힘이 우주에 있는 모든 물체 사이에 존재한다는 것을 생각해 내고, 만유인력의 법칙을 밝혀냈습니다.

3 다음은 뉴턴이 만유인력의 법칙을 발견하는 과정입니다. 각 과정에서 뉴턴이 한 행동에 맞는 낱말을 보기 에서 찾아 써 보세요.

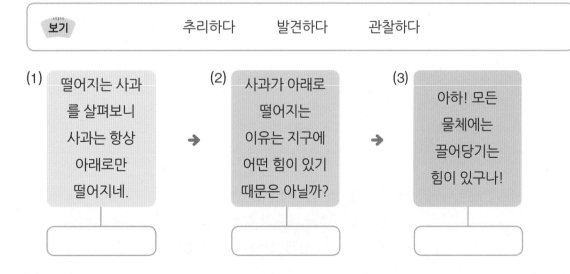

> 보기   추리하다   발견하다   관찰하다

(1) 떨어지는 사과를 살펴보니 사과는 항상 아래로만 떨어지네.

→

(2) 사과가 아래로 떨어지는 이유는 지구에 어떤 힘이 있기 때문은 아닐까?

→

(3) 아하! 모든 물체에는 끌어당기는 힘이 있구나!

43

4 다음 낱말의 뜻을 보기 에서 찾아 기호를 써 보세요.

> 보기
> ㉠ 현실에 실제로 있다.
> ㉡ 전염병이 널리 퍼져 돌아다니다.
> ㉢ 중요하지 않은 정도로 아주 작거나 적다.
> ㉣ 능력이나 업적 등이 뛰어나고 훌륭하다.

(1) 존재하다 ➡ (   )　　　(2) 사소하다 ➡ (   )

(3) 위대하다 ➡ (   )　　　(4) 유행하다 ➡ (   )

5 빈칸에 들어갈 알맞은 낱말을 보기 에서 찾아 다음 글을 완성해 보세요.

> 보기　　　　　　　깨달음　　　업적　　　시초

　　발명왕 토마스 에디슨은 우리 삶에 유용한 수많은 발명품을 만든 발명가입니다. 그의 ☐☐☐ 에는 여러 가지가 있는데, 그중 소리를 기록하여 다시 들을 수 있는 축음기도 있습니다. 에디슨이 발명한 축음기는 오늘날 우리가 아는 여러 녹음 장치의 ☐☐ 이기도 합니다.

　　우리는 흔히 에디슨하면 항상 성공적인 발명품을 만들어 내었던 천재라고 생각하기 쉽지만 사실 에디슨도 많은 실패를 하였습니다. 그래서 그는 "천재는 99퍼센트의 노력과 1퍼센트의 영감(기발한 생각)으로 만들어진다."라는 말을 남겼습니다. 이 말을 통해 우리는 성공을 하기 위해서는 노력이 가장 중요하다는 ☐☐☐ 을 얻을 수 있습니다.

6 다음 밑줄 친 낱말과 바꾸어 쓸 수 있는 것을 골라 번호를 써 보세요.

(1) 뢴트겐은 처음으로 엑스레이를 **발견한** 사람입니다. ⋯⋯⋯⋯⋯ (   )
　　　　　① 처음으로 찾아낸
　　　　　② 새로 생각해 만들어 낸

(2) 현경이는 나비의 한살이를 **관찰했습니다**. ⋯⋯⋯⋯⋯ (   )
　　　　　① 구석구석 뒤져 찾았습니다
　　　　　② 주의 깊게 자세히 살펴보았습니다

7 다음 만화의 빈칸에 알맞은 낱말을 쓰고, 범인이 누구인지 골라 보세요. ……………(   )

1 도일이는 목욕 후 먹으려고 식탁에 꺼내 놓은 케이크가 사라진 것을 알게 됐어요.

2 도일이는 식탁 위를 관찰했어요.

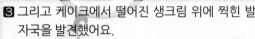

3 그리고 케이크에서 떨어진 생크림 위에 찍힌 발자국을 발견했어요.

4 이를 바탕으로 도일이는 케이크를 먹은 범인이 누구인지 ◯◯했습니다.

① 비둘기 '구돌이'   ② 동생 '우림이'   ③ 강아지 '몽룡이'

틀리기 쉬워요!

8 보기 를 보고, 바른 표현을 골라 ◯표를 해 보세요.

> 보기   뉴턴이 대학생이던 1665년에 영국에서는 흑사병이 유행했어요.
>   ↳ 대학생이든(X)
> → '-든'은 '-든지'의 줄임말로 선택을 나타낼 때 쓰고, '-던'은 과거의 일을 떠올릴 때 써요.

(1) (배든 사과든 / 배던 사과던) 마음대로 먹어라.

(2) 이것은 내가 어제 (먹든 / 먹던) 사과야.

9 밑줄 친 낱말이 문장 속에서 자연스럽게 쓰인 것에 ◯표를 해 보세요.

(1) 최근에 무서운 전염병이 <u>유행할</u> 중입니다. ………………………………………(   )

(2) 이순신 장군은 <u>위대하는</u> 업적을 남겼습니다. ……………………………………(   )

(3) 우리는 아무것도 아닌 <u>사소한</u> 문제로 말다툼을 했습니다. ………………(   )

10

한자 어휘
'출(出)'과 '입(入)'이 들어간 말

⏱ 공부한 날　　월　　일

아는 어휘에 ✔ 표시를 해 보고, 아래 활동을 하며 뜻을 익혀 보세요.

☐ 출입　☐ 출구　☐ 외출　☐ 수출　☐ 입문　☐ 입장료　☐ 돌입

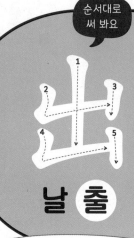

순서대로 써 봐요

날 출

出
날 **출**

사람의 발이 입구를 벗어나는 모양을 본뜬 글자예요. '태어나다', '낳다', '나가다', '떠나다' 등을 뜻해요.

'출입(出入)'은 사람이 어떤 곳을 드나드는 것을 말해요.

● 출(出)이 들어간 낱말은 '나오다'의 뜻을 가지고 있는 경우가 많아요.

출 구 날 出　입 口	뜻 밖으로 나갈 수 있는 문이나 통로. 또는 어떤 상황에서 벗어날 수 있는 길. 예 극장에서 영화를 다 본 후에는 차례를 지켜 출구로 나갑니다.
외 출 바깥 外　날 出	뜻 집이나 회사 등에 있다가 할 일이 있어 밖에 나감. 예 여름철에 외출할 때는 햇볕을 피할 수 있는 모자나 양산이 필요합니다.
수 출 나를 輸　날 出	뜻 상품이나 기술을 다른 나라로 팔아 내보냄. 반 수입(輸入) 예 우리나라는 뛰어난 기술로 만든 반도체를 외국에 수출합니다.

외출할 때는 문단속을 철저히!

나라 밖과 안으로 나가고 들어오는 일, 출입국

출 — 날 出
입 — 들 入
국 — 나라 國

국제선 비행기가 나가고 들어오는 공항에 가면 '出'과 '入'이 들어간 말을 많이 볼 수 있어요. 이렇게 나라 밖으로 나가고 나라 안으로 들어오는 일을 합쳐 '출입국(出入國)'이라고 해요.

출국(出國)　입국(入國)

이 문으로는 출입할 수 없어.

들 **입**

화살촉이나 칼처럼 생긴 날카로운 물건의 모양을 본떠 만든 글자예요. '들어오다', '들이다', '빠지다' 등을 뜻해요.

入
들 **입**

● 입(入)이 들어간 낱말은 '들어오다'의 뜻을 가지고 있는 경우가 많아요.

입 문	
들 入　문 門	뜻 무엇을 배우는 과정에 처음 들어섬. 또는 그 과정. 예 아라는 하얀 도복과 띠를 받으며 태권도에 처음 입문하였습니다.
입 장 료	
들 入　마당 場　헤아릴 料	뜻 행사나 공연 등이 열리는 장소에 들어가기 위하여 내는 요금. 예 우리 고장의 박물관은 고장 사람들에게 입장료를 받지 않습니다.
돌 입	
갑자기 突　들 入	뜻 강한 결심과 의지를 가지고 어떤 일을 본격적으로 시작함. 예 대회를 앞두고 선수들은 본격적인 연습에 돌입했습니다.

1 낱말의 뜻이 바른 것에는 ○표, 틀린 것에는 ×표를 해 보세요.

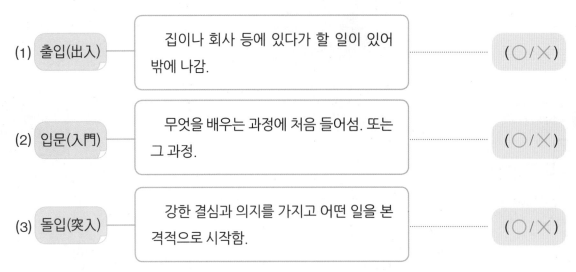

(1) 출입(出入) ── 집이나 회사 등에 있다가 할 일이 있어 밖에 나감. ┄┄ (○ / ×)

(2) 입문(入門) ── 무엇을 배우는 과정에 처음 들어섬. 또는 그 과정. ┄┄ (○ / ×)

(3) 돌입(突入) ── 강한 결심과 의지를 가지고 어떤 일을 본격적으로 시작함. ┄┄ (○ / ×)

2 낱말의 뜻을 보고, 빈칸에 공통으로 들어갈 알맞은 낱말을 써 보세요.

(1)
• 꽃집에 가 보니 잠긴 문에 '◻◻ 중'이라는 푯말이 붙어 있고 안에는 아무도 없었습니다.
• 일기 예보에서 오늘은 날씨가 매우 추우니 ◻◻ 할 때 두꺼운 옷차림을 하라고 알려 주었습니다.
→ (뜻) 집이나 회사 등에 있다가 할 일이 있어 밖에 나감.

(2)
• 우리 동네 동물원은 어린이날에는 모든 어린이의 ◻◻◻ 를 받지 않습니다.
• 이 연극의 ◻◻◻ 는 어른은 오천 원, 어린이는 이천 원입니다.
→ (뜻) 행사나 공연 등이 열리는 장소에 들어가기 위하여 내는 요금.

3 다음 문장에 알맞은 낱말을 골라 ○표를 해 보세요.

(1) 미국은 우리나라에 많은 양의 밀을 { 수출 / 수입 } 합니다.

(2) 어두운 극장에서는 { 출구 / 입구 } 를 초록색 불빛으로 표시해 비상시 대피를 돕습니다.

4 다음 낱말의 뜻을 보고 빈칸에 들어갈 알맞은 글자를 찾아 선으로 이어 보세요.

(1)  사람이 어떤 곳을 드나드는 것. · · ①  장

(2) 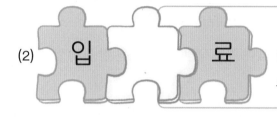 행사나 공연 등이 열리는 장소에 들어가기 위하여 내는 요금. · · ②  문

(3)  강한 결심과 의지를 가지고 어떤 일을 본격적으로 시작함. · · ③  외

(4)  밖으로 나갈 수 있는 문이나 통로. 또는 어떤 상황에서 벗어날 수 있는 길. · · ④ 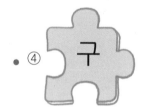 구

(5)  집이나 회사 등에 있다가 할 일이 있어 밖에 나감. · · ⑤  돌

(6)  무엇을 배우는 과정에 처음 들어섬. 또는 그 과정. · · ⑥  출

스스로 붙임딱지

☑ 단위를 나타내는 여러 말

● **홉**: 곡식, 가루, 액체 등을 세는 단위. 한 줌 정도로, 한 홉은 약 180밀리리터에 해당하는 양.

● **되**: 곡식, 가루, 액체 등을 담아 분량을 헤아리는 데 쓰는 사각형 모양의 나무 그릇인 '되'에 가득 담긴 양. 한 되는 한 홉의 열 배로 약 1.8리터에 해당하는 양.

● **말**: 곡식, 가루, 액체 등을 담아 분량을 헤아리는 나무나 쇠붙이를 이용하여 원기둥 모양으로 만든 통인 '말'에 가득 담긴 양. 한 말은 한 되의 열 배로 약 18리터에 해당하는 양.

● **섬**: 곡식 따위를 담기 위하여 짚으로 엮어 만든 그릇인 '섬'에 가득 담긴 양. 한 섬은 한 말의 열 배로 약 180리터에 해당하는 양.

● **가마(가마니)**: 곡식이나 소금 등을 담는 짚으로 만든 부대인 가마(가마니)에 담아 분량을 세는 단위. 한 가마는 약 80킬로그램에 해당하는 양.

● **근**: 무게의 단위. 한 근은 고기나 약재의 무게를 잴 때는 600그램, 과일이나 채소 등의 무게를 잴 때는 375그램에 해당함.

● **관**: 과일이나 채소 등의 무게를 잴 때 나타내는 단위. 한 관은 한 근의 열 배로 약 3.75킬로그램에 해당함. 또는 한 사람이 낚은 열 마리의 고기를 나타내거나, 엽전 열 냥을 묶어 세던 단위.

3주 어휘 미리보기

뜻을 알고 있는 낱말에 V표 해 보세요.

알고 있는 낱말은 글에서 어떻게 쓰였는지 확인하고,
모르는 낱말은 글을 읽으며 재미있게 익혀 보아요.

	배울 내용	배울 낱말		공부한 날
Day 11	속담 고생 끝에 낙이 온다	☐ 국립 묘지 ☐ 문화 ☐ 물리학 ☐ 공	☐ 식민지 ☐ 부유하다 ☐ 물질 ☐ 수상하다	월 ／ 일
Day 12	관용어 눈도 깜짝 안 하다	☐ 인색하다 ☐ 일화 ☐ 혀를 내두르다 ☐ 흉년	☐ 실존 ☐ 북어 ☐ 굴비 ☐ 부지하다	월 ／ 일
Day 13	한자 성어 사면초가(四面楚歌)	☐ 천하 ☐ 포위되다 ☐ 사기 ☐ 탄식	☐ 기세 ☐ 재촉 ☐ 사방 ☐ 의욕	월 ／ 일
Day 14	교과 어휘 – 사회 프랑스 군대를 구한 전서구 '셰르 아미'	☐ 통신 수단 ☐ 고립 ☐ 구조 ☐ 사례	☐ 활약 ☐ 아군 ☐ 훈장 ☐ 만세 삼창	월 ／ 일
Day 15	한자 어휘 '춘(春)', '하(夏)', '추(秋)', '동(冬)'이 들어간 말	☐ 춘하추동 ☐ 추석 ☐ 동백	☐ 입춘 ☐ 하복	월 ／ 일

속담

고생 끝에 낙이 온다

아는 어휘에 ✔ 표시를 해 보고, 어휘의 뜻을 생각하며 글을 읽어 보세요.

☐ 국립묘지 ☐ 식민지 ☐ 문화 ☐ 부유하다 ☐ 물리학 ☐ 물질 ☐ 공 ☐ 수상하다

⏱ 공부한 날

월   일

❶ **국립묘지**: 군인이나 나라를 위하여 공을 세운 사람들의 유해를 모셔 두려고 나라에서 만들어 관리하는 묘지.

❷ **식민지**: 힘이 센 다른 나라에게 정치적, 경제적으로 지배를 받는 나라.

❸ **문화**: 사회의 공동체가 일정한 목적 또는 생활 이상을 실현하기 위하여 만들고, 익히고, 공유하고, 전달하는 물질적, 정신적 활동.

❹ **부유하다**: 살림이 아주 넉넉할 만큼 재물이 많다.

❺ **물리학**: 물질의 성질과 그것이 나타내는 모든 현상 그리고 그들 사이의 관계나 법칙을 연구하는 학문.

❻ **물질**: 공간의 일부를 차지하고 물체의 고유한 양을 갖는 요소.

❼ **방사능**: 작은 입자로 부서지면서 인체에 해로운 전자파를 내 쏘는 것.

❽ **고생 끝에 낙이 오듯**: 어려운 일이나 고된 일을 겪고 난 뒤에는 반드시 즐겁고 좋은 일이 생기듯.

❾ **공**: 어떤 일을 위해 바친 노력과 수고. 또는 그 결과.

❿ **수상한**: 상을 받은.

⓫ **굴하지 않고**: 어떤 어려움에도 뜻을 굽히지 않고.

마리 퀴리

프랑스의 팡테옹이라는 ❶국립묘지는 프랑스 역사에서 존경할 만한 위대한 사람만이 묻히는 곳입니다. 이곳 팡테옹에 묻힌 최초의 여성은 바로 마리 퀴리라는 과학자입니다.

마리의 고향은 프랑스가 아닌 폴란드입니다. 당시 폴란드는 러시아의 ❷식민지였습니다. 러시아는 폴란드의 ❸문화와 전통을 무시하고, 폴란드어를 배우는 것을 방해했습니다. 그러나 마리의 부모님은 자식들이 폴란드를 사랑하는 마음을 잃지 않도록 교육했습니다. 마리는 열심히 공부해 좋은 성적으로 학교를 졸업했으나, 집안이 가난하여 공부를 계속할 수 없었습니다. 설사 ❹부유하다 해도 당시 폴란드의 대학에는 여자가 입학할 수 없었습니다.

"공부를 그만둘 수는 없어. 파리 소르본 대학에 가서 공부하자!"

마리는 열심히 돈을 모아 프랑스로 건너가 파리의 소르본 대학에 입학하여 ❺물리학 박사가 되었습니다. 과학자가 된 마리는 물리학자 피에르 퀴리를 만나 결혼했습니다. 퀴리 부부는 세상에 알려지지 않은 새로운 ❻물질을 발견하기 위해 밤낮없이 함께 연구했습니다.

쉼 없는 연구 끝에 마리와 피에르는 '폴로늄'이라는 ❼방사능 물질을 발견했습니다. 폴로늄은 마리가 고향인 폴란드의 이름을 따서 지은 것입니다. 폴로늄을 발견한 후에도 마리와 피에르는 연구를 계속했고, 또 다른 방사능 물질 '라듐'을 발견했습니다. 비가 새는 헛간에서도 쉬지 않고 연구한 결과였습니다. ❽고생 끝에 낙이 오듯, 마리와 피에르는 폴로늄과 라듐을 찾아낸 ❾공을 인정받아 마침내 노벨 물리학상이라는 큰 상을 받게 되었습니다. 남편 피에르가 교통사고로 세상을 떠난 후에도 마리의 연구는 끝나지 않았습니다. 마리는 라듐에서 금속 라듐을 분리해 노벨 화학상을 받으면서 세계 최초로 노벨상을 두 번이나 ❿수상한 과학자이자 여성 최초의 노벨상 수상자가 되었습니다.

마리는 힘든 환경에도 ⓫굴하지 않고 끊임없이 공부하고 연구했기에 자신의 목표를 이루고 성공할 수 있었습니다. 폴란드 사람들은 마리의 끈기와 나라를 사랑하는 마음을 본받고자 지폐에 마리의 얼굴을 새겨 기억하였습니다.

1 **이 글의 내용에 맞도록 알맞은 말을 골라 ○표를 해 보세요.**

(1) 마리 퀴리의 고향은 (프랑스 / 폴란드)입니다.

(2) 마리 퀴리는 노벨상을 (한 / 두) 번 수상하였습니다.

(3) 마리 퀴리가 어린 시절 폴란드는 (러시아 / 프랑스)의 식민지였습니다.

2 **다음은 마리 퀴리의 업적을 정리한 것입니다. 빈칸에 들어갈 알맞은 낱말을 써 보세요.**

마리는 프랑스로 건너가 파리의 소르본 대학에 입학하여 ⬚⬚⬚ 박사가 되었습니다.

↓

마리는 피에르 퀴리와 결혼하여 함께 세상에 알려지지 않은 폴로늄이라는 방사능 물질을 발견한 데 이어 또다른 방사능 물질인 ⬚⬚을 발견하여 노벨 물리학상을 받았습니다.

↓

마리는 라듐에서 금속 라듐을 분리해 노벨 ⬚⬚⬚을 받았습니다.

↓

폴란드 사람들은 ⬚⬚에 마리의 얼굴을 새겨 그녀를 기억하고 본받으려 하였습니다.

3 **다음을 보고, "고생 끝에 낙이 온다."의 뜻을 짐작하여 빈칸에 들어갈 알맞은 말을 써 보세요.**

낱말	뜻	예
고생	어렵고 고된 일을 겪음.	퀴리 부부는 비가 새는 헛간에서도 쉬지 않고 연구했습니다.
낙	즐겁고 좋은 일.	폴로늄과 라듐을 찾아낸 공을 인정받아 노벨 물리학상이라는 큰 상을 받게 되었습니다.

➔ "고생 끝에 낙이 온다."는 어렵고 ⬚⬚ 일을 겪고 난 뒤에는 반드시 즐겁고 ⬚⬚ 일이 생긴다는 말입니다.

53

4 다음 낱말의 뜻을 찾아 선으로 이어 보세요.

(1) 물질 •　　　　　• ① 살림이 아주 넉넉할 만큼 재물이 많다.

(2) 부유하다 •　　　　　• ② 공간의 일부를 차지하고 물체의 고유한 양을 갖는 요소.

(3) 물리학 •　　　　　• ③ 힘이 센 다른 나라에게 정치적, 경제적으로 지배를 받는 나라.

(4) 식민지 •　　　　　• ④ 물질의 성질과 그것이 나타내는 모든 현상 그리고 그들 사이의 관계나 법칙을 연구하는 학문.

5 밑줄 친 낱말과 바꾸어 쓰기에 알맞지 <u>않은</u> 것을 골라 보세요. ⋯⋯⋯⋯⋯⋯⋯ (　　　)

> 지수는 편찮으신 어머니를 <u>밤낮없이</u> 보살펴 드렸다.

① 쉼 없이　　　　② 끊임없이　　　　③ 끈기 없이
④ 쉬지 않고　　　　⑤ 언제나 늘

6 밑줄 친 '공'이 보기 에 쓰인 '공'과 같은 뜻으로 쓰인 문장에 ○표를 해 보세요.

> **보기**　　감독님은 우승의 영광을 선수들의 <u>공</u>으로 돌렸다.

(1) 오늘 운동장에서 <u>공</u>을 찼습니다. ⋯⋯⋯⋯⋯⋯⋯⋯⋯⋯⋯⋯⋯⋯ (　　　)
(2) 그는 전쟁에서 큰 <u>공</u>을 세웠습니다. ⋯⋯⋯⋯⋯⋯⋯⋯⋯⋯⋯⋯⋯ (　　　)
(3) 일을 할 때는 <u>공</u>과 사를 분명히 구분해야 합니다. ⋯⋯⋯⋯⋯⋯⋯ (　　　)

7 "고생 끝에 낙이 온다."는 말을 해 줄 상황으로 가장 알맞은 것을 골라 보세요. (   )

① 책 읽기를 좋아하는 친구를 보았을 때

② 어머니께서 맛있는 요리를 해 주셨을 때

③ 공부를 하지 않아 시험을 망친 친구를 보았을 때

④ 과녁 맞추기를 한 번에 성공한 친구를 보았을 때

⑤ 줄넘기를 잘하지 못해 힘들게 연습하고 있는 친구를 보았을 때

틀리기 쉬워요!

8 다음 낱말과 뜻풀이를 보고, 문장에 알맞은 낱말을 골라 ○표를 해 보세요.

> • **잊다**: ① 한번 알았던 것을 기억하지 못하거나 기억해 내지 못하다.
>
> ② 어떤 일에 열중한 나머지 잠이나 끼니 따위를 제대로 취하지 않다.
>
> • **잃다**: ① 가졌던 물건이 자신도 모르게 없어져 그것을 갖지 아니하게 되다.
>
> ② 의식이나 감정 따위가 사라지다.

(1) 주머니에 구멍이 나서 동전을 (잊어버렸습니다 / 잃어버렸습니다).

(2) 어떤 상황에서도 용기를 (잊지 / 잃지) 말고 힘을 내십시오.

(3) 어젯밤에 숙제하는 것을 깜빡 (잊고 / 잃고) 잠들어 버렸습니다.

9 보기 를 읽고, 밑줄 친 부분을 바꾸어 써 보세요.

> 보기 퀴리 부부는 세상에 <u>알려지지 않은</u> 새로운 물질을 발견하기 위해 연구했습니다.
>
> ➡ 퀴리 부부는 세상에 <u>안 알려진</u> 새로운 물질을 발견하기 위해 연구했습니다.

(1) 친구에게 <u>좋지 않은</u> 일이 생길까 봐 걱정입니다.

➡ 친구에게 _____ 일이 생길까 봐 걱정입니다.

(2) 늦잠을 자서 세수도 <u>하지 않고</u> 학교로 달려갔습니다.

➡ 늦잠을 자서 세수도 _____ 학교로 달려갔습니다.

눈도 깜짝 안 하다

아는 어휘에 ✔ 표시를 해 보고, 어휘의 뜻을 생각하며 글을 읽어 보세요.

☐ 인색하다 ☐ 실존 ☐ 일화 ☐ 북어 ☐ 혀를 내두르다 ☐ 굴비 ☐ 흉년 ☐ 부지하다

공부한 날

월   일

아주 **❶인색**한 사람을 가리켜 우리는 흔히 '자린고비 같다'고 말해요. 그런데 그가 충청북도 충주에 살았던 **❷실존** 인물이라는 사실은 모르는 사람이 많아요. 자린고비가 얼마나 인색했는지 그와 관련한 재미있는 **❸일화**를 소개할게요.

하루는 지나가던 **❹북어** 장수가 마당을 쓸고 있는 자린고비를 보았어요. 북어 장수는 한 번도 자린고비에게 북어를 팔아 본 적이 없어 속이 상했어요.

'제 아무리 지독한 자린고비라지만, 돈을 내고 사 먹기 싫어서 그렇지 공짜라면 안 먹을 리가 없다. 일단 자린고비가 북어를 먹게 만들고, 그때 들어가서 돈을 받아야겠다.' 북어 장수는 이렇게 꾀를 내고는 북어 한 마리를 담 안으로 던졌어요.

마당을 쓸고 있던 자린고비는 북어 한 마리가 마당으로 떨어지자 주워 들고 한동안 생각에 잠겼어요.

"이거 어디서 **❺밥버러지**가 떨어졌군."

자린고비는 중얼거리면서 **❻눈도 깜짝 안 하**고 북어를 담 밖으로 던져 버렸어요. 이것을 본 북어 장수는 자린고비에게 북어를 팔기는 틀렸다는 것을 깨닫고 **❼혀를 내두르**며 떠났어요.

또 한 번은 자린고비가 생선 가게에 나타났어요. 사람들은 자린고비가 생선을 사 간다며 신기해했어요. 그런데 자린고비는 생선을 고르는 척 이것저것 뒤적이며 값을 묻기만 했어요. 그러다 생선 냄새가 손에 배자 값이 비싸다며 빈손으로 돌아갔어요. 집에 돌아온 자린고비는 그릇에 물을 받아 손을 씻고, 그 물로 맛있게 국을 끓여 먹었지요.

그런 자린고비도 일 년에 딱 한 번 아버지 제사상에 올릴 **❽굴비** 한 마리는 샀어요. 그런데 제사에 쓰고 난 굴비를 먹지 않고 천장에 매달아 놓기만 했답니다. 밥 한 숟가락을 뜨고 매달린 굴비를 반찬으로 쳐다보았지요. 아들이 밥 한 숟가락에 굴비를 두세 번 쳐다보면 자린고비는 "짜다 짜. 한 번만 쳐다봐라." 하고 **❾호통**을 쳤어요.

이렇듯 온갖 손가락질을 받아 가며 재물을 모았던 자린고비도 돈을 써야 할 때는 쓸 줄 알았어요. 나라에 극심한 **❿흉년**이 들었을 때 자신의 재산을 이웃 사람들에게 나누어 주었거든요. 그리하여 도움을 받은 사람들은 굶주림을 면하고 목숨을 **⓫부지**할 수 있었답니다.

---

❶ 인색한: 물건이나 돈 등을 몹시 아껴 씀씀이가 너그럽지 못한.

❷ 실존: 실제로 존재함.

❸ 일화: 어떤 사람이나 일에 관한 흥미로운 이야기.

❹ 북어: 말린 명태.

❺ 밥버러지: 일은 하지 아니하고 밥만 많이 먹는 사람을 낮잡아 이르는 말.

❻ 눈도 깜짝 안 하고: 조금도 놀라거나 당황하지 않고.

❼ 혀를 내두르며: 몹시 놀라거나 어이없어서 말을 못 하며.

❽ 굴비: 소금에 약간 절여서 통으로 말린 조기.

❾ 호통: 몹시 화가 나서 크게 소리 지르거나 꾸짖음. 또는 그 소리.

❿ 흉년: 농사가 잘되지 않아 다른 때보다 수확이 적은 해.

⓫ 부지할: 상당히 어렵게 보존하거나 유지하여 나갈.

1 다음 설명에 해당하는 말을 이 글에서 찾아 써 보세요.

> 돈이나 재물 따위를 쓰는 데 아주 인색한 사람을 일컫는 말.

→ ☐☐☐☐

2 다음은 자린고비 일화를 정리한 것입니다. 빈칸에 들어갈 알맞은 낱말을 보기 에서 찾아 써 보세요.

> 보기   굴비   빈손   흉년   밥버러지

(1) 자린고비는 마당에 떨어져 있는 북어 한 마리를 주워 들고는 어디서 ☐ 가 떨어졌다며 북어를 담 밖으로 던져 버렸습니다.

(2) 자린고비는 생선 가게에서 생선을 뒤적이기만 하다 ☐ 으로 집에 돌아와서는 손 씻은 물로 국을 끓여 먹었습니다.

(3) 자린고비는 아버지 제사상에 올리고 난 ☐ 를 먹지 않고 천장에 매달아 두고, 반찬으로 쳐다보기만 하였습니다.

(4) 자린고비는 나라에 ☐ 이 들었을 때 자신의 재산을 이웃들에게 나누어 주었습니다.

3 자린고비와 북어 장수의 이야기를 통해 '눈도 깜짝 안 하다'의 뜻을 바르게 짐작한 친구에 ○표를 해 보세요.

(1)
'눈도 깜짝 안 하다'는 조금도 놀라거나 당황하지 않는다는 뜻이야.

(   )

(2)
'눈도 깜짝 안 하다'는 몹시 놀라서 말도 하지 못한다는 뜻이야.

(   )

57

4 다음 뜻을 가진 낱말을 보기 에서 찾아 써 보세요.

> 보기　　　　　일화　　　호통　　　인색하다　　　부지하다

(1) 어떤 사람이나 일에 관한 흥미로운 이야기.　→ [　　　　　]

(2) 상당히 어렵게 보존하거나 유지하여 나가다.　→ [　　　　　]

(3) 물건이나 돈 등을 몹시 아껴 씀씀이가 너그럽지 못하다.　→ [　　　　　]

(4) 몹시 화가 나서 크게 소리 지르거나 꾸짖음. 또는 그 소리.　→ [　　　　　]

5 다음 뜻을 가진 낱말을 찾아 알맞게 선으로 이어 보세요.

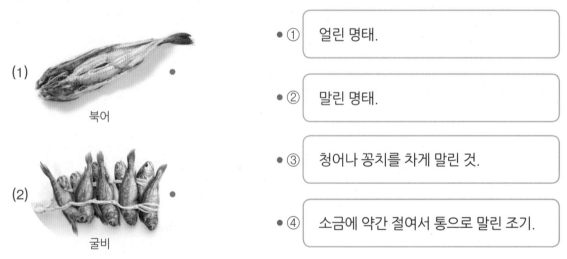

(1) 북어　•

(2) 굴비　•

● ① 얼린 명태.

● ② 말린 명태.

● ③ 청어나 꽁치를 차게 말린 것.

● ④ 소금에 약간 절여서 통으로 말린 조기.

6 낱말의 뜻을 참고하여, 밑줄 친 낱말과 뜻이 반대인 낱말을 빈칸에 써 보세요.

(1) 자린고비는 이야기 속에만 존재하는 <u>허구</u>의 인물이 아니라, 충주에 살았던 [　][　] 인물

입니다.　　　　　　　　　　　　　　　　　　　　　　↳ 실제로 존재함.

(2) 나라에서는 <u>풍년</u>에 곡식을 모아 두었다가 [　][　]이 들면 백성들에게 나눠 주었습니다.

　　　　　　　↳ 농사가 잘되지 않아 다른 때보다 수확이 적은 해.

7 다음 중 밑줄 친 말이 어색하지 <u>않게</u> 쓰인 문장에 ○표를 해 보세요.

(1) 밖에서 '쿵' 소리가 나자 형은 <u>눈도 깜짝 안 하고</u> 책상 아래로 숨었습니다. ·········(   )

(2) 엄청난 속도로 달리는 영수를 보며 친구들은 <u>눈도 깜짝 안 하고</u> 박수를 쳤습니다. ··(   )

(3) 교실에 벌이 들어와 아이들은 야단이 났지만, 선생님께서는 <u>눈도 깜짝 안 하시고</u> 수업을 계속 하셨습니다. ·········(   )

틀리기 쉬워요!

8 보기 를 보고, 밑줄 친 낱말의 발음이 바르지 <u>못한</u> 것을 골라 보세요. ·········(   )

> 보기
>
> 적정한 <u>값으로</u>[갑쓰로] 샀구나.
>
> 받침 'ㅄ'이 모음자와 만나면 [ㅂ]과 [ㅆ]으로 발음돼요.

① <u>값이</u>[갑씨] 비쌉니다.

② <u>값을</u>[가블] 물어보았습니다.

③ 싼 <u>값에</u>[갑쎄] 물건을 샀습니다.

④ 사과의 <u>값은</u>[갑쓴] 배보다 쌉니다.

틀리기 쉬워요!

9 다음을 읽고, 빈칸에 들어갈 알맞은 말을 골라 ○표를 해 보세요.

> • **갔다**: 한곳에서 다른 곳으로 장소를 이동했다.
> • **같다**: 서로 다르지 않고 하나이다. 또는 다른 것과 비교하여 그것과 다르지 않다.

(1) 나는 성환이와 키가 (갔아요 / 같아요).

(2) 시장에 (갔다가 / 같다가) 빈손으로 돌아왔습니다.

(3) 아주 인색한 사람을 자린고비 (갔다고 / 같다고) 말합니다.

😊 맞은 개수 _____ /9개

스스로 풀음딱지

한자 성어

사면초가 (四 넉 사 面 얼굴 면 楚 초나라 초 歌 노래 가)

아는 어휘에 ✔ 표시를 해 보고, 어휘의 뜻을 생각하며 글을 읽어 보세요.

☐ 천하 ☐ 기세 ☐ 포위되다 ☐ 재촉 ☐ 사기 ☐ 사방 ☐ 탄식 ☐ 의욕

공부한 날

월   일

● **천하**: 하늘 아래 온 세상. 또는 한 나라 전체.

❷ **기세**: 힘차게 뻗치는 기운이나 세력.

❸ **독 안에 든 쥐**: 궁지에서 벗어날 수 없는 처지를 이르는 말.

❹ **포위되고**: 주위가 빙 둘러싸이고.

❺ **용맹**: 용감하고 날래며 기운참.

❻ **지략가**: 명석한 두뇌를 지니고 전술에 밝은 사람.

❼ **재촉**: 어떤 일을 빨리하도록 요구함.

❽ **사기**: 의욕이나 자신감 따위로 충만하여 굽힐 줄 모르는 기세.

❾ **사방**: 동, 서, 남, 북 네 방위를 통틀어 이르는 말.

❿ **탄식**: 슬프거나 힘든 일이 있을 때 심하게 한숨을 쉼.

⓫ **의욕**: 무엇을 하고자 하는 적극적인 마음이나 의지.

⓬ **곤란한**: 사정이 몹시 어렵고 난처한.

초나라의 항우와 한나라의 유방이 ❶천하를 두고 다투던 때였어요. 산을 뽑을 만한 힘과 천하를 덮을 만한 ❷기세를 가졌다는 항우도 싸움에 져서 쫓기는 신세가 되었지요.

"항우는 ❸독 안에 든 쥐다. 항우를 잡아라!"

쫓기던 항우는 결국 해하 지역까지 밀려나 한나라 군사들에게 ❹포위되고 말았어요. 하지만 항우가 워낙 ❺용맹하였기에 쉽게 사로잡을 수가 없었어요. 그렇게 싸움이 오랫동안 이어지자 한나라의 ❻지략가 장량이 꾀를 내었어요.

"항우는 절대 만만하게 볼 인물이 아닙니다. 힘으로는 항우를 이기기 힘드니 작전을 바꾸어야겠습니다."

"좋은 생각이 있다면 어서 말해 보아라."

유방이 장량을 ❼재촉했어요.

"지금 초나라 군사들은 오랜 싸움에 지쳐 가족과 고향을 그리워하고 있습니다. 항복한 초나라 군사들에게 밤마다 초나라 노래를 부르게 한다면 초나라 군사들은 틀림없이 그리움에 젖어 ❽사기가 크게 떨어질 것입니다."

유방은 참 좋은 생각이라며 장량의 꾀를 칭찬하였어요.

그날 밤부터 날마다 초나라 노랫소리가 ❾사방에 울려 퍼졌어요.

"아, 고향의 노랫소리다. 어머니가 보고 싶어!"

노랫소리를 들은 초나라 군사들은 밤마다 고향을 그리워하며 구슬피 울었어요. 노랫소리를 들은 항우도 크게 ❿탄식했어요.

"아, 한나라에 항복한 초나라 군사들이 저렇게 많단 말인가! 노랫소리에 우리 군사들의 마음이 흔들릴 테니 이를 어찌한단 말인가. 저 구슬픈 노래가 백만 대군보다 더 무섭구나!"

결국 초나라 군사들은 싸울 ⓫의욕을 잃어버렸고, 고향이 그리워 하나둘씩 전쟁터를 벗어나 도망치기 시작했어요. 그렇게 군사를 잃은 항우는 한나라와의 싸움에서 크게 패하고 말았답니다.

'**사면초가**'는 "사방에 초나라 노래가 가득하다."라는 뜻으로, 온 사방이 적에게 둘러싸였다는 말입니다. 아무에게도 도움을 받지 못하는 외롭고 ⓬곤란한 처지에 놓였을 때 "사면초가에 놓여 있다."라는 표현을 쓴답니다.

1 이 글의 내용으로 맞는 것에는 ○표, 틀린 것에는 ×표를 해 보세요.

(1) 한나라의 유방은 초나라에 쫓기는 신세였습니다. .... (○ / ×)

(2) 고향의 노랫소리를 들은 초나라 군사들은 더욱 사기가 올랐습니다. .... (○ / ×)

(3) 항우는 구슬픈 노래가 백만 대군보다 더 무섭다고 하였습니다. .... (○ / ×)

2 다음은 이 글의 내용을 차례대로 정리한 것입니다. 빈칸에 들어갈 알맞은 낱말을 보기에서 찾아 써 보세요.

> **보기**　　　　　　사방　　의욕　　포위

쫓기던 항우가 한나라 군사들에게 ☐☐되었습니다.

↓

장량은 항복한 초나라 군사들에게 밤마다 초나라 노래를 부르게 해 ☐☐에 노랫소리가 울려 퍼졌습니다.

↓

결국 초나라 군사들은 싸울 ☐☐을 잃고 하나둘씩 도망쳤으며, 항우는 군사를 잃고 싸움에서 패했습니다.

3 한자를 뜻풀이와 알맞게 연결해 보고, '사면초가'의 뜻에 알맞도록 빈칸을 채워 보세요.

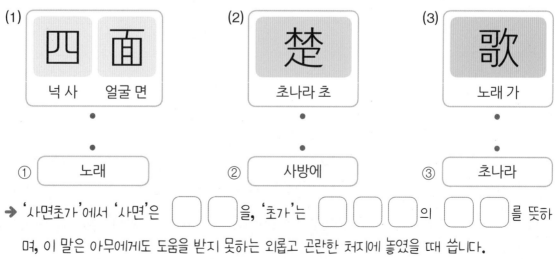

(1) 四　面
넉 사　얼굴 면

(2) 楚
초나라 초

(3) 歌
노래 가

① 노래　　② 사방에　　③ 초나라

→ '사면초가'에서 '사면'은 ☐☐을, '초가'는 ☐☐☐의 ☐☐를 뜻하며, 이 말은 아무에게도 도움을 받지 못하는 외롭고 곤란한 처지에 놓였을 때 씁니다.

4 다음 낱말의 뜻을 찾아 선으로 이어 보세요.

(1) 지략가 •

(2) 용맹하다 •

(3) 재촉하다 •

(4) 탄식하다 •

• ① 용감하고 날래며 기운차다.

• ② 슬프거나 힘든 일이 있을 때 심하게 한숨을 쉬다.

• ③ 어떤 일을 빨리하도록 요구하다.

• ④ 명석한 두뇌를 지니고 전술에 밝은 사람.

5 밑줄 친 낱말과 같은 뜻이 되도록 빈칸에 들어갈 알맞은 낱말을 써 보세요.

• 항우는 한나라 군사들에게 에워싸였어요.
• 항우는 한나라 군사들에게 둘러싸였어요.

➜ 항우는 한나라 군사들에게 ◻◻되었어요.

6 '곤란한'과 바꾸어 쓸 수 있는 낱말을 두 개 골라 보세요. ⋯⋯⋯⋯⋯⋯⋯ (　　)

① 낮은 　　　　② 쉬운 　　　　③ 어려운

④ 난처한 　　　　⑤ 편안한

7 다음 중 '사면초가'를 알맞게 사용한 친구의 이름을 써 보세요.

> **민이**: 요즘 정말 난 사면초가야. 집에서 가족들이 나만 보면 공부하란 잔소리를 해.
>
> **고니**: 요즘 나도 사면초가야. 학원을 옮겼더니 재밌는 친구들이 정말 많아. 멋진 친구들에
> 둘러싸였어.

➔ [   ]

3주차

Day
13

정답과 해설 25쪽

 틀리기 쉬워요!

8 다음 두 그림을 보고, 문장에 알맞은 낱말을 골라 ○표를 해 보세요.

젓다

젖다

> 물에 코코아 가루를 타서 열심히 (젓다 / 젖다) 그만 컵을 엎질러서 책이 다 (저었습니다 / 젖었습니다).

9 보기 를 보고, 빈칸에 들어갈 알맞은 낱말을 써 보세요.

> 보기   노래 + 소리 ➔ 노랫소리

 낱말끼리 합해져 하나의 낱말이 될 때 'ㅅ'이 덧붙기도 해요.

(1) 바다 + 가 ➔ [   ]

(2) 나무 + 가지 ➔ [   ]

 스스로 붙임딱지

Day 14

프랑스 군대를 구한 전서구 '셰르 아미'

아는 어휘에 ✔ 표시를 해 보고, 어휘의 뜻을 생각하며 글을 읽어 보세요.

☐ 통신 수단　☐ 활약　☐ 고립　☐ 아군　☐ 구조　☐ 훈장　☐ 사례　☐ 만세 삼창

⏱ 공부한 날

　　　월　　　일

❶ 통신 수단: 소식을 전하는 데 이용하는 방법이나 도구. 전화나 우편 등이 있음.

❷ 전서구: 편지를 보내는 데 쓸 수 있게 훈련된 비둘기.

❸ 활약: 활발히 활동함.

❹ 고립: 다른 곳이나 사람과 교류하지 못하고 혼자 따로 떨어짐.

❺ 아군: 우리 편 군대. ⑪ 적군.

❻ 구조: 재난으로 위험에 처한 사람을 구함.

❼ 곤두박질: 갑자기 거꾸로 떨어지거나 아래로 내리박힘.

❽ 기지: 군대나 탐험대 등이 머물면서 활동할 수 있게 필요한 시설을 갖춘 장소.

❾ 훈장: 나라와 사회에 크게 공헌한 사람에게 나라에서 주는, 가슴이나 모자 등에 다는 물건.

❿ 사례: 이전에 실제로 일어난 예.

⑪ 만세 삼창: 바람, 환호, 큰 기쁨 등을 나타내기 위하여 두 손을 높이 들면서 만세를 세 번 외치는 일.

❶통신 수단이 발달하지 않았던 옛날에는 새를 이용해 정보를 전달하기도 하였습니다. 새의 다리에 쪽지를 매달아 정해진 곳으로 날아가게 해 정보를 전달했는데, 이런 새를 ❷'전서구'라고 합니다. 주로 방향 감각과 제 집을 찾아오는 능력이 뛰어난 비둘기를 훈련시켜 전서구로 이용했습니다. 이렇게 훈련된 비둘기는 교통이 불편한 지역의 통신이나 군사적인 목적으로 사용되었습니다. 지금으로부터 약 오천 년 전에 이미 이집트에서 전서구를 통신에 이용했다는 기록이 전해집니다.

제1차 세계 대전 때 전서구의 ❸활약은 특히 대단했습니다. 그중 가장 유명한 것은 프랑스어로 '친애하는 친구'라는 뜻을 지닌 '셰르 아미'라는 비둘기입니다. 1918년 당시 프랑스군은 전쟁 중 베르 지역에서 ❹고립되었습니다. 프랑스군은 셰르 아미의 발에 메시지를 묶어 ❺아군에 ❻구조를 요청했습니다. 이를 눈치챈 적군이 셰르 아미에게 총을 쏘았습니다. 셰르 아미는 가슴과 다리, 눈에 총을 맞고 바닥으로 ❼곤두박질쳤습니다. 한 쪽 눈을 크게 다쳐 피범벅이 되었지만 쏟아지는 총알 사이를 뚫고 40여 킬로미터를 날아 아군 ❽기지에 쪽지를 전달했습니다. 그리하여 194명의 병사들을 구출할 수 있었습니다. 그 후에 셰르 아미는 영웅 대접을 받아 용맹한 군인에게 주는 프랑스의 '무공 십자 ❾훈장'까지 받았습니다. 제1차 세계 대전 당시 셰르 아미처럼 군용으로 활용된 전서구의 통신 성공률은 평균 95퍼센트에 달할 만큼 높아 그 역할이 매우 중요했습니다.

우리나라에서도 전서구를 이용한 역사적인 ❿사례가 있습니다. 일제 강점기였던 1936년 8월, 기자와 학자들로 구성된 33명의 백두산 탐방단이 백두산 천지에 올랐습니다. 이틀 후에 이들의 ⑪만세 삼창 사진이 담긴 신문 기사가 보도되었는데 백두산에 데려갔던 전서구가 신문사로 무사히 사진의 필름을 전달했기에 가능한 일이었다고 합니다.

▲ 작은 카메라를 단 전서구

▲ 전서구를 날리는 군인

1 이 글의 내용으로 알맞은 것을 골라 보세요. ─────────────────────────── (   )

① 전서구는 군사적인 목적으로만 이용되었습니다.

② '셰르 아미'는 영어로 '친애하는 친구'라는 뜻입니다.

③ 군용으로 활용된 전서구의 통신 성공률은 그리 높지 않았습니다.

④ 전서구로 이용된 비둘기는 방향 감각과 제 집을 찾아오는 능력이 뛰어납니다.

2 다음은 이 글 각 문단의 주요 내용을 요약하여 정리한 것입니다. 빈칸에 들어갈 알맞은 낱말을 보기 에서 찾아 써 보세요.

보기	고립 사례 전서구

1문단	옛날에는 새의 다리에 쪽지를 매달아 정보를 전달하기도 했는데, 이런 새를 ☐☐☐라고 합니다.
2문단	제1차 세계 대전 때 전서구 '셰르 아미'는 베르 지역에 ☐☐된 194명의 병사들을 구출하는 데 공을 세웠습니다.
3문단	우리나라에서도 1936년에 33명의 백두산 탐방단이 백두산 천지에 올라 만세 삼창을 하는 사진 필름을 전서구가 신문사에 전달한 ☐☐가 있습니다.

3 한자를 뜻풀이와 알맞게 연결해 보고, '통신 수단'의 뜻에 알맞도록 빈칸을 채워 보세요.

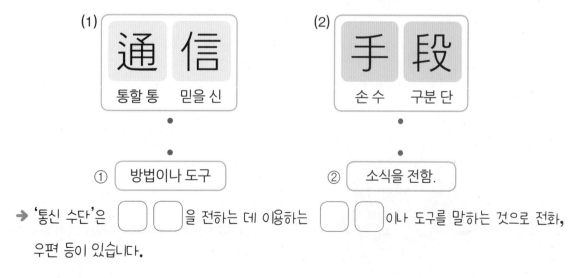

(1) 通 信
통할 통   믿을 신

① 방법이나 도구

(2) 手 段
손 수   구분 단

② 소식을 전함.

→ '통신 수단'은 ☐☐을 전하는 데 이용하는 ☐☐이나 도구를 말하는 것으로 전화, 우편 등이 있습니다.

4 다음 빈칸에 들어갈 알맞은 낱말을 보기 에서 찾아 써 보세요.

> 보기   활약   구조   고립

(1) 태풍으로 배가 끊겨 섬에 며칠째 [ ][ ]되어 있습니다.

(2) 골키퍼의 눈부신 [ ][ ]으로 우리 팀이 우승을 했습니다.

(3) 화재 현장에 소방대원이 출동하여 [ ][ ] 활동을 펼쳤습니다.

5 밑줄 친 낱말과 뜻이 반대되는 낱말을 써 보세요.

> 옛날에는 <u>적군</u>의 침입과 같은 위급한 상황을 알리기 위해 봉수를 사용했습니다.

 ➔ [ ][ ]

6 그림을 보고 빈칸에 들어갈 알맞은 낱말을 써 보세요.

(1)

할아버지께서는 한국 전쟁 때 큰 공을 세워서

받으신 [ ][ ]을 가슴에 달고 계십니다.

(2)

1919년 3월 1일에 거리로 쏟아져 나온 우리 민족

은 태극기를 높이 들며 [ ][ ][ ][ ]을 하

였습니다.

"대한 독립 만세! 대한 독립 만세! 대한 독립 만세!"

66

7 '통신 수단'의 뜻을 생각해 보며, 우리가 이용하는 통신 수단으로 알맞지 <u>않은</u> 것은 무엇인지 골라 보세요. ································· ( )

① 편지   ② 전화   ③ 전철
④ 인터넷   ⑤ 텔레비전

틀리기 쉬워요!

8 다음 설명을 읽고, 밑줄 친 낱말의 발음으로 알맞은 것을 골라 번호를 써 보세요.

> 받침의 'ㅎ'은 뒤에 오는 'ㄱ', 'ㄷ', 'ㅂ', 'ㅈ'과 만나면 각각 [ㅋ], [ㅌ], [ㅍ], [ㅊ]과 같은 거센 소리로 소리가 나요.
>
> 예 넘어지고도 <u>아무렇지</u> 않게 일어났습니다.
> ↳ [아무러치]

(1) **이렇게** 와 주셔서 정말 고맙습니다. ································· ( )
   ① [이러께]
   ② [이러케]

(2) 아마존의 깊은 밀림을 **뚫고** 지나가니 커다란 폭포가 기다리고 있었습니다. ·········· ( )
         ① [뚤꼬]
         ② [뚤코]

9 밑줄 친 낱말을 바르게 고쳐 써 보세요.

(1) 비둘기의 발에 쪽지를 <u>묵다</u>.
   →

(2) 쌀에 콩을 <u>석다</u>.
   →

(3) 창문을 <u>닥다</u>.
   →

받침이 'ㄲ'인 낱말도 읽을 때는 [ㄱ]으로 소리 나므로, 주의해 써야 합니다.

'춘(春)', '하(夏)', '추(秋)', '동(冬)'이 들어간 말

⏰ 공부한 날　　월　　일

아는 어휘에 ✔ 표시를 해 보고, 아래 활동을 하며 뜻을 익혀 보세요.

☐ 춘하추동　☐ 입춘　☐ 추석　☐ 하복　☐ 동백

순서대로 써 봐요

봄 춘

가을 추

春

봄 춘

따뜻한 봄 햇살을 받고 올라오는 새싹과 풀들의 모양을 본떠 만들었어요. '봄', '젊음', '움직이다' 등을 뜻해요.

秋

가을 추

원래는 메뚜기를 구워 먹는 모양을 본떠 만든 글자였는데, 나중에 벼[禾]와 불[火]이 합쳐진 글자가 되었어요. '가을', '여물다' 등을 뜻해요.

'춘하추동(春夏秋冬)'은 봄, 여름, 가을, 겨울의 사계절을 말해요.

● '춘하추동(春夏秋冬)'은 봄, 여름, 가을, 겨울이 합쳐진 한자예요.

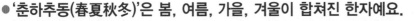

입 춘

설 立　봄 春

뜻 일 년 중 봄이 시작된다는 날로 이십사절기의 하나. 2월 4일경이다.

예 우리 조상들은 입춘이 되면, 땅에서 봄기운과 함께 좋은 기운이 오길 바라는 마음에서 입춘대길이라고 벽이나 문에 써 붙였습니다.

추 석

가을 秋　저녁 夕

뜻 가을에 추수하고 그해 거둔 쌀로 빚은 송편과 햇과일 등의 음식을 장만하여 차례를 지내는 명절. 음력 팔월 보름이다.

예 추석에는 씨름, 줄다리기, 강강술래 등의 민속놀이를 즐기고 보름달을 봅니다.

나는 추석에 반달이 아니라 보름달 같은 송편을 빚을 거야.

절기 속 '춘하추동(春夏秋冬)'과 낮의 길이

우리나라는 옛날부터 일 년을 스물넷으로 나누어서 계절을 구분했어요. 이것을 절기라고 해요. 절기에서는 봄, 여름, 가을, 겨울이 시작되는 때를 입춘(立春), 입하(立夏), 입추(立秋), 입동(立冬)이라고 해요. 그리고 일 년 중 낮이 가장 긴 날은 여름에 있는 하지(夏至), 일 년 중 밤이 가장 긴 날은 겨울에 있는 동지(冬至)예요. 그리고 낮과 밤의 길이가 같은 날은 봄의 춘분(春分)과 가을의 추분(秋分)으로 두 번이 있어요.

우리나라는 춘하추동이 뚜렷하여 자연이 아름다워요.

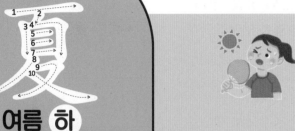

夏
여름 **하**

冬
겨울 **동**

사람의 모양을 본떠 만든 글자로, 원래는 중국의 하나라 사람들을 가리키는 글자였다가 '여름'을 뜻하는 글자로 바뀌었어요.

夏
여름 **하**

노끈의 양쪽 매듭을 본떠 만든 글자로, '끝나다'라는 뜻이었다가 얼음[冫]이 붙어 한 해의 마지막 계절인 '겨울'을 뜻하게 되었어요.

冬
겨울 **동**

하 복
여름 夏　옷 服

🟡 여름철에 입는 옷.

🔵 날씨가 슬슬 더워지고 사람들은 하나둘 얇은 하복을 꺼내 입었습니다.

동 백
겨울 冬　나무 이름 栢

🟡 잎이 둥글고 두껍고 윤기가 나며, 늦겨울에서 이른 봄에 붉은 꽃이나 흰 꽃이 피는 사계절 내내 푸른 나무.

🔵 동백은 겨울에도 꽃이 피기 때문에 생긴 이름입니다.

1 각 계절에 대한 설명과 한자를 알맞게 선으로 이어 보세요.

(1) 봄 •

• ① 날씨가 더워서 사람들이 얇은 하복을 꺼내 입어요.

• ㉠ 春(춘)

(2) 여름 •

• ② 눈이 내리고 추운 날씨 속에 붉거나 하얀 동백꽃이 피기도 해요.

• ㉡ 秋(추)

(3) 가을 •

• ③ 사람들이 좋은 기운이 오길 바라는 마음에서 입춘대길(立春大吉)이라고 대문에 써 붙였어요.

• ㉢ 夏(하)

(4) 겨울 •

• ④ 봄부터 키운 벼를 추수해서 맛있는 쌀이 나왔어요.

• ㉣ 冬(동)

2 빈칸에 들어갈 알맞은 낱말을 보기 에서 찾아 써 보세요.

> 보기   하복   동백   입춘

(1) 밤새 내린 하얀 눈 속에 ☐☐꽃이 빨갛게 피었습니다.

(2) 우리 조상들은 일 년 중 봄이 오는 때를 ☐☐이라고 했습니다.

(3) 무더위에 입는 ☐☐에는 반소매나 민소매 티셔츠와 반바지가 있습니다.

3 다음 글을 읽고 빈칸에 알맞은 말을 써 보세요.

> 오랜만에 친척들이 할머니 댁에 모였다. 왜냐하면 내일이 우리나라 최대 명절 중의 하나인 ☐☐이기 때문이다. 온 가족이 둘러앉아 송편을 빚었다. 나도 오빠처럼 예쁘게 빚고 싶었지만 마음대로 되지 않았다. 우리 오빠와 사촌 언니가 빚은 송편은 달님처럼 예뻤다.
>
> 송편을 다 빚은 후에 우리는 텔레비전으로 씨름 대회를 봤다. 내가 응원한 선수가 우승하고 천하장사가 되어서 기뻤다.

4 각 계절과 연관 있는 낱말을 보기 에서 찾아 빈 공간에 써 보세요.

3 주차
Day 15
정답과 해설 26쪽

보기 동백(冬栢)   입춘(立春)   추석(秋夕)   동지(冬至)   추분(秋分)   하복(夏服)

☑ 하늘에서 내리는 비의 종류

- **가랑비**: 가늘게 내리는 비. 이슬비보다는 좀 굵다.

- **개부심**: 장마 끝에 한동안 쉬었다가 다시 퍼부어 진흙을 씻어 내는 비.

- **는개**: 안개비보다는 조금 굵고 이슬비보다는 가는 비.

- **단비**: 꼭 필요한 때 알맞게 내리는 비.

- **먼지잼**: 먼지가 날리지 않을 정도로 아주 조금 오는 비.

- **보슬비**: 바람이 없는 날 가늘고 성기게 조용히 내리는 비.

- **소나기**: 여름에 많이 오는, 천둥, 강풍 등을 동반하여 갑자기 세차게 쏟아지다가 곧 그치는 비. 소낙비.

- **소슬비**: 으스스하고 쓸쓸하게 오는 비.

- **실비**: 실같이 가늘게 내리는 비.

- **안개비**: 내리는 빗줄기가 매우 가늘어 안개처럼 부옇게 보이는 비.

- **여우비**: 볕이 나 있는 날 잠깐 오다가 그치는 비.

- **이슬비**: 아주 가늘게 내리는 비. 는개보다 굵고 가랑비보다 가늘다.

- **작살비**: 매우 굵고 줄기차게 쏟아지는 비.

- **장대비**: 장대처럼 굵고 거세게 좍좍 내리는 비. 자달비.

- **칠석물**: 견우와 직녀가 흘리는 눈물이라는 전설이 있는 칠석날 오는 비.

내리는 굵기와 상황에 따라 이름이 아주 많은 비!

4주 어휘 미리보기

뜻을 알고 있는 낱말에 V표 해 보세요.
알고 있는 낱말은 글에서 어떻게 쓰였는지 확인하고,
모르는 낱말은 글을 읽으며 재미있게 익혀 보아요.

	배울 내용	배울 낱말		공부한 날
Day 16	속담 **작은 고추가 더 맵다**	☐ 양치기 ☐ 무장하다 ☐ 누비다 ☐ 쏜살같이	☐ 갑옷 ☐ 도무지 ☐ 코웃음 ☐ 함성	월 일
Day 17	관용어 **목이 타다**	☐ 즈음 ☐ 읊조리다 ☐ 해소하다 ☐ 저술	☐ 유학 ☐ 갈증 ☐ 해골 ☐ 기여하다	월 일
Day 18	한자 성어 **백미(白眉)**	☐ 손을 잡다 ☐ 곤경 ☐ 공 ☐ 신임	☐ 상의 ☐ 학문 ☐ 오랑캐 ☐ 전사하다	월 일
Day 19	교과 어휘 – 과학 **박쥐는 새일까?**	☐ 포유동물 ☐ 한살이 ☐ 기능 ☐ 물체	☐ 일종 ☐ 초음파 ☐ 사냥 ☐ 메아리	월 일
Day 20	한자 어휘 **'계(計)'와 '산(算)'이 들어간 말**	☐ 계산 ☐ 가계부 ☐ 산수 ☐ 오산	☐ 계획 ☐ 생계 ☐ 예산	월 일

작은 고추가 더 맵다

아는 어휘에 ✔ 표시를 해 보고, 어휘의 뜻을 생각하며 글을 읽어 보세요.

☐ 양치기 ☐ 갑옷 ☐ 무장하다 ☐ 도무지 ☐ 누비다 ☐ 코웃음 ☐ 쏜살같이 ☐ 함성

⏰ **공부한 날**

월 일

옛날 이스라엘에 다윗이라는 **❶양치기** 소년이 살았습니다. 어느 날, 이스라엘과 사이가 좋지 못했던 블레셋의 군대가 이스라엘에 쳐들어왔습니다. 블레셋 군대에는 골리앗이라는 장군이 있었는데, 키가 엄청나게 큰 거인인 데다가 무거운 **❷갑옷**과 창으로 **❸무장**하여 이스라엘 군대가 **❹도무지** 당해 내지 못했습니다.

"하하, 이스라엘 녀석들은 하나같이 겁쟁이구나! 나와 맞붙어 싸울 자를 하나만 내보내라! 만약 그자가 나를 죽이면 우리가 너희의 종이 될 것이고, 반대라면 너희가 블레셋의 종이 되어야 한다!"

하지만 골리앗이 두려워 나서는 이가 아무도 없었습니다.

그때 다윗은 아버지의 심부름으로 전쟁터에 있는 형들을 만나러 갔습니다. 골리앗에 대한 이야기를 들은 다윗은 이스라엘의 왕에게 나아가 말했습니다.

"제가 나가서 골리앗과 싸우겠습니다. 허락해 주십시오."

"너는 골리앗의 상대가 되지 못한다. 그는 어려서부터 군인이 되어 전쟁터를 **❺누빈** 거인이다. 하지만 너는 아직 어린 소년이 아니냐?"

"**❻작은 고추가 더 맵다**는 말도 있지 않습니까? 제가 나가서 골리앗을 무찌르겠습니다."

왕은 다윗이 너무 어려서 망설였지만 자신감 있는 태도에 결국 허락했습니다. 다윗은 개울가에서 매끄러운 돌멩이 다섯 개를 골라 주머니에 넣고, 끈에 돌을 매달아 휘두르다 멀리 던질 수 있게 만든 **❼무릿매**를 들고 골리앗 앞으로 나아갔습니다. 거인 골리앗은 다윗을 보고 **❽코웃음**을 쳤습니다.

"돌멩이를 들고 나를 상대하겠다니, 겁도 없는 녀석이구나!"

"너는 칼과 방패로 싸우지만 나는 나의 신의 이름으로 싸우겠다!"

그러면서 다윗은 냇가에서 주운 돌을 무릿매에 넣어 휘두르다 골리앗을 향해 있는 힘껏 던졌습니다. **❾쏜살같이** 날아간 돌은 골리앗의 이마를 때렸습니다. 돌이 이마에 박힌 골리앗의 거대한 몸이 힘없이 쓰러졌습니다. 작은 소년인 다윗이 제대로 된 무기도 없이 거인 골리앗을 이긴 것입니다. 이스라엘 군대는 **❿함성**을 지르며 달려나갔고 블레셋 군대는 골리앗이 쓰러진 것을 보고 모두 달아났습니다.

---

❶ 양치기: 양을 돌보고 기르는 일을 하는 사람.

❷ 갑옷: 옛날에 군인들이 창, 칼, 화살 등으로부터 몸을 보호하기 위해 입던 옷.

❸ 무장하여: 전쟁이나 전투를 하기 위한 장비 등을 갖추어.

❹ 도무지: 아무리 해도.

❺ 누빈: 이리저리 거리낌 없이 다니거나 활동한.

❻ 작은 고추가 더 맵다: 몸집이 작은 사람이 큰 사람보다 재주가 뛰어나고 야무지다는 말.

❼ 무릿매: 작은 돌을 끈에 맨 후 끈의 양 끝을 잡고 휘두르다가 한쪽 끝을 놓아 돌을 멀리 던지는 도구.

❽ 코웃음: 코끝으로 가볍게 웃는 비웃음.

❾ 쏜살같이: 쏜 화살이 날아가는 것처럼 매우 빠르게.

❿ 함성: 여러 사람이 함께 큰 소리로 외치거나 지르는 소리.

1 이 글의 내용으로 맞는 것을 골라 보세요. ⸺⸺⸺⸺⸺⸺⸺⸺⸺⸺ ( )

① 골리앗은 어려서부터 군인이 되어 전쟁터를 누비고 다녔습니다.

② 다윗은 갑옷과 창으로 무장하고 골리앗과 싸웠습니다.

③ 돌이 이마에 박혔지만 골리앗은 끄떡도 없었습니다.

④ 블레셋 군대는 이스라엘 군대와 끝까지 싸웠습니다.

2 다음은 다윗이 골리앗을 물리친 사건을 순서대로 정리한 것입니다. 알맞은 낱말을 골라 ○표를 해 보세요.

블레셋 군대가 이스라엘에 쳐들어왔으나 (소년 / 거인) 골리앗과 싸우겠다 나서는 이스라엘 사람이 아무도 없었습니다.

↓

전쟁터에서 골리앗의 이야기를 들은 다윗이 이스라엘 왕에게 허락을 받고 돌멩이와 (창 / 무릿매)만 들고 골리앗 앞으로 나아갔습니다.

↓

다윗이 던진 돌에 이마를 맞은 골리앗이 힘없이 쓰러지자, 이스라엘 군대는 (함성 / 비명)을 지르고 블레셋 군대는 달아났습니다.

3 다윗이 말한 "작은 고추가 더 맵다."의 뜻을 짐작하여 선으로 이어 보고, 알맞은 말에 ○표를 해 보세요.

(1) 작은 고추   (2) 맵다

① 다윗   ② 골리앗   ③ 약하다   ④ 강하다

→ 몸집이 (큰 / 작은) 사람이 (큰 / 작은) 사람보다 재주가 (뛰어나고 / 뒤떨어지고) 야무지다는 뜻입니다.

4 다음 낱말의 뜻을 찾아 선으로 이어 보세요.

(1) 갑옷 •

(2) 도무지 •

(3) 누비다 •

(4) 무장하다 •

• ① 아무리 해도.

• ② 이리저리 거리낌 없이 다니거나 활동하다.

• ③ 전쟁이나 전투를 하기 위한 장비 등을 갖추다.

• ④ 옛날에 군인들이 창, 칼, 화살 등으로부터 몸을 보호하기 위해 입던 옷.

5 다음 밑줄 친 낱말과 바꾸어 쓸 수 있는 낱말을 골라 보세요. ⋯⋯⋯⋯⋯ (　　　)

> 지우는 공을 갖고 쏜살같이 골대를 향해 뛰었습니다.

① 계속　　　　　　② 빠르게　　　　　　③ 천천히

6 다음 두 낱말을 모두 포함하는 낱말을 골라 보세요. ⋯⋯⋯⋯⋯⋯⋯ (　　　)

> 군인　　　　양치기

① 동물　　② 식물　　③ 군대　　④ 직업　　⑤ 학생

7 다음 빈칸에 공통으로 들어갈 알맞은 말을 써 보세요.

> • 무대에 가수들이 등장하자 여기저기에서 [　　　]이 터져 나왔습니다.
>
> • 축구 결승전에서 우리나라가 이기자 동네가 떠나갈 듯한 [　　　]이 들렸습니다.

➜ [　][　]

8 **"작은 고추가 더 맵다."라는 말을 사용할 상황으로 가장 알맞은 것에 ○표를 해 보세요.**

(1) 키 큰 세훈이가 키 작은 종수보다 빨리 달릴 때 ┄┄┄┄┄┄┄┄┄┄┄┄┄┄┄┄┄ (　　　)

(2) 키 작은 호영이가 크고 우렁찬 목소리로 발표할 때 ┄┄┄┄┄┄┄┄┄┄┄┄┄┄ (　　　)

(3) 몸집이 큰 아이가 주변 아이들을 괴롭히며 장난칠 때 ┄┄┄┄┄┄┄┄┄┄┄┄┄ (　　　)

틀리기 쉬워요!

9 보기 **를 보고, 다음 문장에서 알맞은 말을 골라 ○표를 해 보세요.**

> 보기 • **–장이**: '어떤 기술이 있는 사람.'의 뜻을 더해 주는 말.
>
> 　　예 옹기장이, 도배장이
>
> • **–쟁이**: '어떤 특성이 있는 사람.'의 뜻을 더해 주는 말.
>
> 　　예 겁쟁이, 멋쟁이

(1) 내 동생은 자기 말만 맞다고 우기는 (고집장이 / 고집쟁이)입니다.

(2) 그 애는 여기저기 다니며 사고를 치는 (개구장이 / 개구쟁이)입니다.

(3) 우리 할아버지는 낫, 호미, 칼 등을 만드는 (대장장이 / 대장쟁이)입니다.

틀리기 쉬워요!

10 **선생님의 설명을 읽고, 밑줄 친 부분을 바르게 띄어 써 보세요.**

(1) 저는 <u>열살</u>입니다. ➜ (　　　　　　　)

(2) 나무 <u>한그루</u>를 심었습니다. ➜ (　　　　　　　)

(3) 필통에 연필 <u>세자루</u>가 들어 있습니다. ➜ (　　　　　　　)

(4) 매끄러운 돌멩이 <u>다섯개</u>를 골랐습니다. ➜ (　　　　　　　)

수를 나타내는 말과 단위를 나타내는 말 사이는 띄어 써야 해요.

😊 맞은 개수 _____ /10개

스스로 붙임딱지

관용어
목이 타다

아는 어휘에 ✔ 표시를 해 보고, 어휘의 뜻을 생각하며 글을 읽어 보세요.

☐ 즈음 ☐ 유학 ☐ 읊조리다 ☐ 갈증 ☐ 해소하다 ☐ 해골 ☐ 저술 ☐ 기여하다

공부한 날

월   일

원효대사는 신라 시대의 인물로 불교에서 큰 깨달음을 얻은 이름난 스님입니다. 원효대사는 마흔 살 **❶즈음**에 의상대사와 함께 **❷불법**을 공부하러 중국의 당나라로 **❸유학**을 떠났습니다. 당나라로 가는 도중 둘은 비를 만나 산속에서 길을 잃고 헤매게 되었습니다. 그러다 겨우 작은 동굴을 찾아서 하룻밤을 지내게 되었습니다.

깊은 밤, 잠을 자던 원효대사는 몹시 **❹목이 타서** 잠결에 물을 찾았습니다. 깜깜한 굴 안은 아무것도 보이지 않았습니다. 주변을 손으로 더듬으며 물을 찾던 원효대사는 물이 담긴 바가지를 발견하게 됩니다. 벌컥벌컥 물을 마신 원효대사는 조용히 **❺읊조리듯** 말했습니다.

"아, 살 것 같다. 물이 참 달구나."

목이 타는 **❻와중**에 마신 물은 무척이나 시원하고 달콤했습니다. **❼갈증**을 **❽해소**한 원효대사는 다시 깊은 잠에 빠졌습니다.

그런데 다음 날 아침, 원효대사는 깜짝 놀라 소리를 지르고 말았습니다.

"으아악! 내가, 내가 **❾해골** 물을 마셨 다니!"

원효대사가 아침에 일어나 물이 있던 쪽을 확인해 보니, 자신이 지난 밤에 마신 물은 해골에 고여 있는 썩은 물이었습니다. 원효대사와 의상대사가 비를 피해 들어왔던 동굴이 사실은 아주 오래된 무덤 속이었던 것입니다. 이를 알자마자 원효대사는 엄청난 **❿복통**과 **⓫구토**에 시달렸습니다. 원효대사는 구역질을 하며 어제 먹은 물을 모두 다 뱉어 내려 했습니다. 그러다 큰 깨달음을 얻고 이렇게 생각했습니다.

'결국 모든 것은 마음먹기에 달린 것이로구나. 목이 마를 때는 해골에 고인 물을 마시고도 달고 시원하다 생각했는데, 그 물이 썩은 물이라는 것을 알고는 구역질이 나는구나. 더럽고 깨끗하다는 것, 이 모두가 내 마음에 달린 것이 아닌가?'

결국 아침을 먹고 난 원효대사는 의상대사에게 당나라에 가는 것을 그만두겠다고 말했습니다. 불법이 내 마음속에 있다는 것을 깨달아 굳이 당나라에 공부하러 갈 이유가 없어진 것입니다. 이후 원효대사는 신라로 돌아와 불교를 널리 알리는 데 힘썼으며, 수많은 **⓬저술**을 남겨 불교 사상의 발전에 크게 **⓭기여**하였습니다.

❶ **즈음**: 일이 어찌 될 무렵이나 때.

❷ **불법(佛法)**: 부처의 가르침. 또는 이를 믿고 따르는 종교.

❸ **유학**: 외국에 머물러 살면서 공부함.

❹ **목이 타서**: 심하게 갈증을 느껴서.

❺ **읊조리듯**: 뜻을 생각하며 낮은 목소리로 읽거나 외듯.

❻ **와중에**: 일이나 사건 등이 시끄럽고 복잡하게 벌어지는 가운데에.

❼ **갈증**: 목이 말라 물이 마시고 싶어지는 느낌.

❽ **해소한**: 어려운 일이나 좋지 않은 상태를 해결하여 없애 버린.

❾ **해골**: 살이 전부 썩은 죽은 사람의 머리뼈.

❿ **복통**: 배 부분에 일어나는 통증을 통틀어 이르는 말.

⓫ **구토**: 먹은 음식을 토함.

⓬ **저술**: 글이나 책 등을 씀. 또는 그 글이나 책.

⓭ **기여하였습니다**: 도움이 되도록 이바지하였습니다.

1 이 글의 내용으로 맞는 것에는 ○표, 틀린 것에는 ×표를 해 보세요.

(1) 원효대사는 신라 시대 인물로 큰 깨달음을 얻은 스님입니다. ⸺⸺⸺⸺⸺ (○ / ×)

(2) 원효대사가 자다가 마신 물은 무척 시원하고 달콤했습니다. ⸺⸺⸺⸺⸺ (○ / ×)

(3) 원효대사는 큰 깨달음을 얻은 후 의상대사와 다시 당나라로 떠났습니다. ⸺⸺⸺ (○ / ×)

2 다음은 원효대사가 큰 깨달음을 얻게 된 과정을 정리한 것입니다. 빈칸에 들어갈 알맞은 낱말을 보기 에서 찾아 써 보세요.

보기	해골　　　불법　　　마음

겪은 일	• 원효대사는 의상대사와 함께 □□을 공부하러 당나라로 유학을 떠남. • 비를 만나 동굴에서 하룻밤을 지내게 된 원효대사는 간밤에 목이 타서 마신 물이 □□에 고여 있는 썩은 물이었음을 알게 됨.

↓

깨달음	모든 것이 □□먹기에 달린 것임을 깨달은 원효대사는 신라로 돌아와 불교를 널리 알리는 데 힘씀.

3 원효대사와 해골 물 이야기를 통해 '목이 타다'의 뜻을 바르게 짐작하여 빈칸에 들어갈 알맞은 말을 써 보세요.

'목이 타다'는 '심하게 □□을 느끼다.' 라는 말인 것 같아.

4 다음 낱말의 뜻을 찾아 선으로 이어 보세요.

(1) 즈음 •
① 일이 어찌 될 무렵이나 때.

(2) 읊조리다 •
② 도움이 되도록 이바지하다.

(3) 해소하다 •
③ 뜻을 생각하며 낮은 목소리로 읽거나 외다.

(4) 기여하다 •
④ 어려운 일이나 좋지 않은 상태를 해결하여 없애 버리다.

5 밑줄 친 낱말을 뜻이 비슷한 낱말과 바꾸지 않은 것을 골라 보세요. ·························· (   )

① 도착할 즈음에 비가 왔습니다. ➡ 도착할 무렵에 비가 왔습니다.
② 계속 뛰었더니 갈증이 느껴집니다. ➡ 계속 뛰었더니 목마름이 느껴집니다.
③ 그의 연구는 암을 치료하는 데 기여했습니다. ➡ 그의 연구는 암을 치료하는 데 기부했습니다.

6 다음 낱말이 나타내는 숫자를 보기 에서 찾아 써 보세요.

보기		30	40	50	60

(1) 쉰 ➡ [   ]   (2) 마흔 ➡ [   ]

(3) 서른 ➡ [   ]   (4) 예순 ➡ [   ]

7 빈칸에 '목이 타서'가 들어가는 것이 알맞은 문장에 ○표를 해 보세요.

(1) 산에 올랐더니 몹시 ☐ 물을 벌컥벌컥 마셨습니다. ·············· ( )

(2) 해수욕장에 다녀왔더니 햇볕에 ☐ 얼굴이 까매졌습니다. ·············· ( )

(3) 밤늦도록 아이가 돌아오지 않아 어머니는 ☐ 발을 동동 굴렀습니다. ········· ( )

4주차

Day
17

정답과 해설 27쪽

틀리기 쉬워요!

8 낱말을 읽는 방법을 확인하고, 다음 밑줄 친 낱말을 어떻게 읽는지 써 보세요.

> • 큰 깨달음을 <u>얻은</u> 스님입니다.　　　• <u>깊은</u> 밤
> 　　 ↳ [어든]　　　　　　　　　　　　　　↳ [기픈]

(1) 고기가 질겨서 모두 <u>뱉어</u> 버렸습니다.

→ [　　　　]

(2) 두 시간째 길을 <u>찾아</u> 돌아다녔습니다.

→ [　　　　]

(3) 자루에서 <u>썩은</u> 콩을 모두 골라내었습니다.

→ [　　　　]

9 주어진 두 낱말의 뜻을 생각하며 다음 문장에 알맞은 낱말을 골라 ○표를 해 보세요.

찾다의 뜻을 알려면 국어사전에서 기본형인 '찾다'로 찾아야 해요.

찾다　　　　　　　　찼다

> 바닥에 떨어진 동전을 (찾다 / 찼다) 결국 못 (찾고 / 찼고), 아무 잘못도 없는 돌멩이만 발로 (찾습니다 / 찼습니다).

스스로 붙임딱지

한자 성어

백미 (白 흰백 眉 눈썹미)

아는 어휘에 ✔ 표시를 해 보고, 어휘의 뜻을 생각하며 글을 읽어 보세요.

☐ 손을 잡다 ☐ 상의 ☐ 곤경 ☐ 학문 ☐ 공 ☐ 오랑캐 ☐ 신임 ☐ 전사하다

⏱ 공부한 날

월   일

촉나라의 유비는 오나라의 손권과 ❶손을 잡고 ❷적벽대전에서 승리한 후 제갈량의 도움으로 형주 땅을 얻게 되었습니다. 유비는 전쟁에서 승리한 것을 기뻐하며 여러 부하들을 모아 두고 천하를 얻기 위한 다음 계획을 ❸상의했습니다. 이때 유비는 자신이 ❹곤경에 빠졌을 때 구해 주었던 형주 ❺출신의 이적에게 형주에서 뛰어난 신하가 누구인지 물어보았습니다.

"형주 땅에는 유명한 마씨 성을 가진 다섯 형제가 있습니다. 그들 모두 무술은 물론이고 글과 시 등 ❻학문에도 뛰어납니다. 그중에서도 마량은 특히 뛰어납니다. 마량은 태어날 때부터 눈썹이 하얘서 사람들이 그를 흰 눈썹이라는 뜻을 가진 '백미'라고 불렀습니다. 뛰어난 인재인 마량을 당장 데려와 쓰신다면 ❼공께서 천하를 얻는 데 큰 ❽보탬이 될 것입니다."

이후, 마량은 유비의 신하로 들어가 많은 공을 세웠습니다. 오나라에 사신으로 가서 손권에게 뛰어난 ❾외교력을 선보였고, 촉나라를 괴롭히던 남쪽 지방 ❿오랑캐들을 찾아가 신하로 삼기도 하는 등 남다른 능력과 재주를 보여 주었습니다. 그는 제갈량과도 아주 가까운 사이였으며, 유비에게 ⓫신임을 얻어 높은 벼슬에도 올랐습니다. 관우가 죽은 뒤, 복수를 위해 유비가 군대를 일으켜 오나라를 공격할 때도 함께했지만 안타깝게도 이 전투에서 ⓬전사하고 말았습니다.

흰 눈썹을 가져 '백미'로 불렸던 마량 덕분에 '백미'는 여럿 가운데 가장 뛰어난 사람을 가리키는 말이 되었습니다. 그러나 최근에는 "제가 만든 영화 중 백미는 뭐니 뭐니 해도 바로 이 작품입니다."와 같이, 사람보다는 뛰어난 물건 또는 작품을 가리키는 말로 더 자주 사용됩니다.

'백미'와 비슷한 말로 '군계일학'이란 말도 있습니다. '많은 닭 중에 한 마리의 학'이라는 뜻으로, 평범한 사람 가운데 뛰어난 사람을 가리킬 때 쓰는 말입니다.

❶ 손을 잡고: 서로 도와서 일을 하고.

❷ 적벽대전: 중국의 삼국 시대에 손권과 유비의 연합군이 조조의 대군을 적벽이라는 곳에서 크게 무찌른 싸움.

❸ 상의: 어떤 일을 서로 의논함.

❹ 곤경: 어려운 형편이나 처지.

❺ 출신: 지역, 학교, 직업 등에 의해 정해지는 사회적 신분이나 경력.

❻ 학문: 어떤 분야를 체계적으로 배워서 익힘. 또는 그런 지식.

❼ 공: 그 사람을 높여 부르거나 이르는 말.

❽ 보탬: 보태고 더하는 일.

❾ 외교력: 다른 나라와 관계를 맺거나 어떤 일을 협상해 나가는 힘.

❿ 오랑캐: 언어, 풍습 따위가 다른 민족을 낮잡아 이르는 말.

⓫ 신임: 믿고 일을 맡김. 또는 그 믿음.

⓬ 전사하고: 전쟁터에서 적과 싸우다 죽고.

1 이 글의 내용으로 알맞은 것을 골라 ○표를 해 보세요.

> 형주 땅을 얻게 된 (촉나라 / 오나라)의 유비는, 형주 출신의 (인재 / 오랑캐)인 마량을 신하로 얻었습니다. 마씨 성의 (다섯 / 여섯) 형제 가운데 가장 뛰어난 마량은 유비를 도와 남다른 능력과 재주를 보여 주었습니다.

2 '백미'의 유래를 생각하며 빈칸에 들어갈 알맞은 낱말을 보기 에서 찾아 쓰세요.

보기	눈썹	무술	백미

형주 땅에는 ☐☐과 학문이 뛰어난 마씨 성을 가진 다섯 형제가 있었습니다.

↓

다섯 형제 중 흰 ☐☐을 가지고 태어난 마량의 재주가 특히 뛰어났습니다.

↓

마량 덕분에 '☐☐'는 여럿 가운데 가장 뛰어난 사람을 가리키는 말이 되었습니다.

3 다음 한자를 보고, 뜻과 가리키는 것을 써 보세요.

한자				한자의 뜻	가리키는 것
白 흰 **백**	眉 눈썹 **미**			(1)	여럿 가운데 가장 뛰어난 사람 또는 작품
群 무리 **군**	鷄 닭 **계**	一 한 **일**	鶴 학 **학**	많은 닭 중에 한 마리의 학	(2)

4 뜻에 알맞은 낱말을 보기 에서 찾아 써 보세요.

> 보기   학문   곤경   신임

(1) 어려운 형편이나 처지. ➡ ☐☐

(2) 믿고 일을 맡김. 또는 그 믿음. ➡ ☐☐

(3) 어떤 분야를 체계적으로 배워서 익힘. 또는 그런 지식. ➡ ☐☐

5 다음 밑줄 친 '공'의 뜻을 찾아 알맞게 선으로 이어 보세요.

(1) 공께서 천하를 얻는 데 큰 보탬이 될 것입니다. •

 • ① 그 사람을 높여 부르거나 이르는 말.

 • ② 차거나 굴릴 수 있도록 만든 운동 기구.

(2) 마량은 유비의 신하로 들어가 많은 공을 세웠습니다. •

 • ③ 노력과 수고를 들여 이룬 결과로서의 공적.

6 밑줄 친 부분의 뜻으로 알맞은 것에 ○표를 해 보세요.

> 제2차 세계 대전에서 영국과 프랑스는 손을 잡고 독일과 맞서 싸웠습니다.

(1) 관계를 끊다. ⋯⋯⋯⋯⋯⋯⋯⋯⋯⋯⋯⋯⋯⋯⋯⋯⋯⋯⋯⋯⋯⋯⋯⋯⋯⋯⋯⋯ (   )

(2) 서로 도와서 일을 하다. ⋯⋯⋯⋯⋯⋯⋯⋯⋯⋯⋯⋯⋯⋯⋯⋯⋯⋯⋯⋯⋯ (   )

(3) 다른 곳으로 가지 못하게 붙잡다. ⋯⋯⋯⋯⋯⋯⋯⋯⋯⋯⋯⋯⋯⋯⋯ (   )

7 '백미'를 앞서 배운 뜻에 맞도록 알맞게 사용한 친구를 골라 보세요. ·············· (   )

①  이번 연주회의 백미는 단연 첼로 독주였어! 첼로 소리가 정말 아름답더라.

②  백미보다는 현미가 더 건강한 식품이야. 백미는 몸에 좋지 않아.

8 보기 를 보고, 빈칸에 들어갈 알맞은 낱말을 써 보세요.

> **보기** • 하얗다 ➡ 하얘서   • 노랗다 ➡ 노래서

(1) 까맣다 ➡ ☐☐☐　　　　(2) 빨갛다 ➡ ☐☐☐

틀리기 쉬워요!

9 주어진 두 낱말의 뜻을 생각하며 다음 문장에 알맞은 낱말을 골라 ○표를 해 보세요.

가르치다

가리키다

> '군계일학'은 평범한 사람 가운데 뛰어난 사람을 (가리킬 / 가르칠) 때 쓰는 말이라고 선
>
> 생님께서 (가리켜 / 가르쳐) 주셨습니다.

Day 19

박쥐는 새일까?

아는 어휘에 ✔ 표시를 해 보고, 어휘의 뜻을 생각하며 글을 읽어 보세요.

☐ 포유동물　☐ 일종　☐ 한살이　☐ 기능　☐ 사냥　☐ 초음파　☐ 물체　☐ 메아리

🕐 공부한 날

　월　　　일

　　박쥐는 낮에는 잠을 자고 밤에만 날아다녀요. 날아다니기는 하지만 깃털은 없어요. 게다가 거꾸로 매달리기 선수예요.

　　박쥐는 ❶포유동물이에요. 포유동물은 젖먹이 동물이라는 뜻이에요. 말 그대로 새끼를 낳아서 젖을 먹여 키우는 동물을 말해요. 사람, 개, 고래는 모두 포유동물이지요. 박쥐는 포유동물 중에서도 특별한 능력이 있어요. 바로 날아다니는 능력이랍니다!

　　옛날 사람들은 박쥐를 새의 ❷일종으로 생각했어요. 날개가 달려 있기 때문이에요. 하지만 박쥐의 날개는 사실 팔과 손이에요. 박쥐도 사람처럼 엄지손가락과 나머지 네 개의 손가락이 있거든요. 박쥐의 날개는 이 손가락 사이에 얇은 피부막이 돋아난 거예요. 날개 위에 뾰족하게 솟은 부분이 엄지손가락이고, 날개 사이에 가지처럼 뻗어 있고 마디가 있는 긴 기둥이 나머지 손가락이에요.

　　박쥐의 ❸한살이를 살펴보면 박쥐가 분명히 포유동물이라는 것을 알 수 있어요. 어미 박쥐는 동굴에서 새끼를 낳아요. 그리고 새끼 박쥐는 어미 품에 안겨서 젖을 먹지요. ❹갓 태어난 새끼 박쥐는 어미 없이는 살 수가 없어요. 눈도 보이지 않고 털도 없는 데다 잘 날지도 못하거든요. 그래서 새끼 박쥐는 어미 박쥐에게 꼭 달라붙어 혼자서 날 수 있을 때까지 어미 젖을 먹으며 살아간답니다. 어미 박쥐가 먹이를 찾으러 가면 남겨진 새끼들은 무리를 지어 모여 지내요. 보통 박쥐는 십 년 정도를 살지만 ❺종에 따라서 사 년에서 삼십 년을 살기도 해요.

　　박쥐는 어두운 동굴에서 살아요. 낮에는 동굴 속에서 잠을 자고 밤이면 동굴 밖으로 나와 먹이를 찾아요. 박쥐의 눈은 밝고 어두운 것만 구별할 수 있을 정도로 ❻기능이 떨어져요. 그런데도 깜깜한 밤에 먹이인 작은 곤충을 ❼사냥할 수 있는 것은 ❽초음파 덕분이지요. 박쥐가 코와 입을 통해 내보낸 초음파는 ❾물체에 부딪쳐 ❿메아리처럼 되돌아옵니다. 박쥐는 되돌아온 초음파를 통해 어떤 물체가 어디쯤 자리 잡고 있는지 알아낼 수 있기에 먹잇감을 쉽게 찾을 수 있답니다.

❶ 포유동물: 새끼를 낳아 젖을 먹여 키우는 동물.

❷ 일종: 한 종류. 또는 한 가지.

❸ 한살이: 세상에 태어나서 죽을 때까지의 동안.

❹ 갓: 이제 막.

❺ 종: 식물이나 동물의 종류.

❻ 기능: 하는 구실이나 작용을 함.

❼ 사냥: 힘센 동물이 자기보다 약한 동물을 먹이로 잡는 일.

❽ 초음파: 주파수가 너무 높아서 사람이 귀로 들을 수 없는 음파.

❾ 물체: 모양이 있고 공간을 차지하고 있는 것.

❿ 메아리: 울려 퍼져 가던 소리가 산이나 절벽 같은 데에 부딪쳐 되울려오는 소리.

1 이 글의 내용으로 알맞지 <u>않은</u> 것을 골라 보세요. ································· (　　　)

① 박쥐는 포유동물입니다.

② 박쥐의 날개는 사실은 팔과 손입니다.

③ 박쥐는 밤에는 자고 낮에만 날아다닙니다.

④ 새끼 박쥐는 눈도 보이지 않고 털도 없습니다.

2 다음은 박쥐의 한살이를 정리한 것입니다. 빈칸에 들어갈 알맞은 낱말을 써 보세요.

- 박쥐는 동굴에서 ☐☐를 낳습니다.

- 새끼 박쥐는 날 수 있을 때까지 어미 ☐을 먹으며 자랍니다.

- 박쥐는 코와 입으로 ☐☐☐를 내보내 작은 곤충을 ☐☐합니다.

- 보통 박쥐는 ☐ 년 정도를 살지만 종에 따라 살아 있는 기간이 다릅니다.

3 다음 낱말을 모두 포함하는, 네 글자로 된 낱말을 이 글에서 찾아 쓰세요.

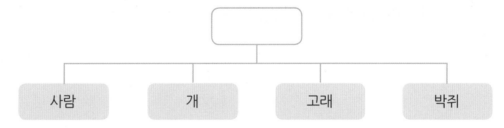

4 다음 빈칸에 들어갈 알맞은 말을 써 보세요.

동물이 태어나서 어린 시절을 거치며 성장해 어른이 된 후 새끼를 낳고 죽을 때까지의 과정을 '동물의 ☐☐☐'라고 해.

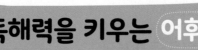 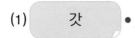
5 다음 낱말의 뜻을 찾아 선으로 이어 보세요.

(1) 갓 •

(2) 사냥 •

(3) 기능 •

(4) 초음파 •

• ① 이제 막.

• ② 하는 구실이나 작용을 함.

• ③ 힘센 동물이 자기보다 약한 동물을 먹이로 잡는 일.

• ④ 주파수가 너무 높아서 사람이 귀로 들을 수 없는 음파.

6 다음 중 '메아리'와 바꿔 쓸 수 있는 낱말을 골라 보세요. ┄┄┄┄┄┄┄┄┄┄┄ (   )

① 항아리   ② 초음파   ③ 산울림   ④ 메시지

7 이 글에 나온 다음 낱말들과 뜻이 반대되는 낱말을 써 보세요.

(1) 낮 ↔ ☐

(2) 얇다 ↔ ☐☐☐

(3) 어둡다 ↔ ☐☐

8 다음 중 동물의 한살이 과정이 바르지 <u>않은</u> 것을 골라 보세요. ⋯⋯⋯⋯⋯⋯ (   )

①
닭
알 → 병아리 → 큰 병아리 → 닭

②
개
알 → 강아지 → 큰 강아지 → 개

③
배추흰나비
알 → 애벌레 → 번데기 → 어른벌레

<u>틀리기 쉬워요!</u>

9 주어진 두 낱말의 뜻을 생각하여 다음 문장에 알맞은 낱말을 골라 ○표를 해 보세요.

낳다   낫다

(1) 우리 집 개가 빨리 새끼를 (낳기 / 낫기)를 바랍니다.

(2) 할아버지의 병환이 빨리 (낳기 / 낫기)를 기도합니다.

<u>틀리기 쉬워요!</u>

10 밑줄 친 낱말을 바르게 고쳐 써 보세요.

(1) <u>낫에는</u> 잠을 자고 밤에만 날아다닙니다.

  ↳

(2) 새끼 박쥐는 어미 품에 안겨서 <u>젓을</u> 먹습니다.

          ↳

(3) 어미 박쥐가 먹이를 <u>찻으러</u> 가면 새끼 박쥐들은 남습니다.

      ↳

받침이 'ㅈ'인
낱말을 'ㅅ' 받침으로
쓰지 않도록
주의해야 해요.

😊 맞은 개수 _____ /10개

스스로
붙임딱지

한자 어휘

'계(計)'와 '산(算)'이 들어간 말

공부한 날   월   일

아는 어휘에 ✔ 표시를 해 보고, 아래 활동을 하며 뜻을 익혀 보세요.

☐ 계산 ☐ 계획 ☐ 가계부 ☐ 생계 ☐ 산수 ☐ 예산 ☐ 오산

순서대로
써 봐요

計
셀 계

計
셀 계

하나, 둘..

말하다[言]와 숫자 십[十]이 합쳐서 숫자를 헤아리는 것을 나타내는 글자가 되었어요. '세다', '계산하다', '꾀하다' 등을 뜻해요.

'계산(計算)'은 수를 세거나 더하기, 빼기, 곱하기, 나누기 등의 셈을 하는 것을 말해요.

● 계(計)가 들어간 낱말은 숫자, 생각 등을 '세는 것'과 관련이 있어요

계 획 셀 計 새길 劃	뜻 앞으로의 일을 자세히 생각하여 정함. 예 준영이는 방학 동안 할 일을 계획했습니다.
가 계 부 집 家 셀 計 장부 簿	뜻 집안 살림의 수입과 지출을 기록하는 책. 예 부모님은 가계부를 기록하기 위해 영수증을 꼭 받으십니다.
생 계 살 生 셀 計	뜻 살림을 꾸리고 살아가는 방법이나 형편. 예 홍수로 당장 눈앞의 생계가 막막한 상황이 되었습니다.

가계부를 쓰면 돈을 더 알뜰하게 쓸 수 있지!

떡볶이 :3000
김밥 :2000

계산이 잘못되었을 때

계	산	착	오
셀 計	셈 算	섞일 錯	그릇할 誤

한 시간만 더 가면 도착이라며!

이상하다…… 미안해. 내 계산 착오였어.

어떤 일을 미리 예상하거나 물건값을 내는 것도 '계산'이라고 해요. 그리고 계산을 잘 못하여 결과가 틀리게 나오거나 행동을 잘못하는 것을 '계산 착오'라고 해요.

물건값이나 비용을 내는 것도 계산이라고 해.

算
셈 산

옛날에는 대나무로 셈을 했어요. 그래서 대나무[竹]를 양손에 가지고[具] 수를 셈하 는 것을 나타내는 글자를 만들었어요. '셈', '계산', '수' 등을 뜻해요.

算
셈 산

● 산(算)이 들어간 낱말은 숫자, 결과 등을 '셈하는 것'과 관련이 있어요.

산 수	
셈 算　셀 數	뜻 수학에서 계산하는 방법
	예 나는 산수에 약해서 수학 문제를 많이 틀렸습니다.

예 산	
미리 豫　셈 算	뜻 필요한 비용을 미리 계산해서 정함. 또는 그런 비용.
	예 우리 시에서는 올해 체육관을 새로 짓기 위한 예산을 마련했습니다.

오 산	
그르칠 誤　셈 算	뜻 1. 잘못된 계산. 2. 잘못된 추측이나 예상.
	예 내가 쉽게 포기할 거로 생각했다면 너의 오산이야.

91

1 다음 낱말의 뜻을 찾아 선으로 이어 보세요.

(1) 가계부(家計簿) •

(2) 산수(算數) •

(3) 예산(豫算) •

• ① 집인 살림의 수입과 지출을 기록하는 책.

• ② 필요한 비용을 미리 계산해서 정함. 또는 그런 비용.

• ③ 수학에서 계산하는 방법.

2 다음 빈칸에 공통으로 들어갈 알맞은 낱말을 써 보세요.

- 은주는 □□을 잘해서 큰 숫자끼리 곱하거나 나누는 것도 금방 해냅니다.
- 지수는 지도를 보고 도착까지 얼마나 걸리는지 미리 □□해 보았습니다.
- 승규가 나와 주영이의 아이스크림값까지 모두 □□해 주었습니다.
- 동생은 □□이 빨라 자기한테 좋은 일만 하려고 합니다.

3 앞에서 배운 낱말을 바탕으로 하여 빈칸에 들어갈 알맞은 말을 써 보세요.

며칠만 더 놀다가 겨울을 날 준비를 하겠다는 베짱이의 계□은 큰 □산이었습니다. 어느새 겨울이 찾아오는 들판에는 넉넉하던 먹거리들이 사라졌고, 베짱이는 □계가 막막해졌습니다.

4 잠수부 친구가 바닷속 깊은 곳에 있는 진주를 찾으려고 해요. 한자에 알맞은 뜻을 골라 친구가 상어를 피해 올바른 길을 찾을 수 있도록 도와주세요.

상어를 피해 친구와 함께 진주를 찾자!

家
장부
집

미리

算
셈

그르치다

生
살다

計
세다
새기다

정답과 해설 28쪽

맞은 개수 _____ /4개

93

스스로 붙임딱지

도롱뇽은 도마뱀의 사촌일까?

맑은 계곡에서 볼 수 있는 도롱뇽은 겉으로 보기에는 도마뱀과 아주 비슷하게 생겼어요. 하지만 도마뱀은 파충류이고, 도롱뇽은 양서류예요.

우리는 뱀과 도마뱀은 파충류, 개구리와 도롱뇽은 양서류로 분류해요. 그런데 생김새만 보면 둘은 비슷한 것 같아요. 사람들은 어떻게 파충류와 양서류를 다른 종류로 분류하였을까요?

파충류는 '길 파(爬)'에 '벌레 충(蟲)' 자를 써서 기어 다니는 벌레의 무리라는 뜻이에요. 파충류 대부분은 물속에서 살더라도 땅에 올라와 딱딱한 껍질로 쌓인 알을 낳아요. 또 파충류는 허파로 숨을 쉬어요. 그래서 물에서 사는 파충류도 숨을 오래 참을 수는 있어도 숨을 쉬려면 물 위로 올라와야 해요. 파충류에는 뱀, 도마뱀, 악어, 거북 등이 있어요.

양서류는 '두 양(兩)'에 '살 서(棲)' 자를 써서 두 곳에서 사는 무리라는 뜻을 지니고 있어요. 양서류는 물속에 얇은 막으로 된 알을 낳아 새끼 때는 아가미를 달고 대부분 물속에서 올챙이로 살다가, 자라면서 다리와 허파가 생겨 물과 땅 두 곳 모두에서 살 수 있는 동물이에요. 허파뿐만 아니라 피부로도 숨을 쉬지요. 우리가 알고 있는 양서류는 개구리와 두꺼비, 도롱뇽, 맹꽁이 등이 있어요.

이렇게 파충류와 양서류는 다른 한살이를 살고 다른 신체적 특성을 가졌어요. 그러니까 모습은 비슷해도 도롱뇽과 도마뱀은 생판 남이랍니다!

☑ 윗글을 읽고 빈칸에 알맞은 동물의 종류를 써 보세요.

엄마가 땅 위에서 낳아 준 알을 깨고 나와 물 속으로 가서 사는 나는 □□□야!

5주 어휘 미리보기

뜻을 알고 있는 낱말에 V표 해 보세요.
알고 있는 낱말은 글에서 어떻게 쓰였는지 확인하고,
모르는 낱말은 글을 읽으며 재미있게 익혀 보아요.

	배울 내용	배울 낱말	공부한 날
Day 21	속담 말이 씨가 된다	☐ 역전극 ☐ 주목 ☐ 부정적 ☐ 호르몬 ☐ 긍정적 ☐ 결실 ☐ 명심 ☐ 이롭다	월 일
Day 22	관용어 밤낮을 가리지 않다	☐ 의술 ☐ 의서 ☐ 임진왜란 ☐ 피난 ☐ 처방 ☐ 귀양 ☐ 보배 ☐ 질병	월 일
Day 23	한자 성어 관포지교(管鮑之交)	☐ 두텁다 ☐ 비난하다 ☐ 대수롭지 않다 ☐ 불리하다 ☐ 배반하다 ☐ 반란	월 일
Day 24	교과 어휘 - 사회 이누이트의 의식주 생활	☐ 원주민 ☐ 일컫다 ☐ 추측 ☐ 표면 ☐ 의식주 ☐ 식량 ☐ 연료 ☐ 역할	월 일
Day 25	한자 어휘 '심(心)'과 '신(身)'이 들어간 말	☐ 심신 ☐ 심리 ☐ 중심 ☐ 관심 ☐ 신체 ☐ 자신 ☐ 대신	월 일

말이 씨가 된다

아는 어휘에 ✔ 표시를 해 보고, 어휘의 뜻을 생각하며 글을 읽어 보세요.

☐ 역전극 ☐ 주목 ☐ 부정적 ☐ 호르몬 ☐ 긍정적 ☐ 결실 ☐ 명심 ☐ 이롭다

공부한 날

월   일

2016년 브라질 리우올림픽 남자 ❶펜싱 에페 결승전, 전 국민을 감동시킨 통쾌한 ❷역전극이 펼쳐졌습니다. 우리나라의 박상영 선수가 헝가리 게자 임레 선수를 15 대 14로 이겨 금메달을 딴 것입니다. 임레 선수는 2015년 세계 선수권 우승자였고, 세계 1위의 선수를 꺾고 결승전에 올라온, 경험이 풍부한 선수였습니다. 반면 박상영 선수는 세계 21위의 아무도 ❸주목하지 않던 펜싱 국가 대표팀의 막내 선수였습니다.

경기는 15점을 먼저 따면 승리하게 되는 상황에서 9 대 13으로 박상영 선수가 뒤지고 있었습니다. 모두가 승부를 뒤집기에는 늦었다 생각했습니다. 그때, 관중석에서 "할 수 있다!"는 외침이 들렸고, 그 소리를 들은 박상영 선수도 주먹을 불끈 쥐고 "그래, 할 수 있다. 할 수 있다!"라고 중얼대는 모습이 카메라에 잡혔습니다. 점수는 10 대 14가 되었고 이제 임레 선수는 한 점만 더 따면 경기가 끝나는 순간이었습니다. 그러나 이 순간에도 박상영 선수는 계속 "할 수 있다."를 외치며 임레 선수에게 한 점도 내주지 않고 연속으로 5점을 따내 마침내 금메달을 목에 걸었습니다.

"할 수 있다!"는 박상영 선수가 중학교 때 펜싱을 시작하면서 훈련 일지에 항상 써 놓았던 말이었습니다. 박상영 선수는 올림픽을 준비할 때도 이 말을 ❹입에 달고 다녔다고 합니다. 그리고 이 ❺말이 씨가 되어 불가능할 것 같았던 상황이 현실이 되는 감동적인 순간을 맞이하게 된 것입니다.

말이 씨가 된다는 말은 뇌 과학적으로도 사실이라고 합니다. 평소에 "짜증 나.", "화나."와 같은 ❻부정적인 말을 자주 하면 그 말이 귀를 통해 뇌에 입력되고, 독한 스트레스 ❼호르몬이 나와서 정말로 짜증 나는 상태가 됩니다. 반대로 "행복해.", "감사합니다."와 같은 ❽긍정적인 말을 하면 기분 좋은 호르몬이 나와서 마음이 평온하고 행복해집니다. 이처럼 말은 우리의 뇌와 생각에 영향을 끼칩니다. 말은 우리 마음의 밭에 뿌려지면 그대로 ❾결실을 맺는 씨와 같습니다. 이러한 사실을 ❿명심해 항상 말조심을 하고 부정적인 말보다는 긍정적인 말을, 해로운 말보다는 ⓫이로운 말을 많이 하도록 노력해야겠습니다.

❶ **펜싱**: 철망으로 된 마스크를 쓰고 검을 쥔 채, 마루 위에서 서로 찌르거나 베는 방법으로 승부를 겨루는 경기.

❷ **역전극**: 형편이나 결과가 뒤집히는 장면.

❸ **주목**: 관심을 가지고 주의 깊게 살핌.

❹ **입에 달고 다녔다고**: 말이나 이야기를 습관처럼 되풀이하거나 자주 사용했다고.

❺ **말이 씨가 되어**: 늘 말하던 것이 마침내 사실대로 되어.

❻ **부정적**: 바람직하지 못한 것.

❼ **호르몬**: 몸 안에서 나와 몸의 활동을 조절하는 물질.

❽ **긍정적**: 바람직하거나 좋게 볼 만한 것.

❾ **결실**: 곡식이나 과일이 열매를 맺거나 맺은 열매가 익음.

❿ **명심**: 잊지 않도록 마음에 깊이 새겨 둠.

⓫ **이로운**: 도움이나 이익이 되는.

1 이 글의 내용으로 맞는 것에는 ○표, 틀린 것에는 ×표를 해 보세요.

(1) 박상영 선수는 2016년 리우 올림픽에서 펜싱 에페 금메달을 땄습니다. ·············· (○ / ×)

(2) 모두가 결승전에서 박상영 선수가 승부를 뒤집을 거라고 생각했습니다. ·············· (○ / ×)

(3) 박상영 선수는 세계 1위인 선수를 꺾고 올림픽 결승전에 올라왔습니다. ·············· (○ / ×)

2 다음은 글쓴이가 이 글을 통해 전하고 싶은 내용을 정리한 것입니다. 빈칸에 들어갈 알맞은 낱말을 보기 에서 찾아 써 보세요.

보기	역전극 말조심 부정적

말이 씨가 된 예	2016년 리우 올림픽 남자 펜싱 에페 결승전에서 우리나라의 박상영 선수가 "할 수 있다!"를 외치며 9 대 13에서 15 대 14로 통쾌한 ☐☐☐을 펼쳐 금메달을 땄습니다.
과학적 사실	뇌 과학적으로도 ☐☐☐인 말을 하면 뇌에서 독한 스트레스 호르몬이 나와서 짜증 나는 상태가 되고, 긍정적인 말을 하면 뇌에서 좋은 호르몬이 나와서 평온하고 행복해집니다.
결론	말이 씨가 된다는 사실을 명심해 항상 ☐☐☐을 하고, 긍정적이고 이로운 말을 합시다.

3 이 글을 통해 "말이 씨가 된다."의 뜻으로 알맞은 것을 골라 보세요. ·················· (   )

① 말로 다른 사람에게 상처를 줄 수도 있다는 뜻입니다.

② 소문이 점점 커져 나중에는 걷잡을 수 없게 된다는 뜻입니다.

③ 늘 말하던 것이 마침내 사실대로 되었을 때를 이르는 말입니다.

4 다음 낱말의 뜻을 찾아 선으로 이어 보세요.

(1) 역전극 •

(2) 결실 •

(3) 주목 •

(4) 명심 •

• ① 관심을 가지고 주의 깊게 살핌.

• ② 형편이나 결과가 뒤집히는 장면.

• ③ 잊지 않도록 마음에 깊이 새겨 둠.

• ④ 곡식이나 과일이 열매를 맺거나 맺은 열매가 익음.

5 다음 낱말과 뜻이 반대되는 낱말을 보기 에서 골라 기호를 써 보세요.

보기   ㉠ 패배   ㉡ 해로운   ㉢ 긍정적

(1) 승리 ↔ (   )   (2) 부정적 ↔ (   )   (3) 이로운 ↔ (   )

6 밑줄 친 말과 바꾸어 쓸 수 있는 말로 알맞지 <u>않은</u> 것을 골라 보세요. ⋯⋯⋯⋯⋯⋯ (   )

뒤지고 있는 상황에서 민수가 2점을 <u>따내</u> 우리 반이 우승을 차지했습니다.

① 얻어   ② 획득해   ③ 뜯어내어

7 다음 문장의 밑줄 친 부분의 뜻풀이로 바른 것을 골라 보세요. ································· (   )

> 규호는 "너무 배고파!"를 입에 달고 살았습니다.

① 즐겨 먹었습니다.   ② 큰 소리로 외쳤습니다.   ③ 늘 되풀이해 말했습니다.

8 다음 중 "말이 씨가 된다."가 어울리는 상황에 ○표를 해 보세요.

(1)

민수는 "오늘 라면을 먹지 않을 테야."라고 다짐했지만, 결국은 라면을 끓여 먹고 말았어.

(   )

(2)

고구려의 평원왕이 딸인 평강 공주에게 "자꾸 울면 바보 온달에게 시집보낸다."라고 입버릇처럼 말했는데, 정말로 평강 공주가 커서 온달에게 시집을 가 버렸대.

(   )

틀리기 쉬워요!

9 보기 를 보고, 밑줄 친 부분을 바르게 고쳐 써 보세요.

'아무도'는 뒤에 부정의 뜻을 가진 말과 어울립니다.

> 보기 박상영 선수는 **아무도** 주목하던 막내 선수였습니다. (×)
> → 박상영 선수는 **아무도** 주목하지 않던 막내 선수였습니다.

(1) **아무도** 오는 놀이터에서 은지는 혼자 놀았어요. (×)

→ **아무도** _____ 놀이터에서 은지는 혼자 놀았어요.

(2) 맛있는 음식이 많았지만, **아무도** 먹었습니다. (×)

→ 맛있는 음식이 많았지만, **아무도** _____.

관용어

밤낮을 가리지 않다

아는 어휘에 ✔ 표시를 해 보고, 어휘의 뜻을 생각하며 글을 읽어 보세요.

☐ 의술 ☐ 의서 ☐ 임진왜란 ☐ 피난 ☐ 처방 ☐ 귀양 ☐ 보배 ☐ 질병

⏱ 공부한 날

월   일

① **의원**: 의술을 직업으로 삼은 사람을 통틀어 이르는 말.

② **의술**: 병이나 상처를 고치는 기술. 또는 의학에 관련되는 기술.

③ **내의원**: 조선 시대에 궁중의 의술과 약술을 맡아보던 곳.

④ **어의**: 궁궐 내에서, 임금이나 왕족의 병을 치료하던 의원.

⑤ **의서**: 의학에 관한 책.

⑥ **밤낮을 가리지 않고**: 쉬지 않고 계속.

⑦ **임진왜란**: 조선 시대 선조 25년(1592)에 일본이 침입한 전쟁.

⑧ **피난**: 재난을 피하여 멀리 옮겨 감.

⑨ **처방**: 병을 치료하기 위하여 증상에 따라 약을 짓는 방법.

⑩ **약재**: 한약을 짓는 데 쓰는 재료.

⑪ **귀양**: 옛날에 죄인을 먼 시골이나 섬으로 보내어 일정한 기간 동안 제한된 곳에서만 살게 하던 형벌.

⑫ **보배**: 아주 귀하고 소중한 물건.

⑬ **질병**: 몸에 생기는 온갖 병.

허준은 조선 시대의 이름난 **①**의원이에요. 그는 뛰어난 스승을 만나 **②**의술을 배우고 열심히 의술과 약초를 공부해 스승을 뛰어넘는 훌륭한 의원이 되었어요. 그리고 허준 덕분에 병이 나은 어느 대감의 추천으로 궁궐의 **③**내의원에 들어가 **④**어의가 되었어요.

허준의 의술을 높이 평가한 선조 임금은 허준에게 백성이 쉽게 볼 수 있는 **⑤**의서를 만들라고 명했어요. 평소에 불쌍한 백성을 돕고 싶은 마음이 컸던 허준은 임금의 명을 받고는 기쁜 마음에 **⑥**밤낮을 가리지 않고 의학을 연구했어요.

⑦임진왜란이 일어나자 허준은 임금을 모시고 의주로 **⑧**피난을 갔다가 전쟁이 끝난 후 한양으로 돌아와서도 의서를 연구하는 일을 계속했어요. 병이 났을 때 필요한 **⑨**처방을 적고, 백성들이 쉽게 구할 수 있는 **⑩**약재를 연구하여 꼼꼼히 기록했어요. 선조 임금이 쉰일곱 살의 나이로 숨을 거두자, 허준은 임금을 보살피던 어의로서 책임을 피할 수 없게 되었어요. 선조 임금의 뒤를 이어 왕이 된 광해군은 허준이 밤낮없이 임금의 병을 고치는 데 힘썼음을 알고, 벌을 내리는 대신 멀리 **⑪**귀양을 보냈어요.

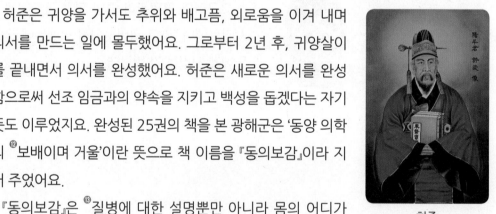

허준

허준은 귀양을 가서도 추위와 배고픔, 외로움을 이겨 내며 의서를 만드는 일에 몰두했어요. 그로부터 2년 후, 귀양살이를 끝내면서 의서를 완성했어요. 허준은 새로운 의서를 완성함으로써 선조 임금과의 약속을 지키고 백성을 돕겠다는 자기 뜻도 이루었지요. 완성된 25권의 책을 본 광해군은 '동양 의학의 **⑫**보배이며 거울'이란 뜻으로 책 이름을 『동의보감』이라 지어 주었어요.

『동의보감』은 **⑬**질병에 대한 설명뿐만 아니라 몸의 어디가 어떻게 아픈가에 따라 어떤 약을 써야 하는지, 어디에 침을 놓아야 하는지 등을 자세히 설명해 놓았어요. 게다가 637개의 약재 이름을 한글로 써 놓아 백성이 실제로 병을 고치는 데 많은 도움을 주었어요. 『동의보감』의 우수성은 이웃 나라에까지 알려져 조선을 찾은 사신들이 앞다투어 책을 구하려고 했고, 오늘날까지도 최고의 한의학 책으로 인정받고 있어요.

1 이 글의 내용으로 알맞지 <u>않은</u> 것을 골라 보세요. ························ (   )

① 선조 임금의 뒤를 이은 광해군은 허준을 멀리 귀양을 보냈습니다.

② 허준 덕분에 병이 나은 대감이 허준에게 의서를 만들라고 했습니다.

③ 허준은 백성들을 위해 『동의보감』에 실린 약재 이름을 한글로 써 놓았습니다.

④ 『동의보감』의 우수성은 이웃 나라까지 알려져 조선을 찾은 사신들이 책을 구해 갔습니다.

2 다음은 『동의보감』이 만들어진 과정을 정리한 것입니다. 빈칸에 들어갈 알맞은 낱말을 이 글에서 찾아 써 보세요.

> 선조 임금은 허준에게 백성이 쉽게 볼 수 있는 □□ 를 만들라고 명했습니다.

⬇

> 허준은 피난을 갔다와서도, 멀리 □□ 을 가서도 의서를 만드는 일에 몰두했습니다.

⬇

> 허준이 완성한 25권의 책에 광해군은 '동양 의학의 보배이며 거울'이란 뜻으로 책 이름을 『□□□□』이라 지어 주었습니다.

3 이 글을 통해 '밤낮을 가리지 않다'의 뜻을 바르게 짐작한 친구는 누구인지 ○표를 해 보세요.

(1) '밤낮을 가리지 않다'는 가끔 생각날 때마다 한다는 뜻이야.

(   )

(2) '밤낮을 가리지 않다'는 쉬지 않고 계속 한다는 뜻이야.

(   )

4 다음 뜻을 가진 낱말을 보기 에서 찾아 쓰세요.

보기   처방   의술   피난

(1) 재난을 피하여 멀리 옮겨 감. → ☐☐

(2) 병을 치료하기 위하여 증상에 따라 약을 짓는 방법. → ☐☐

(3) 병이나 상처를 고치는 기술. 또는 의학에 관련되는 기술. → ☐☐

5 다음 중 뜻이 비슷한 낱말끼리 짝 지어진 것이 <u>아닌</u> 것을 골라 보세요. ·············(　　)

① 왕 – 임금　　　　② 의원 – 의사　　　　③ 보배 – 보물　　　　④ 귀양 – 피난

6 다음 밑줄 친 말과 바꾸어 쓸 수 있는 말로 알맞지 <u>않은</u> 것을 골라 보세요. ········(　　)

많은 독립운동가들이 나라를 위해 싸우다 감옥에서 <u>숨을 거두었습니다</u>.

① 죽었습니다　　　　　② 돌이켰습니다　　　　　③ 돌아가셨습니다

7 '밤낮을 가리지 않다'가 자연스럽게 쓰인 문장에 모두 ○표를 해 보세요.

(1) 에디슨은 <u>밤낮을 가리지 않고</u> 연구에 몰두하여 더 좋은 전구를 만들었습니다. ·········(　　)

(2) 내 친구 희철이는 처음 보는 사람에게도 <u>밤낮을 가리지 않고</u> 인사를 잘합니다. ·········(　　)

(3) <u>밤낮을 가리지 않고</u> 연습을 했더니 쌩쌩이 줄넘기를 능숙하게 하게 되었습니다. ······(　　)

8 밑줄 친 낱말을 높임을 나타내는 표현으로 바꾸어 써 보세요.

> 어머니께서 동생을 <u>데리고</u> 병원에 가셨습니다.

➡ 어머니께서 할아버지를 [ ][ ][ ] 병원에 가셨습니다.

틀리기 쉬워요!

9 보기 를 읽고, 다음 문장에서 알맞은 말을 골라 ○표를 해 보세요.

> 보기 • 백제의 계백은 용감하게 싸우며 <u>장수로서</u> 최선을 다했습니다.
> • 백제는 계백이 황산벌 전투에서 <u>패함으로써</u> 신라에게 항복하게 되었습니다.

'-로서'는 지위나 신분, 자격 등을 나타낼 때 쓰고, '-로써'는 물건의 재료나 어떤 일의 수단이나 도구를 나타낼 때 씁니다.

(1) 싸움은 (대화로서 / 대화로써) 풀어야 합니다.
(2) 우리 반 (회장으로서 / 회장으로써) 학급 일에 앞장서겠습니다.

틀리기 쉬워요!

10 보기 를 읽고, 밑줄 친 말을 줄임 말로 바꾸어 써 보세요.

> 보기 장금이는 의술을 열심히 공부해서 뛰어난 의녀가 <u>되었어요</u>.
> ➡ 장금이는 의술을 열심히 공부해서 뛰어난 의녀가 <u>됐어요</u>.

(1) 앞으로 더욱 친한 친구가 <u>되었으면</u> 좋겠습니다.
  ➡ 앞으로 더욱 친한 친구가 _____ 좋겠습니다.
(2) 3학년이 <u>되어서</u> 공부가 더욱 재미있어졌습니다.
  ➡ 3학년이 _____ 공부가 더욱 재미있어졌습니다.

한자 성어

관포지교 (管 피리 관 鮑 절인 물고기 포 之 어조사 지 交 사귈 교)

아는 어휘에 ✔ 표시를 해 보고, 어휘의 뜻을 생각하며 글을 읽어 보세요.

☐ 두텁다 ☐ 비난하다 ☐ 대수롭지 않다 ☐ 불리하다 ☐ 배반하다 ☐ 반란

⏰ 공부한 날

월 일

옛날, 중국의 제나라에는 관중과 포숙아라는 두 친구가 살았어요. 두 사람은 어려서부터 **❶두터운** 우정을 쌓아 둘도 없는 친구가 되었고, 포숙아는 뛰어난 재주를 가진 관중을 늘 아끼고 감싸 주었어요.

어른이 된 관중과 포숙아는 같이 장사를 하게 되었어요. 그런데 늘 번 돈을 관중이 더 많이 가져갔어요. 보다 못한 주위 사람들이 관중을 **❷비난하자** 포숙아는 **❸대수롭지 않**게 말했어요.

"관중은 집안이 가난하고 식구들도 많기에 더 많은 돈을 갖는 것이 당연합니다."

얼마 후, 제나라에 전쟁이 일어나는 바람에 두 사람은 나란히 전쟁터로 나가게 되었어요. 그런데 싸움이 **❹불리해지**자, 관중은 혼자서 세 번이나 도망을 쳤어요. 전쟁이 끝나고 사람들은 관중에게 나라를 **❺배반한** 비겁자라며 욕했어요. 그러자 포숙아가 관중을 감싸며 말했어요.

"그는 보살펴야 할 늙은 어머님이 계셔서 목숨을 아낀 것뿐입니다."

그 무렵 제나라에 **❻반란**이 일어나 관중은 둘째 왕자를 모시고 노나라로 피하고, 포숙아는 셋째 왕자를 모시고 이웃 나라로 피했어요. 그런데 제나라로 다시 돌아온 두 사람은 적이 되었어요. 왕의 자리를 두고 두 왕자가 다투었기 때문이에요. 둘째 왕자를 왕으로 세우려던 관중은 셋째 왕자를 죽이려 했으나 실패하고, 포숙아가 모시던 셋째 왕자가 왕이 되었어요. 그가 바로 제나라의 환공이지요.

환공은 자신의 목숨을 노린 관중을 죽일 생각이었어요. 이때 포숙아가 환공의 마음을 움직였어요.

"관중은 뛰어난 재주를 가진 사람입니다. 왕께서 제나라만 다스린다면 모르지만, 앞으로 천하를 통일할 꿈이 있다면 관중 같은 인물을 반드시 뽑아 쓰셔야 합니다."

환공은 마음이 넓은 사람이라 포숙아의 말을 귀담아듣고 관중을 **❼재상**으로 삼았어요. 관중은 나라를 잘 다스려 백성들에게 존경을 받았고, 환공 또한 관중의 도움으로 훌륭한 정치를 펼칠 수 있었어요.

관중은 포숙아와 나눈 우정에 대해 이렇게 말했어요.

"나를 낳아 준 것은 부모이지만, 나를 알아준 이는 포숙아뿐이다."

훗날 사람들은 관중과 포숙아의 사귐처럼 두터운 우정을 가리켜 관포지교라고 불렀어요.

❶두터운: 믿음, 관계, 인정 등이 굳고 깊은.

❷비난하자: 남의 잘못이나 결점에 대하여 나쁘게 말하자.

❸대수롭지 않게: 아무렇지도 않게.

❹불리해지자: 이롭지 않아지자. 반 유리하다

❺배반한: 믿음과 의리를 저버리고 돌아선.

❻반란: 나라 또는 지도자 등에 반대하여 공격하거나 싸움을 일으킴.

❼재상: 옛날에 임금을 도와 관리들을 지휘하고 감독하던 아주 높은 벼슬아치를 이르던 말.

1 **이 글의 내용에 맞도록 빈칸에 들어갈 알맞은 말을 써 보세요.**

(1) 포숙아는 뛰어난 ☐☐를 가진 관중을 늘 아끼고 감싸 주었습니다.

(2) 관중은 전쟁터에서 싸움이 ☐☐해지자, 혼자서 세 번이나 도망을 쳤습니다.

(3) 환공은 포숙아의 말을 귀담아 듣고 관중을 ☐☐으로 삼았습니다.

2 **다음은 이 글의 내용을 정리한 것입니다. 빈칸에 들어갈 알맞은 낱말을 글에서 찾아 써 보세요.**

관중과 포숙아는 어려서부터 우정을 쌓아 둘도 없는 친구가 되었습니다.

↓

포숙아는 관중이 함께 장사한 돈을 더 많이 가져가서 사람들이 관중을 ☐☐ 해도, 전쟁터에서 관중 혼자 세 번이나 도망쳐 사람들이 관중에게 ☐☐☐라 욕해도 관중을 감싸 주었습니다.

↓

훗날 사람들은 관중과 포숙아의 두터운 우정을 가리켜 ☐☐☐☐라고 불렀습니다.

3 **'관포지교'의 뜻에 맞는 한자를 선으로 이어 보고, 뜻을 완성해 보세요.**

(1) 관중과   (2) 포숙아   (3) 의   (4) 사귐

① 之 어조사 지   ② 鮑 절인 물고기 포   ③ 交 사귈 교   ④ 管 피리 관

➜ '관포지교'는 관중과 포숙아의 사귐이란 뜻으로, ☐☐이 아주 두터운 친구 관계를 말합니다.

4 다음 낱말의 뜻을 찾아 선으로 이어 보세요.

(1) 두텁다 •

(2) 비난하다 •

(3) 배반하다 •

• ① 믿음, 관계, 인정 등이 굳고 깊다.

• ② 믿음과 의리를 저버리고 돌아서다.

• ③ 남의 잘못이나 결점에 대하여 나쁘게 말하다.

5 다음 중 짝 지어진 낱말 사이의 관계가 <u>다른</u> 하나를 골라 보세요.·········(   )

① 많다 – 적다

② 실패하다 – 성공하다

③ 불리하다 – 유리하다

④ 배반하다 – 배신하다

6 밑줄 친 말과 바꾸어 쓸 수 있는 말이 <u>아닌</u> 것을 골라 보세요.·········(   )

> 내가 발을 밟은 것을 사과하자 미진이는 <u>대수롭지 않게</u> 말했어요.
> "은주야, 괜찮아. 일부러 그런 것도 아니고 사람이 많아서 너도 어쩔 수 없었잖아."

① 아무렇지도 않게

② 큰일이라는 듯이

③ 별일 아니라는 듯이

7 다음 문장에서 밑줄 친 '바람'의 뜻을 알맞게 짐작한 것을 골라 보세요.·········(   )

> 얼마 후, 제나라에 전쟁이 일어나는 <u>바람</u>에 두 사람은 나란히 전쟁터로 나갔어요.

① 뒷말의 이유나 원인을 나타내는 말.

② 어떤 일이 이루어지기를 기다리는 간절한 마음.

③ 기압의 변화 또는 사람이나 기계에 의하여 일어나는 공기의 움직임.

8 다음 중 '관포지교'라 말할 수 있는 관계에 ○표를 해 보세요.

(1)  선우와 나는 뭐든지 경쟁하는 사이야. 다음 시험도 선우보다 더 잘 보기 위해 노력할 거야.

(   )

(2) 민준이는 나를 항상 이해해 주고 믿어 줘. 전에 내가 억울하게 의심을 받았던 때에도 끝까지 나를 믿어 주었어.

(   )

틀리기 쉬워요!

9 다음 그림을 보고 낱말의 뜻을 짐작하여, 문장에서 알맞은 낱말을 골라 ○표를 해 보세요.

두텁다

두껍다

저기 (두터운 / 두꺼운) 외투를 입고 있는 승우와 나는 (두터운 / 두꺼운) 우정을 나누는 사이입니다.

틀리기 쉬워요!

10 밑줄 친 낱말의 발음으로 알맞은 것을 골라 번호를 써 보세요.

(1) 관중은 보살펴야 할 **늙은** 어머님이 계십니다. ·············· (   )

① [늘근]

② [늑은]

(2) 키우던 개가 **늙고** 병들어서 마음이 아픕니다. ·············· (   )

① [늘고]

② [늘꼬]

'늙다'는 바뀐 모양에 따라 늙다[늑따], 늙어[늘거], 늙고[늘꼬], 늙는[능는] 등 으로 발음해야 합니다.

맞은 개수 _____ /10개

스스로 붙임딱지

교과 어휘 | 사회 3학년   환경에 따른 삶의 모습

이누이트의 의식주 생활

아는 어휘에 ✔ 표시를 해 보고, 어휘의 뜻을 생각하며 글을 읽어 보세요.

☐ 원주민   ☐ 일컫다   ☐ 추측   ☐ 표면   ☐ 의식주   ☐ 식량   ☐ 연료   ☐ 역할

🕐 **공부한 날**

┌─────────────┐
│   월   일 │
└─────────────┘

❶ **원주민**: 그 지역에 본디부터 살고 있는 사람들.

❷ **일컫는**: 이름 지어 부르는.

❸ **추측**: 어떤 사실이나 보이는 것을 통해서 다른 무엇을 미루어 짐작함.

❹ **혹독하게**: 몹시 심하게.

❺ **툰드라 기후**: 북극해 주변에 있는 넓은 벌판인 툰드라 지대에 나타나는 한대 기후. 일 년의 대부분 눈과 얼음으로 덮여 있으며, 짧은 여름 동안에만 땅 일부가 녹음.

❻ **표면**: 사물의 가장 바깥쪽.

❼ **의식주**: 옷과 음식과 집을 통틀어 이르는 말.

❽ **식량**: 사람이 살아가는 데 필요한 먹을거리.

❾ **연료**: 열, 빛, 움직이는 힘 등 에너지를 얻을 수 있는 물질을 통틀어 이르는 말.

❿ **역할**: 마땅히 하여야 할 직책이나 임무.

⓫ **반지하**: 절반쯤이 지면 아래로 파고 들어가 있는 공간.

흔히 에스키모로 알려진 이누이트는 캐나다 ❶원주민 중 북극 지역에 사는 사람을 ❷일컫는 말입니다. 이누이트는 그들의 말로 '인간'이란 뜻입니다. '에스키모'라는 말은 주변 민족 사람들이 이누이트를 보고 '날고기를 먹는 사람'이라는 뜻으로 붙인 이름입니다.

이누이트는 약 2천 년 전에 시베리아에서 북아메리카로 이동했다고 ❸추측됩니다. 현재는 약 3만 8천 명 정도의 이누이트가 캐나다 북부 지역에 살고 있고, 전 세계적으로는 약 15만 명 정도가 북극과 캐나다, 시베리아, 알래스카 지역에서 살고 있습니다.

이누이트

이누이트가 사는 북극해 지역은 날씨가 ❹혹독하게 추운 ❺툰드라 기후에 속합니다. 일 년 내내 땅속이 얼어붙어 있어서 농작물을 키우는 것이 불가능합니다. 고작해야 2~3개월 정도의 짧은 여름 동안에만 땅 ❻표면이 녹을 만큼 기온이 올라가 이끼나 작은 나무들이 자랍니다. 이누이트의 ❼의식주 생활은 이런 날씨에 맞게 발달했습니다.

이누이트는 사냥한 동물의 털이나 가죽으로 옷을 만들어 입습니다. 순록이나 바다표범, 북극곰의 가죽으로 속옷과 겉옷을 만들어 입고, 신발이나 양말도 동물의 털과 가죽으로 만들어 신어서 영하 40도의 추위로부터 몸을 보호할 수 있었습니다.

이누이트가 사냥한 동물은 그들의 ❽식량이기도 합니다. 주로 순록과 물범 등을 사냥하거나 연어 등의 생선을 잡아 식량으로 먹었습니다. 동물의 고기는 삶거나 익혀서 먹기도 하지만, ❾연료도 부족하고 차가운 기후가 냉장고 ❿역할을 하기에 날고기를 먹는 경우가 많습니다.

이누이트가 사는 집도 날씨에 큰 영향을 받았습니다. 이누이트는 보통 툰드라 지대의 잔디 땅에 작은 흙담집을 짓고 삽니다. 방 하나에 땅을 파서 ⓫반지하로 집을 짓습니다. 여름에는 동물의 가죽과 고래의 뼈 등으로 만든 텐트에서 삽니다. 눈이 많이 내리는 곳에 사는 이누이트는 겨울에 눈덩이를 벽돌 모양으로 쌓아 올려 만든 이글루에서 살기도 합니다. 잡은 바다표범이나 고래의 기름은 등불을 켜고 집을 따뜻하게 하는 연료로 사용했습니다.

1 이 글의 내용으로 맞는 것에는 ○표, 틀린 것에는 ×표를 해 보세요.

(1) 이누이트는 주로 농작물을 키우며 살아갑니다. ⋯⋯⋯⋯⋯⋯⋯⋯⋯⋯⋯⋯⋯⋯ (○ / ×)

(2) '에스키모'라는 말은 '날고기를 먹는 사람'이란 뜻입니다. ⋯⋯⋯⋯⋯⋯⋯⋯⋯⋯ (○ / ×)

(3) 이누이트가 사는 북극해 주변은 툰드라 기후에 속합니다. ⋯⋯⋯⋯⋯⋯⋯⋯⋯⋯ (○ / ×)

2 다음은 자연환경에 따른 이누이트의 의식주 생활을 정리한 것입니다. 보기 에서 빈칸에 들어갈 알맞은 말을 찾아 써 보세요.

보기	텐트 가죽 사냥 이글루

자연환경	

자연환경	→	**의생활**	순록, 바다표범, 북극곰의 ☐☐ 으로 옷을 만들어 입음.
날씨가 혹독하게 추움. → 땅속이 얼어붙어 있어서 농작물을 키우기 어려움.		**식생활**	순록, 물범 등을 ☐☐ 하거나 연어 등의 생선을 잡아먹음.
		주생활	툰드라 지대의 잔디 땅에 지은 흙담집, 동물의 가죽과 뼈로 만든 ☐☐, 눈덩이를 벽돌 모양으로 쌓아 올린 ☐☐☐에서 삶.

3 다음 한자의 뜻을 확인하고, 빈칸에 들어갈 알맞은 말을 써 보세요.

衣	食	住
옷 의	밥 식, 먹을 식	집 주, 살 주

→ 사람이 살아가는 데 가장 기본적이고 필수적인 세 가지 요소를 ☐☐☐라고 합니다.

'의'는 입을 ☐, '식'은 먹을 ☐☐, '주'는 생활하는 ☐을 말합니다.

4 다음 뜻을 가진 낱말을 보기 에서 찾아 써 보세요.

보기	원주민 추측 식량

(1) 그 지역에 본디부터 살고 있는 사람들. ➡ [   ]

(2) 사람이 살아가는 데 필요한 먹을거리. ➡ [   ]

(3) 어떤 사실이나 보이는 것을 통해서 다른 무엇을 미루어 짐작함. ➡ [   ]

5 다음 낱말과 뜻이 비슷한 낱말을 보기 에서 찾아 기호를 써 보세요.

보기	㉠ 짐작 ㉡ 겉면 ㉢ 부르다

(1) 표면 – (   )   (2) 추측 – (   )   (3) 일컫다 – (   )

6 다음 보기 를 보고, 주어진 네 낱말을 모두 포함하는 낱말을 빈칸에 써 보세요.

보기	연료			
	석유	석탄	가스	고래 기름

순록	바다표범	북극곰	고래	연어

7 '의식주'를 넣어 문장을 자연스럽게 만들지 <u>못한</u> 것을 골라 보세요. ················ (   )

① <u>의식주</u>보다 앞으로 먹고 살 일이 걱정입니다.

② 이 돈이면 우리 식구 <u>의식주</u> 걱정은 없습니다.

③ 임금은 백성의 <u>의식주</u> 문제를 해결해야 합니다.

④ 아프리카 원주민의 <u>의식주</u> 생활을 조사해 보았습니다.

틀리기 쉬워요!

8 이누이트들이 자신의 의식주 생활을 설명하고 있습니다. 문장에서 어울리는 낱말을 골라 ○표를 해 보세요.

(1) 우리는 차가운 기후가 냉장고 { 역할 / 역활 } 을 하기에 날고기를 먹는 경우가 많아.

(2) 우리는 바다표범이나 고래의 기름을 등불을 { 키고 / 켜고 } 난방을 하는 연료로 사용하였어.

틀리기 쉬워요!

9 '붙이다'의 뜻이 보기 에 쓰인 것과 같은 뜻으로 쓰인 문장을 골라 보세요. ············ (   )

> 보기   '에스키모'라는 말은 캐나다 인디언들이 이누이트를 보고 '날고기를 먹는 사람'이라는 뜻으로 붙인 이름입니다.

① 초에 불을 <u>붙입니다</u>.

② 가구를 벽에 <u>붙입니다</u>.

③ 요즘 공부에 흥미를 <u>붙였습니다</u>.

④ 수출 상품에 순우리말 이름을 <u>붙였습니다</u>.

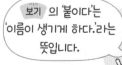
보기 의 '붙이다'는 '이름이 생기게 하다.'라는 뜻입니다.

한자 어휘
'심(心)'과 '신(身)'이 들어간 말

아는 어휘에 ✔ 표시를 해 보고, 아래 활동을 하며 뜻을 익혀 보세요.
☐ 심신   ☐ 심리   ☐ 중심   ☐ 관심   ☐ 신체   ☐ 자신   ☐ 대신

心
마음 **심**

순서대로
써 봐요

사람의 심장을 본떠 만들었어요. '마음', '생각', '근본' 등을 뜻해요.

마음 **심**

'심신(心身)'은 마음과 몸을 아울러 뜻하는 말이에요.

● 심(心)이 들어간 낱말은 '마음'의 뜻을 가지고 있는 경우가 많아요.

심 리
마음 心   다스릴 **理**

뜻 마음의 움직임이나 의식의 상태.

예 민수의 말에서 민수의 행복한 심리가 잘 느껴졌습니다.

중 심
가운데 **中**   마음 心

뜻 어떤 것의 한가운데. 또는 중요하고 기본이 되는 부분.

예 글에서 글쓴이의 중심 생각을 파악하는 것이 중요합니다.

관 심
관계할 **關**   마음 心

뜻 어떤 것을 향하여 끌리는 감정과 생각.

예 나는 평소에 그림을 구경하는 것에 관심이 있습니다.

나도 관심받고 싶어…….

우리 신체(身體)의 중심(中心), '심장(心臟)'

心	臟
마음 심	오장 장

옛날 사람들은 심장이 몸[身]의 한가운데 있고 사람의 마음[心]이 담겨 있다고 생각해서 마음을 뜻하는 한자를 심장을 본떠 만들었어요. 서양에서도 사람의 마음 중 가장 중요한 사랑을 심장을 본뜬 모양인 ♡로 나타내요.

너무 무리했더니 심신이 피곤하네.

身
몸 신

배가 볼록하게 나온 임산부를 본떠 만든 글자예요. '몸', '신체', '나(자기)', '출신' 등을 뜻해요.

身
몸 신

● 신(身)이 들어간 낱말은 '몸'의 뜻을 가지고 있는 경우가 많아요.

신 체	
몸 身　몸 體	뜻 사람의 몸. 예 학교에서 신체검사를 해 보니 작년보다 키가 5센티미터 더 컸습니다.

자 신	
스스로 自　몸 身	뜻 바로 그 사람. 예 자신의 생각을 분명하게 표현하는 것은 중요한 일입니다.

대 신	
대신할 代　몸 身	뜻 어떤 대상이 맡던 구실을 다른 대상이 새로 맡음. 또는 그렇게 새로 맡은 대상. 예 해민이는 아픈 태인이 대신 심부름을 했습니다.

1 낱말의 뜻을 보고, 빈칸에 들어갈 알맞은 말을 써 보세요.

(1) 최근 독서에 대한 사람들의 ☐☐이 뜨겁습니다.
↳ 어떤 것을 향하여 끌리는 감정과 생각.

(2) 아무렇게나 쏜 화살이 과녁의 ☐☐을 맞췄습니다.
↳ 어떤 것의 한가운데.

(3) 손톱을 깨무는 것은 불안을 느끼는 ☐☐ 상태를 나타냅니다.
↳ 마음의 움직임이나 의식의 상태.

(4) 우리는 매일 함께 운동을 하며 ☐☐를 튼튼하게 단련했습니다.
↳ 사람의 몸.

2 빈칸에 들어갈 알맞은 말을 보기 에서 골라 써 보세요.

보기	자신(스스로 自, 몸 身)　　　대신(대신할 代, 몸 身)

(1) 배탈이 나서 밥 ☐☐ 죽을 먹었습니다.

(2) 왕비는 ☐☐의 모습이 백설 공주보다 예쁘다고 생각했습니다.

3 앞에서 배운 한자의 뜻을 생각하여 다음 한자 성어의 뜻풀이를 완성해 보세요.

작심삼일 (지을 作, 마음 心, 석 三, 날 日)	살신성인 (죽일 殺, 몸 身, 이룰 成, 어질 仁)
단단히 먹은 (1) ☐이 삼 일을 못 간다는 뜻으로, 결심이 강하고 단단하지 못함을 이르는 말.	자기 (2) ☐을 죽여 인을 이룬다는 뜻으로, 자기 자신을 희생하여 어진 행동을 하는 것을 이르는 말.

4 가로와 세로의 빈칸에 뜻에 맞는 낱말을 써 보세요.

🔑 가로 열쇠

❶ 단단히 먹은 마음이 삼 일을 못 가듯 결심이
강하고 단단하지 못함.
📝 결심한 일이 ○○○○로 끝났어.

❷ 바로 그 사람.

❸ 자기 자신을 희생하여 어진 행동을 함.
📝 소방관이 ○○○○의 희생정신으로 사람
을 구했습니다.

❹ 어떤 것의 한가운데. 또는 중요하고 기본이
되는 부분.

🔑 세로 열쇠

① 마음의 움직임이나 의식의 상태.

② 어떤 대상이 맡던 역할을 다른 대상이 새
로 맡음. 또는 그렇게 맡은 대상.
📝 나 ○○ 청소를 해 줘서 고마워.

③ 마음과 몸을 아울러 뜻하는 말.

④ 어떤 것을 향하여 끌리는 감정과 생각.
📝 사춘기 누나는 요즘 외모에 ○○이 많아요.

우리 한복에 대해 알아봐요

- **깃**: 저고리나 두루마기에서 벌어진 옷을 합쳐 단정하게 잠글 수 있도록 하는 옷의 부분. 목의 둘레에 길게 덧붙여져 있음.

- **고름**: 저고리나 두루마기의 양쪽 앞부분에 달려 옷이 벌어지지 않도록 묶는 끈.

- **대님**: 남자들이 바지를 입은 뒤에 그 가랑이의 끝쪽을 접어서 발목을 졸라매는 끈.

- **댕기**: 여자 아이들이 땋아 내린 머리카락 끝에 장식으로 달아 놓은 끈이나 헝겊 조각.

- **동정**: 저고리 깃 위에 덧대어 꾸민 하얀 헝겊.

- **두루마기**: 남자와 여자가 주로 외출할 때 입는, 옷자락이 기다랗게 내려오는 한복.

- **마고자**: 저고리 위에 덧입는 웃옷. 저고리와 비슷하게 생겼으나 깃과 고름이 없고, 단추를 달아 입음.

- **버선**: 천으로 발 모양과 비슷하게 만들어 양말처럼 발에 신는 물건.

- **버선코**: 버선 앞쪽 끝에 뾰족하게 올라온 부분.

☑ 윗글을 읽고 빈칸에 알맞은 말을 써 보세요.

정답: (1) 버선코 (2) 대님 (3) 댕기

116

6주 어휘 미리보기

뜻을 알고 있는 낱말에 V표 해 보세요.
알고 있는 낱말은 글에서 어떻게 쓰였는지 확인하고,
모르는 낱말은 글을 읽으며 재미있게 익혀 보아요.

	배울 내용	배울 낱말		공부한 날
Day 26	속담 **윗물이 맑아야 아랫물이 맑다**	☐ 장례 ☐ 영문 ☐ 원망 ☐ 번거롭다	☐ 묵묵히 ☐ 하직 ☐ 간청	월 / 일
Day 27	한자 성어 **견원지간(犬猿之間)**	☐ 앙숙 ☐ 지속되다 ☐ 속절없이 ☐ 활약	☐ 후계자 ☐ 뚜껑을 열다 ☐ 침몰 ☐ 세계화	월 / 일
Day 28	관용어 **말을 바꾸어 타다**	☐ 부리부리하다 ☐ 후퇴 ☐ 인품 ☐ 난폭하다	☐ 승부 ☐ 쇠퇴 ☐ 재목 ☐ 눈여겨보다	월 / 일
Day 29	교과 어휘 – 과학 **에코와 나르키소스**	☐ 탈 ☐ 타이르다 ☐ 냉정하다 ☐ 여위다	☐ 성가시다 ☐ 소음 ☐ 고백 ☐ 반사	월 / 일
Day 30	한자 어휘 **'편(便)'과 '리(利)'가 들어간 말**	☐ 편리 ☐ 불편 ☐ 이익 ☐ 승리	☐ 간편 ☐ 편의점 ☐ 권리	월 / 일

윗물이 맑아야 아랫물이 맑다

아는 어휘에 ✔ 표시를 해 보고, 어휘의 뜻을 생각하며 글을 읽어 보세요.

☐ 장례 ☐ 묵묵히 ☐ 영문 ☐ 하직 ☐ 원망 ☐ 간청 ☐ 번거롭다

⏱ 공부한 날

월   일

옛날 중국에 원곡이라는 아이를 둔 한 농부가 있었습니다. 농부는 아버지를 모시고 살고 있었는데, 아버지가 나이 들고 병들자 구박하고 미워했습니다. 원곡이 15살 되는 해, 농부는 그의 아버지를 산에 가져다 버리기로 결심했습니다. 산속 구덩이에 버려두었다가 돌아가시면 땅에 묻어 ❶장례를 지내려 한 것입니다. 농부는 늙은 아버지를 태울 작은 수레를 만들고 산에 구덩이를 파 두었습니다.

그리고 어느 날 밤, 농부는 늙은 아버지를 산에 버리기 위해 수레에 태웠습니다. 사정을 아는 농부의 아버지는 쓸쓸한 표정으로 ❷묵묵히 수레에 올랐습니다.

"할아버지, 어디 가셔요? 저도 갈래요!"

"얘야, 너는 여기 있거라. 절대 따라오면 안 된다."

❸영문을 모르는 원곡은 할아버지의 마지막 길을 ❹부득부득 따라나섰습니다. 얼마 후 깊은 산속에 도착한 농부는 아버지를 구덩이에 내려놓고 ❺하직 인사를 올렸습니다.

"이렇게 아버지를 두고 가는 저를 ❻원망하지 마십시오. 먹고 살기가 힘든 것을 어쩌겠습니까? 저는 이만 내려가겠습니다."

"오냐, 산짐승들에게 다치지 않도록 조심히 가거라."

늙은 아버지는 자신을 버리고 가는 아들을 마지막까지 걱정하였습니다.

"아버지, 제발 할아버지 다시 모시고 가요. 네?"

원곡은 울며불며 아버지에게 ❼간청하였습니다. 그러나 농부는 아들의 말을 못 들은 척하며 뒤도 안 돌아보고 산을 내려가기 시작했습니다. 그런데 눈물을 훔치며 따라오던 원곡이 다시 구덩이로 뛰어가더니 수레를 끌고 오는 것이 아니겠어요?

"아니, 수레는 왜 가지고 오느냐? 이젠 쓸모도 없는데."

"이다음에 아버지가 늙으면 쓰려고요. 아버지도 늙으면 수레로 실어다 버려야 하는데, 그때 다시 만들려면 ❽번거로울 테니까요."

원곡의 말을 들은 농부는 순간 ❾눈앞이 캄캄해졌습니다. 그 길로 구덩이로 되돌아간 농부는 아버지를 다시 수레에 태우고 와 정성껏 모셨습니다. 농부의 아버지는 오래오래 마음 편히 살았고, 그 모습을 보며 자란 원곡도 아버지에게 정성을 다해 효도했습니다. ❿윗물이 맑아야 아랫물이 맑은 법이니까요.

– 원곡 이야기(『효자전』)

❶ **장례**: 죽은 사람을 땅에 묻거나 화장하는 일.

❷ **묵묵히**: 말없이 조용하게.

❸ **영문**: 일이 돌아가는 형편이나 그 까닭.

❹ **부득부득**: 억지를 부려 제 생각대로만 하려고 자꾸 우기거나 조르는 모양.

❺ **하직**: 먼 길을 떠날 때 웃어른께 작별을 고하는 인사.

❻ **원망**: 마음에 들지 않아서 탓하거나 미워함.

❼ **간청**: 간절히 부탁함.

❽ **번거로울**: 일의 갈피가 어수선하고 복잡할.

❾ **눈앞이 캄캄해졌습니다**: 어찌할 바를 몰라 아득해졌습니다.

❿ **윗물이 맑아야 아랫물이 맑은**: 윗사람이 잘하면 아랫사람도 따라서 잘하게 되는.

1 이 글의 내용으로 맞는 것에는 ○표, 틀린 것에는 ×표를 해 보세요.

(1) 농부는 늙은 아버지를 미워하여 버리기로 결심하였습니다. ────────── (○ / ×)

(2) 원곡은 아버지가 늙으면 쓰겠다며 산에서 수레를 챙겨 왔습니다. ─────── (○ / ×)

(3) 원곡은 할아버지를 다시 모시고 내려가자고 아버지에게 간청하였습니다. ──── (○ / ×)

(4) 농부의 아버지는 자신을 버리고 가는 아들을 마지막까지 원망하였습니다. ──── (○ / ×)

2 다음은 이 글의 내용을 요약한 것입니다. 빈칸에 들어갈 알맞은 낱말을 보기 에서 찾아 써 보세요.

> 보기   효도   장례   수레   구덩이   산짐승

> 농부가 늙은 아버지를 버리려고 [ ][ ]에 태워 산을 오름.

↓

> 농부가 늙은 아버지를 산속 [ ][ ][ ]에 버리고 내려가는데, 원곡이 뛰어가서 다시 수레를 챙겨 옴.

↓

> 아버지가 늙으면 이 수레를 쓰겠다는 원곡의 말에 눈앞이 캄캄해진 농부는 늙은 아버지를 수레에 태우고 와 정성껏 모셨고, 그 모습을 보고 자란 원곡도 아버지에게 [ ][ ]함.

3 이 글을 통해 "윗물이 맑아야 아랫물이 맑다."의 뜻을 짐작하여 알맞은 것끼리 선으로 이어 보고, 뜻이 알맞은 말에 ○표를 해 보세요.

(1) 농부가 아버지를 정성껏 모심. •   • ① 윗물이 맑음.

(2) 원곡이 아버지에게 효도함. •   • ② 아랫물이 맑음.

➜ "윗물이 맑아야 아랫물이 맑다."는 (윗사람 / 아랫사람)이 먼저 바르게 행동해야, (윗사람 / 아랫사람)도 본받아 잘한다는 뜻입니다.

4 다음 낱말의 뜻을 찾아 선으로 이어 보세요.

(1) 원망하다 •   • ① 간절히 부탁하다.

(2) 간청하다 •   • ② 마음에 들지 않아서 탓하거나 미워하다.

(3) 번거롭다 •   • ③ 일의 갈피가 어수선하고 복잡한 데가 있다.

5 보기 의 밑줄 친 낱말과 바꾸어 쓸 수 있는 낱말을 골라 보세요. ·············· (   )

보기   주민이가 왜 화를 내는지 도무지 <u>영문</u>을 모르겠어.

① 영어   ② 질문   ③ 까닭   ④ 결과

6 다음 밑줄 친 표현을 쓰기에 알맞은 상황을 골라 보세요. ·············· (   )

시험지를 처음 본 순간 모르는 문제가 보여 <u>눈앞이 캄캄해졌습니다.</u>

① 고민이 해결되었을 때   ② 몹시 감동을 받았을 때   ③ 어찌할 바를 몰라 막막할 때

7 다음 문장에서 '묵묵히'의 쓰임이 <u>어색한</u> 것을 골라 보세요. ·············· (   )

① 형은 자신의 일을 <u>묵묵히</u> 해냅니다.
② 어두운 길을 둘은 <u>묵묵히</u> 걸었습니다.
③ 반장은 우리의 말을 <u>묵묵히</u> 듣고만 있었습니다.
④ 엘리베이터에 갇힌 아이가 <u>묵묵히</u> 소리쳤습니다.
⑤ 어머니는 나의 행동을 <u>묵묵히</u> 지켜보고 계셨습니다.

8 다음 중 "윗물이 맑아야 아랫물이 맑다."라는 말을 알맞게 사용한 친구에 ○표를 해 보세요.

(1)

윗물이 맑아야 아랫물도 맑은 법이니 내가 먼저 웃어른께 인사드리면 어른들도 나에게 인사를 해 주실 거야.

(   )

(2)

윗물이 맑아야 아랫물도 맑은 법이니 내가 열심히 노력하는 모습을 보이면 동생도 그렇게 하겠지?

(   )

틀리기 쉬워요!

9 보기 를 읽고, 다음 문장에서 알맞은 낱말을 골라 ○표를 해 보세요.

> 보기 낱말 앞에 붙는 '윗–'과 '웃–'은 모두 '위'의 뜻을 더해 주는 말입니다. '윗–'이 붙은 말은 위와 아래가 구분되고, '웃–'이 붙은 말은 위와 아래가 구분되지 않습니다.
>
> 윗물에서 물장구를 치며 놀았습니다.
> ↳ 위, 아래 구분이 있어요.
>
> 웃어른을 만나면 먼저 인사합니다.
> ↳ 위, 아래 구분이 없어요.

(1) 바로 (윗집 / 웃집)에 사는 아이와 친구가 되었습니다.

(2) 은지는 이를 잘 닦지 않아 (윗니 / 웃니)에 충치가 생기고 말았습니다.

(3) 구하기 힘든 인기 가수 공연 표를 (윗돈 / 웃돈)을 주고 힘들게 구했습니다.

틀리기 쉬워요!

10 보기 의 '얘'는 '이 아이'를 줄여서 쓴 말입니다. 다음 문장의 밑줄 친 낱말을 바르게 줄여 쓴 것에 ○표를 해 보세요.

> 보기 "얘야, 너는 여기 있거라."

(1) 저 아이가 전학 온 친구니? ➜ (제 / 쟤)

(2) 그 아이는 요즘 놀이터에 잘 안 보이더라? ➜ (개 / 걔)

견원지간 (犬 개 견 猿 원숭이 원 之 어조사 지 間 틈 간)

아는 어휘에 ✔ 표시를 해 보고, 어휘의 뜻을 생각하며 글을 읽어 보세요.

☐ 앙숙 ☐ 후계자 ☐ 지속되다 ☐ 뚜껑을 열다 ☐ 속절없이 ☐ 침몰 ☐ 활약 ☐ 세계화

공부한 날

월 일

① **앙숙**: 원한을 품고 서로 미워하는 사이.

② **후계자**: 어떤 일이나 사람의 뒤를 잇는 사람.

③ **모직물**: 털실로 짠 모든 물건.

④ **지속되었지만**: 어떤 상태가 오래 계속되었지만.

⑤ **뚜껑을 열고 보니**: 사물의 내용이나 결과 등을 보니.

⑥ **속절없이**: 단념할 수밖에 달리 어찌할 방법이 없이.

⑦ **침몰**: 배 등이 물속에 가라앉음.

⑧ **활약**: 활발히 활동함.

⑨ **견원지간**: 개와 원숭이의 사이라는 뜻으로, 사이가 매우 나쁜 두 관계를 비유적으로 이르는 말.

⑩ **나치**: 히틀러를 우두머리로 한 독일의 정당으로, 제2차 세계 대전을 일으키고, 1945년에 전쟁에 지며 몰락함.

⑪ **세계화**: 세계 여러 나라를 이해하고 받아들임.

영국과 프랑스는 유럽에서 오래된 ❶앙숙으로 유명합니다. 지금으로부터 700년 전으로 거슬러 올라가 그 까닭을 알아볼까요?

1328년에 프랑스 왕 샤를 4세가 ❷후계자 없이 죽자, 그의 사촌 필리프 6세가 왕위에 올랐습니다. 샤를 4세는 영국 왕 에드워드 3세의 외할아버지였으므로, 영국 왕은 손자인 자신이 왕이 되어야 한다고 주장했습니다. 그리고 당시 영국은 프랑스에 많은 땅을 가지고 있었는데, 그중 플랑드르 지방은 질 좋은 ❸모직물과 포도주를 생산하는 중요한 땅이었습니다. 프랑스는 이 땅을 빼앗기로 마음먹었고, 영국은 이 땅을 지키려고 싸우면서 백 년 전쟁이 시작되었습니다.

백 년 전쟁은 이름대로 1339년부터 1453년까지 백 년 넘게 ❹지속되었지만, 쉼 없이 계속된 것이 아니라서 실제로 싸운 기간은 그리 길지 않습니다.

백 년 전쟁이 시작될 무렵, 프랑스는 영국보다 땅도 넓고 인구도 많고 돈도 많은 나라였기에 모두 프랑스의 승리를 예상했습니다. 하지만 막상 ❺뚜껑을 열고 보니 영국은 만만한 상대가 아니었습니다. 영국은 프랑스에 없는 크고 긴 활과 프랑스의 대포보다 더 멀리 쏠 수 있는 대포도 있었습니다. 프랑스 기사들의 갑옷은 영국 군대의 활에 ❻속절없이 구멍이 났고, 프랑스의 배는 영국 대포에 맞아 ❼침몰했

▲ 긴 활로 프랑스 군대를 물리치는 영국 군대

습니다. 그런데도 전쟁은 끝이 보이지 않았고, 백 년 넘게 이어진 전쟁에 영국과 프랑스의 국민은 지쳐 갔습니다. 그러면서 상대편 나라를 서로 미워하는 마음이 점점 커졌습니다.

끝나지 않을 것 같았던 전쟁은 프랑스의 영웅 잔 다르크의 ❽활약으로 프랑스의 승리로 끝났습니다. 전쟁이 끝났지만 영국과 프랑스는 계속 앙숙으로 지내며, 전쟁을 벌이고 경쟁을 하고 서로의 적을 도와주기까지 했습니다.

이렇게 사이가 나쁜 ❾견원지간인 두 나라지만 위기에는 힘을 합쳤습니다. 제2차 세계 대전 당시 세계를 위험에 빠뜨린 히틀러와 싸우기 위해 손을 잡았고, 마침내 유럽이 ❿나치의 손에 들어가는 것을 막아 냈습니다. 그리고 지금 두 나라는 예전의 나쁜 사이에서 벗어나 ⓫세계화 시대를 함께 나아가는 이웃이 되기 위해 노력하고 있습니다.

1 이 글의 내용에 맞도록 알맞은 말에 ○표를 해 보세요.

> 영국과 프랑스 사이의 (백 년 전쟁 / 세계 대전)은 (영국 / 프랑스)의 승리로 끝났습니다. 두 나라는 전쟁 이후에도 계속 (앙숙 / 이웃)으로 지냈습니다.

2 빈칸에 들어갈 알맞은 낱말을 보기 에서 찾아 백 년 전쟁의 과정을 정리해 보세요.

> 보기　　　　　백 년　　후계자　　히틀러　　잔 다르크

> 프랑스의 [　　　　] 문제와 영국이 프랑스에 땅을 둔 문제로 두 나라가 다투면서 백 년 전쟁이 시작됐습니다.

↓

> 영국과 프랑스의 국민은 [　　　　] 넘게 전쟁이 이어지면서 지쳐 갔고, 상대편 나라를 서로 미워하는 마음이 점점 커졌습니다.

↓

> 전쟁은 프랑스의 영웅 [　　　　]의 활약으로 프랑스의 승리로 끝났습니다.

3 다음 한자의 뜻풀이를 참고하여 빈칸에 들어갈 알맞은 말을 쓰고, 알맞은 말에 ○표를 해 보세요.

犬	猿	之	間
개 견	원숭이 원	어조사 지	사이 간

→ '견원지간'은 [　]와 [　][　][　]의 사이라는 뜻으로, 사이가 매우 (좋은 / 나쁜) 두 관계를 비유적으로 이르는 말입니다.

4 다음 낱말의 뜻을 찾아 선으로 이어 보세요.

(1) 앙숙 •   • ① 활발히 활동함.

(2) 후계자 •   • ② 배 등이 물속에 가라앉음.

(3) 활약 •   • ③ 원한을 품고 서로 미워하는 사이.

(4) 침몰 •   • ④ 어떤 일이나 사람의 뒤를 잇는 사람.

5 다음 문장에서 밑줄 친 말이 자연스럽게 쓰이지 않은 것을 골라 보세요. ············· (   )

① 밤하늘에 속절없이 많은 별들이 떠 있습니다.

② 일이 산더미같이 쌓였는데 속절없이 시간만 흘러갑니다.

③ 할아버지는 속절없이 나이만 먹었다며 한숨을 쉬셨습니다.

④ 화를 내는 상대에게 대꾸도 못하고 속절없이 당하기만 했습니다.

6 다음 밑줄 친 말과 바꾸어 쓸 수 있는 것을 골라 보세요. ··································· (   )

> 모두 우리 반이 진다고 생각했지만, 막상 뚜껑을 여니 예상과 정반대였습니다.

① 그만두니   ② 화를 내니   ③ 결과를 보니

7 '견원지간'이라 말할 수 있는 관계에 대해 말한 친구에 ○표를 해 보세요.

(1)

언니와 나는 좋아하는 것이 비슷해서 마음도 잘 통해. 언니랑 함께 있으면 정말 행복해.

(   )

(2)

형이랑 나는 만나기만 하면 싸워. 우리는 서로가 하는 행동을 못마땅해하고 있어.

(   )

틀리기 쉬워요!

8 다음 그림을 설명하는 문장에서 밑줄 친 낱말의 뜻을 짐작해 보고, 문장에서 알맞은 낱말을 골라 ○표를 해 보세요.

팔다리를 <u>벌리다</u>.

전쟁을 <u>벌이다</u>.

(1) 체조를 할 때는 줄 간격을 (벌리고 / 벌이고) 넓게 섭니다.

(2) 만나기만 하면 싸움을 (벌리는 / 벌이는) 두 친구 때문에 피곤합니다.

틀리기 쉬워요!

9 보기 를 보고, 숫자를 한글로 바꾸어 알맞게 띄어 쓰세요.

보기   전쟁이 <u>100년</u> 넘게 지속되었습니다. ➔ 전쟁이 <u>백 년</u> 넘게 지속되었습니다.

(1) 내 나이는 <u>10살</u>입니다. ➔ 내 나이는 (   )입니다.

(2) 지금으로부터 <u>700년</u> 전에 ➔ 지금으로부터 (   ) 전에

맞은 개수 _____ /9개

스스로 붙임딱지

말을 바꾸어 타다

아는 어휘에 ✔ 표시를 해 보고, 어휘의 뜻을 생각하며 글을 읽어 보세요.

☐ 부리부리하다 ☐ 승부 ☐ 후퇴 ☐ 쇠퇴 ☐ 인품 ☐ 재목 ☐ 난폭하다 ☐ 눈여겨보다

😊 공부한 날

월 일

중국 후한의 장수 공손찬이 원소의 부하인 문추에게 쫓기고 있을 때였습니다. 갑자기 숲속에서 **❶부리부리한** 눈에 짙은 눈썹을 한 젊은 장수가 뛰어나왔습니다. 그 장수는 커다란 몸으로 공손찬의 앞을 가로막더니 문추의 창을 막아 냈습니다. 두 사람은 오래도록 겨루었으나 **❷승부**가 나지 않았고, 문추는 결국 도망을 갔습니다.

"목숨을 살려 주어 고맙소. 댁은 누구십니까?"

"저는 상산 사람 조자룡입니다. 저는 원래 원소의 부하였으나 제멋대로인 그의 태도를 더 이상 참을 수가 없어 고향으로 돌아가는 길이었습니다."

공손찬은 조자룡이 뛰어난 장수임을 한눈에 알아보고 자신의 부하로 삼았습니다.

어느 날 공손찬이 적군에 쫓기며 **❸후퇴**하고 있을 때, 그를 돕기 위해 유비가 관우와 장비 형제를 이끌고 왔습니다. 유비를 만난 조자룡은 예전에 한 노인이 자신에게 해 준 이야기를 떠올리고 깜짝 놀랐습니다.

"한나라가 **❹쇠퇴**해 주인으로 섬길 사람이 없어지면 귀가 길게 처지고, 손이 무릎에 닿을 정도로 팔이 긴, 유 씨 성을 가진 인재를 찾아가거라."

노인이 이야기한 모습 그대로인 데다 **❺인품**까지 훌륭한 유비야말로 자신이 섬길 주인이라는 생각에, 조자룡은 **❻성급하게** 공손찬의 부하가 된 것을 후회했습니다. 유비역시 조자룡을 보자마자 훌륭한 **❼재목**임을 알아보았습니다. 그러나 조자룡은 이미 공손찬의 부하였으므로 아쉽게도 헤어질 수밖에 없었습니다.

그러던 어느 날, 유비의 부하 장수가 산적들의 우두머리와 싸우다 크게 다쳤다는 소식이 들렸습니다. 유비는 자신의 부하가 다칠 정도면 상대는 **❽특출한** 사람임이 틀림없다 생각했습니다. 그런데 알고 보니 산적 우두머리가 바로 조자룡이었습니다. 조자룡역시 근처에 유비가 왔다는 소식을 듣고는 유비를 찾아갔습니다.

"저는 공손찬의 부하였지만, 그의 성격이 **❾난폭하여** 제가 따를 만한 사람이 아니었습니다. 저를 유비 님의 부하로 삼아 주십시오."

"나도 처음 봤을 때부터 자네를 **❿눈여겨보고** 있었네."

유비는 **⓫흔쾌히** 조자룡을 받아들였습니다. 조자룡은 두 번 **⓬말을 바꾸어 탄** 후에야 진짜 자신이 따를 우두머리를 만난 것입니다. 이후 조자룡은 유비의 부하가 되어 용감히 싸우며 큰 공을 세웠습니다.

❶ **부리부리한**: 눈망울이 시원시원하게 크고 겁 없이 대담한 기운이 있는.

❷ **승부**: 이김과 짐.

❸ **후퇴**: 뒤로 물러남.

❹ **쇠퇴**: 강하게 일어났던 현상이나 세력, 기운 등이 약해짐.

❺ **인품**: 사람이 사람으로서 가지는 품격이나 됨됨이.

❻ **성급하게**: 차분하거나 침착하지 않고 급하게.

❼ **재목**: 어떤 일에 적합한 능력을 가진 사람.

❽ **특출한**: 특별히 뛰어난.

❾ **난폭하여**: 행동이 몹시 거칠고 사나워.

❿ **눈여겨보고**: 주의 깊게 잘 살펴보고.

⓫ **흔쾌히**: 기쁘고 유쾌하게.

⓬ **말을 바꾸어 탄**: 사람이나 일 등을 바꾸거나 변경한.

1 이 글의 내용에 맞도록 빈칸에 들어갈 알맞은 말을 글에서 찾아 써 보세요.

(1) 조자룡은 ☐☐와 싸워서 공손찬을 위기에서 구해 주었습니다.

(2) 유비는 조자룡을 보자마자 훌륭한 ☐☐임을 알아보고 부하로 삼고 싶었습니다.

(3) 유비는 자신의 부하를 다치게 한 상대는 ☐☐☐ 사람임이 틀림없다 생각했습니다.

2 다음은 조자룡이 섬길 사람을 바뀌게 된 과정을 정리한 것입니다. 빈칸에 들어갈 알맞은 낱말을 보기 에서 찾아 써 보세요.

보기	태도 　 후회 　 후퇴 　 산적
원소	조자룡은 원소의 ☐☐가 제멋대로여서 그를 떠나 고향으로 돌아가려 함.
공손찬	조자룡은 문추에게 쫓기고 있는 공손찬을 구한 후 그의 부하가 되지만, 유비를 만난 후 성급하게 공손찬의 부하가 된 것을 ☐☐함. 결국, 난폭한 성격의 공손찬을 떠나게 됨.
유비	공손찬을 떠나 ☐☐ 우두머리가 된 조자룡은 다시 유비를 만나 마침내 그의 부하가 됨.

3 이 글을 통해 '말을 바꾸어 타다'의 뜻을 바르게 짐작한 사람에 ○표를 해 보세요.

(1)
'말을 바꾸어 타다'는 조자룡이 섬길 주인을 두 번 바꾸었듯, 사람이나 일 따위를 바꾸거나 변경한다는 뜻인 것 같아.

(　　　)

(2)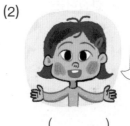
'말을 바꾸어 타다'는 장수였던 조자룡이 산적 우두머리가 된 것처럼 잘 나가던 사람이 갑자기 뒤처지게 된다는 뜻인 것 같아.

(　　　)

4 다음 뜻을 가진 낱말을 보기 에서 찾아 써 보세요.

> 보기   인품   승부   눈여겨보다   부리부리하다

(1) 이김과 짐. ➜ [   ]

(2) 주의 깊게 잘 살펴보다. ➜ [   ]

(3) 사람이 사람으로서 가지는 품격이나 됨됨이. ➜ [   ]

5 보기 를 보고, 다음 문장에서 '재목'의 뜻이 다른 하나를 골라 보세요. ·················· (   )

> 보기 **재목**
> ㉠ 나무를 주로 쓰는 건축물, 기구, 악기 등을 만드는 데 쓰는 나무.
> ㉡ 어떤 일에 적합한 능력을 갖춘 사람.

① 북을 만들 만한 재목을 찾아 베어 왔습니다.

② 연이는 회장을 맡을 만한 재목으로 평가되었습니다.

③ 나는 목수들이 재목을 다듬는 것을 옆에서 구경했습니다.

6 밑줄 친 낱말과 바꾸어 쓸 수 있는 낱말을 골라 번호를 써 보세요.

(1) 용감한 장군은 **후퇴하는** 적군을 포기하지 않고 끝까지 쫓았습니다. ··············· (   )

       ① 전진하는

       ② 물러나는

(2) 동물원의 우리에 갇힌 동물들은 점점 더 **난폭한** 행동을 했습니다. ··············· (   )

       ① 사나운

       ② 온화한

7 '말을 바꾸어 타다'를 사용하기에 어울리는 상황을 모두 골라 ○표를 해 보세요.

(1) 선물을 받기 위해 다니던 학원을 바꾸었을 때 .... (   )

(2) 동화책을 실감 나게 읽기 위해 목소리를 바꾸었을 때 .... (   )

(3) 선거에서 뽑으려던 후보 대신 다른 후보를 뽑기로 결심했을 때 .... (   )

틀리기 쉬워요!

8 보기 를 보고, 다음 밑줄 친 낱말의 발음으로 옳은 것을 골라 ○표를 해 보세요.

> 보기 해민이는 <u>원래[월래]</u> 장난이 많은 친구였습니다.
> ↳ 'ㄴ'과 'ㄹ'이 이어서 나올 때에는 'ㄴ'을 [ㄹ]로 발음하기 때문에 '원래'는 [월래]로 발음해요.

(1) 열심히 <u>훈련</u>[훈련 / 훌련]을 해서 달리기를 잘하게 되었습니다.

(2) 지도를 봐도 길을 알 수 없어 <u>곤란</u>[곤란 / 골란]에 빠졌습니다.

(3) 추석이 되면 우리 가족은 모두 모여 <u>단란한</u>[달난한 / 달란한] 시간을 보냅니다.

틀리기 쉬워요!

9 보기 를 보고, '쫓다'와 '쫓기다'를 문장에 알맞도록 빈칸에 써 보세요.

> 보기 늑대가 사슴 한 마리를 [쫓다].
>
> → 사슴 한 마리가 늑대에게 [쫓기다].
>
> • '쫓다'는 자기 의지로 앞선 것을 잡으려고 뒤를 따라가거나 다른 것을 물리치는 것을 말해요.
> • '쫓기다'는 어떤 것이 잡으려고 따라오고 있어 물리는 것을 말해요.

(1) 범인이 형사에게 [   ].

(2) 술래인 민석이가 우리를 [   ].

(3) 엄마께서는 음식 주변을 맴도는 파리를 [   ].

에코와 나르키소스

아는 어휘에 ✔ 표시를 해 보고, 어휘의 뜻을 생각하며 글을 읽어 보세요.

☐ 탈 ☐ 성가시다 ☐ 타이르다 ☐ 소음 ☐ 냉정하다 ☐ 고백 ☐ 여위다 ☐ 반사

공부한 날

월   일

❶ **탈**: 결함이나 허물.

❷ **재잘재잘**: 낮고 빠른 목소리로 조금 시끄럽게 자꾸 이야기하는 소리나 그 모양.

❸ **시시덕거리는**: 실없이 웃으면서 조금 큰 소리로 계속 이야기하는.

❹ **성가시게**: 자꾸 들볶거나 번거롭게 굴어 괴롭고 귀찮게.

❺ **타일렀어요**: 잘 알아듣도록 자상하고 조리 있게 말해 주었어요.

❻ **소음**: 불쾌하고 시끄러운 소리.

❼ **냉정하게**: 태도가 따뜻한 정이 없고 차갑게.

❽ **고백**: 마음속의 생각이나 숨기고 있는 사실을 솔직하게 모두 다 말함.

❾ **여위어**: 살이 많이 빠져 몸이 마르고 얼굴에 핏기가 없게 되어.

❿ **반사**: 빛이나 전파 등이 다른 물체의 표면에 부딪쳐서 나아가던 방향이 반대로 바뀜.

⓫ **메아리**: 울려 퍼져 가던 소리가 산이나 절벽 같은 대에 부딪혀 되울려오는 소리.

그리스 신화에 나오는 에코는 숲속에 사는 아름다운 요정이에요. 그런데 에코는 말이 너무 많은 게 ❶탈이었어요. 하루 종일 ❷재잘재잘 수다를 떨었지요.

어느 날, 신들의 여왕 헤라는 바람둥이 남편 제우스가 요정들과 ❸시시덕거리는 것을 감시하고 있었어요. 그런 헤라 앞에 에코가 나타났어요. 에코는 헤라가 무얼 하는지 모른 채 옆에 와 재잘재잘 헤라를 ❹성가시게 하며 수다를 떨었어요. 헤라는 처음엔 조용히 ❺타일렀어요. 하지만 에코가 눈치 없이 계속 떠들며 ❻소음을 만드는 바람에 그만 제우스를 놓치고 말았어요. 화가 머리끝까지 치민 헤라는 당장 에코에게 벌을 내렸어요.

"이제 다시는 수다스러운 혀를 마음대로 놀리지 못하게 해 주마. 앞으로 너는 네가 하고 싶은 말은 하지 못하고, 사람들이 네게 던진 말의 끝부분만 따라 할 수 있을 것이다."

이렇게 해서 에코는 제대로 말을 할 수 없는 요정이 되었고, 부끄러움에 깊은 산속 동굴에 혼자 숨어 살게 되었어요.

어느 날, 에코는 숲에서 사냥하는 나르키소스를 보았어요. 나르키소스는 한번 보면 누구나 반할 만큼 아름다운 청년이었어요. 에코 역시 그에게 첫눈에 반하고 말았지요. 에코는 나르키소스에게 말을 걸고 싶었지만 그럴 수 없어서 뒤에 숨어 바라만 보았어요. 한참 동안 사냥에 열중하던 나르키소스는 갑자기 주위가 조용해지자 "거기 누구 없어요?" 하고 소리쳤어요. 에코가 말의 끝을 받아 "없어요?" 하고 대답했어요.

"거기 누구 있으면 이리로 나와요!" 소리치자, 에코가 또 "나와요!" 하고 대답했어요.

에코는 뛰쳐나와 나르키소스에게 다가갔어요. 나르키소스가 깜짝 놀라 "당신은 누구죠?"라고 물어도 에코는 "누구죠?"라고 답할 수밖에 없었어요. 나르키소스는 에코가 자신을 놀린다고 생각했어요.

"못된 요정이 나에게 장난을 치려 하는군!"

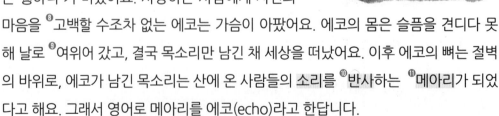

이렇게 ❼냉정하게 에코를 뿌리치고 나르키소스는 휑하니 가 버렸어요. 사랑하는 사람에게 자신의 마음을 ❽고백할 수조차 없는 에코는 가슴이 아팠어요. 에코의 몸은 슬픔을 견디다 못해 날로 ❾여위어 갔고, 결국 목소리만 남긴 채 세상을 떠났어요. 이후 에코의 뼈는 절벽의 바위로, 에코가 남긴 목소리는 산에 온 사람들의 소리를 ❿반사하는 ⓫메아리가 되었다고 해요. 그래서 영어로 메아리를 에코(echo)라고 한답니다.

― 그리스·로마 신화

1 이 글의 내용으로 맞는 것에는 ○표, 틀린 것에는 ×표를 해 보세요.

(1) 숲속에 사는 요정 에코는 말이 너무 없는 게 탈이었습니다. ──────── (○ / ×)

(2) 에코는 숲에서 사냥하는 나르키소스를 보고 첫눈에 반했습니다. ──────── (○ / ×)

(3) 에코의 수다 때문에 헤라를 놓친 제우스는 에코에게 벌을 내렸습니다. ──────── (○ / ×)

2 다음은 소리의 성질을 에코의 이야기와 연관 지어 정리한 것입니다. 빈칸에 들어갈 알맞은 낱말을 완성해 보세요.

그리스인들이 만든 에코 이야기
헤라의 벌을 받은 에코는 다른 사람이 자신에게 하는 말의 끝만 따라 할 수 있게 되었고, 에코가 죽은 후 에코의 ㅃ 는 바위가 되고 에코의 목소리는 ㅁ ㅇ ㄹ 가 되었습니다.

↓

소리의 ㅂ ㅅ
텅 빈 체육관이나 산속, 동굴에서 소리를 지르면 소리는 나아가다가 바위나 벽 같은 물체에 부딪쳐 되돌아옵니다.

3 다음 중 소리의 반사에 해당하는 예가 아닌 것을 골라 보세요. ──────── (   )

① 목욕탕에서 말하면 소리가 울리는 현상

② 산에서 "야호" 하고 외치면 메아리가 울리는 현상

③ 두 손을 둥글게 말아 입에 대고 소리치면 더 잘 들리는 현상

④ 공연장 반사판에 부딪친 소리가 공연장 전체에 울리는 현상

4 다음 뜻에 맞는 낱말을 보기 에서 찾아 써 보세요.

> 보기   고백   소음   타이르다   냉정하다

(1) 불쾌하고 시끄러운 소리. ➜ [   ]

(2) 잘 알아듣도록 자상하고 조리 있게 말해 주다. ➜ [   ]

(3) 마음속의 생각이나 숨기고 있는 사실을 솔직하게 모두 다 말함. ➜ [   ]

5 다음 문장의 밑줄 친 낱말 중, 보기 의 빈칸에 들어갈 수 <u>없는</u> 것을 골라 보세요. (   )

> 보기   우리들은 교실에 모여 [   ] 이야기를 나누었습니다.

① 동생이 내가 오길 기다렸다는 듯 <u>조잘조잘</u> 말을 겁니다.
② 운동장은 학생들이 <u>재잘재잘</u> 떠드는 소리로 가득했습니다.
③ 승우는 오늘 약속에 늦은 이유를 <u>주절주절</u> 늘어놓았습니다.
④ 우리는 길을 잃을까 봐 선생님 뒤를 <u>주렁주렁</u> 따라다녔습니다.

6 다음 중 '탈'의 뜻이 보기 와 같은 문장을 골라 보세요. ────────── (   )

> 보기   그 사람은 말이 너무 많은 게 탈이야.

① 아이스크림을 너무 많이 먹었더니 <u>탈</u>이 나고 말았습니다.
② 준수는 준비를 열심히 하지만 쉽게 긴장하는 게 <u>탈</u>입니다.
③ 비가 많이 왔지만 금방 그쳐서 별 <u>탈</u> 없이 등산을 다녀왔습니다.
④ 세탁기가 <u>탈</u>이 났는지 꼼짝도 하지 않아 빨래를 할 수 없습니다.

7 밑줄 친 낱말과 바꾸어 쓸 수 있는 낱말을 골라 보세요. ⸺⸺⸺⸺⸺⸺⸺⸺ (   )

> 밤새 위층에서 들리는 소음에 <u>성가셔서</u> 한숨도 잘 수 없었습니다.

① 불쌍해서   ② 재밌어서   ③ 괴로워서   ④ 고마워서

틀리기 쉬워요!

8 다음 낱말의 뜻을 참고하여 빈칸에 들어갈 알맞은 낱말에 ○표를 해 보세요.

> • **여위다**: 살이 많이 빠져 몸이 마르고 얼굴에 핏기가 없게 되다.
> • **여의다**: 부모나 사랑하는 사람이 죽어서 이별하다.

(1) 할아버지께서는 전쟁에서 부모님을 (여위고 / 여의고) 힘들게 자라셨습니다.

(2) 동생은 감기 몸살을 심하게 앓아서 온몸이 (여위고 / 여의고) 힘이 없어 보입니다.

틀리기 쉬워요!

9 보기 를 보고, 줄임 말을 원래 형태로 바꾸어 써 보세요.

> 보기   민석이는 예빈이가 <u>무얼</u> 하는지 보려고 옆으로 왔어요.
> ➔ 민석이는 예빈이가 <u>무엇을</u> 하는지 보려고 옆으로 왔어요.

'무엇을'은 '무얼'로
'저것을'은 '저걸'로
줄여 쓸 수 있어요.

(1) 앞으로 과학 시간에는 <u>이걸</u> 꼭 가지고 다니세요.

➔ 앞으로 과학 시간에는 ＿＿＿＿＿＿ 꼭 가지고 다니세요.

(2) <u>그걸</u> 꼭 가지고 다녀야 하는 이유는 무엇인가요?

➔ ＿＿＿＿＿＿ 꼭 가지고 다녀야 하는 이유는 무엇인가요?

😊 맞은 개수 ＿＿＿＿＿ /9개   **133**

한자 어휘
'편(便)'과 '리(利)'가 들어간 말

아는 어휘에 ✔ 표시를 해 보고, 아래 활동을 하며 뜻을 익혀 보세요.

☐ 편리 ☐ 간편 ☐ 불편 ☐ 편의점 ☐ 이익 ☐ 권리 ☐ 승리

순서대로
써 봐요

便
편할 **편**

便
편할 **편**

불편한 것을 고치는 것을 나타내는 한자예요. '편하다', '쉬다' 등의 뜻이 있어요.

'편리(便利)'는 이용하기 쉽고 편한 것을 말해요.

● 편(便)이 들어간 낱말은 '편함'과 관련이 있는 경우가 많아요.

간 편
대쪽 簡 편할 便

뜻 간단하고 편리함.

예 이 물병은 버튼 하나면 간편하게 뚜껑이 열립니다.

불 편
아닐 不 편할 便

뜻 1. 이용하기에 편리하지 않음. 반 편리
2. 몸이나 마음이 편하지 않고 괴로움. 반 편안

예 1. 의자가 딱딱해서 불편합니다.
2. 감기에 걸려 몸이 불편합니다.

편 의 점
편할 便 마땅할 宜 가게 店

뜻 하루 24시간 내내 문을 열고 간단한 생활필수품 등을 파는 가게.

예 늦은 밤에 필요한 것이 있을 때 편의점에서 살 수 있습니다.

'편의'는 형편이나 조건 등이 편하고 좋은 것을 말하지.

정답과 해설 33쪽

다른 뜻도 지닌 한자, '편(便)'과 '리(利)'

'便'은 '변기통(便器桶)'처럼 '변'으로 읽고 똥오줌을 뜻하는 말로도 쓸 수 있어요. 똥과 오줌을 누어서 불편했던 속과 마음을 편안하게 한다는 뜻으로 '편안하다'라는 뜻과 연관이 있어요. '利'에도 다른 뜻이 있어요. 원래는 벼를 벨 수 있는 칼의 모양으로 '날카로움'을 뜻하다가, 칼로 쉽게 벼를 베어서 농부들에게 이익을 주는 것에서 '이익', '이로움'의 뜻이 더해지게 된 글자거든요. '예리(銳利)하다' 등에서 이런 뜻으로 쓰여요.

스마트폰이 있어서
정말 편리해.

利
이로울 리(이)

벼[禾]를 베는 날카로운 칼[刀] 또는 쟁기 모양의 글자예요. '이익', '이롭다' 등의 뜻이 있어요.

利
이로울 리

● 리(利)가 들어간 낱말은 '이로움'과 관련 있는 경우가 많아요.

이 익	
이로울 利　더할 益	뜻 물질적으로나 정신적으로 보탬이나 도움이 되는 것. 반 손해 예 뭐라도 하나씩 배워 두는 건 너한테도 이익이야.

권 리	
권세 權　이로울 利	뜻 어떤 일을 하거나 다른 사람에게 요구할 수 있는 정당한 힘이나 자격. 예 모든 국민은 행복하게 살 권리를 가지고 있습니다.

승 리	
이길 勝　이로울 利	뜻 전쟁이나 경기 등에서 이김. 반 패배 예 지만이의 골로 우리 반의 승리가 결정되었습니다.

135

1 다음 문장에서 빈칸에 공통으로 들어갈 알맞은 말을 써 보세요.

(1)
- 우리 동네 ☐☐☐ 에는 급할 때 필요한 필수품들이 있습니다.
- 24시간 문을 여는 ☐☐☐ 덕분에 새벽에도 약을 살 수 있었습니다.

☐☐☐

(2)
- 전쟁에서 ☐☐ 하기 위해서는 좋은 작전이 필요합니다.
- 우리나라 축구 대표 팀이 2 대 1로 ☐☐ 를 거두어 정말 기쁩니다.

☐☐

2 낱말의 관계가 보기 와 같은 것을 두 개 골라 보세요. ·············· ( )

보기   이익 ←반대의 뜻→ 손해

① 불편하다 – 편리하다   ② 불편하다 – 편안하다
③ 불편하다 – 편평하다   ④ 불편하다 – 편식하다

3 밑줄 친 낱말의 뜻으로 알맞은 것을 골라 ○표를 해 보세요.

자신의 의무를 다할 때, 비로소 <u>권리</u>도 주장할 수 있습니다.

➡ 어떤 일을 하거나 다른 사람에게 { 요구 / 요약 } 할 수 있는 정당한 힘이나 { 자격 / 성격 }.

4 주어진 낱말을 활용해 빈칸에 알맞은 낱말을 써 보세요.

간편　편의점　불편　이익　권리　승리

(1)

수영장에 올 때는 갈아입기 □□한 옷을 입고 와야 해.

수영 모자가 작아서 □□하네.

(2)

날씨가 더워도 우리가 □□를 하니 힘든 것도 모르겠어.

그러게. 학교 앞 □□□에서 아이스크림이나 사 먹자!

(3)

너는 너에게 돌아갈 □□만 따지는구나. 어쩜 이렇게 욕심이 많니?

나한테 주어진 □□를 찾는 건데 뭐가 어때서!

하하, 깔깔, 빙긋, 방글방글
얼굴에서 피어나는 여러 웃음

- **겉웃음**: 마음에도 없이 겉으로만 웃는 웃음.
- **너털웃음**: 크게 소리를 내어 시원하고 당당하게 웃는 웃음.
- **눈웃음**: 소리 없이 눈으로만 가만히 웃는 웃음.
- **미소**: 소리 없이 빙긋이 웃음.
- **박장대소**: 손뼉을 치며 크게 웃음.
- **비웃음**: 흉을 보듯이 빈정거리거나 업신여기는 웃음. 비슷한 말로 비소, 조소가 있음.
- **속웃음**: 겉으로 드러내지 아니하고 속으로 웃는 웃음.
- **쓴웃음**: 어이가 없거나 마지못하여 짓는 웃음. 비슷한 말로 고소가 있음.
- **염소웃음**: 염소처럼 채신없이 웃는 웃음을 비유적으로 이르는 말.
- **찬웃음**: 쌀쌀한 태도로 비웃음. 냉소라고도 함.
- **코웃음**: 콧소리를 내거나 코끝으로 가볍게 웃는 비난조의 웃음.
- **파안대소**: 매우 즐거운 표정으로 활짝 웃음.
- **폭소**: 갑자기 세차게 터져 나오는 웃음.
- **함박웃음**: 크고 환하게 웃는 웃음.
- **헛웃음**: 마음에 없이 지어서 웃거나 어이가 없어서 피식 웃는 웃음.

눈웃음　　　코웃음　　　박장대소

7주 어휘 미리보기

뜻을 알고 있는 낱말에 V표 해 보세요.
알고 있는 낱말은 글에서 어떻게 쓰였는지 확인하고,
모르는 낱말은 글을 읽으며 재미있게 익혀 보아요.

	배울 내용	배울 낱말		공부한 날
Day 31	속담 제 꾀에 제가 넘어간다	☐ 헛디디다 ☐ 한참 ☐ 마지못하다	☐ 울상 ☐ 손해 ☐ 솜뭉치	월 일
Day 32	관용어 코가 납작해지다	☐ 호통 ☐ 어리둥절하다 ☐ 억지 ☐ 엽전	☐ 공짜 ☐ 냥 ☐ 얼떨결 ☐ 공평	월 일
Day 33	한자 성어 모순(矛盾)	☐ 최고 ☐ 단번에 ☐ 일제히	☐ 솔깃하다 ☐ 불쑥 ☐ 하마터면	월 일
Day 34	교과 어휘 - 사회 왜적을 속인 강강술래	☐ 조상 ☐ 유래 ☐ 기발하다	☐ 세시 풍속 ☐ 머리를 쓰다 ☐ 추모	월 일
Day 35	한자 어휘 '광(光)'과 '명(明)'이 들어간 말	☐ 광명 ☐ 영광 ☐ 명암 ☐ 문명	☐ 광복 ☐ 관광 ☐ 변명	월 일

제 꾀에 제가 넘어간다

아는 어휘에 ✔ 표시를 해 보고, 어휘의 뜻을 생각하며 글을 읽어 보세요.

☐ 헛디디다　☐ 울상　☐ 한참　☐ 손해　☐ 마지못하다　☐ 솜뭉치

공부한 날

월　　일

무더운 여름날, 당나귀가 무거운 소금 자루를 등에 싣고 주인을 따라 강을 건너게 되었어요. 그런데 다리 위에서 당나귀가 발을 ❶헛디뎌 그만 강물에 첨벙 빠지고 말았어요.

"아이고! 저놈의 당나귀 때문에 내 소중한 소금이㉠……."

주인은 소리를 지르며 황급히 당나귀를 일으켜 세웠어요. 물속에서 나온 당나귀는 뭔가 이상한 느낌이 들었지요.

'어, 이상하네. 무겁던 짐이 왜 이렇게 가벼워졌지?'

당나귀는 등에 실은 소금 자루가 가벼워져서 정말 기뻤어요. 하지만 주인은 팔아야 할 소금이 전부 물에 녹아 버려 ❷울상이 되었어요.

며칠 후, 당나귀는 또 무거운 소금 자루를 등에 싣고 그 강을 건너게 되었어요.

'이번에도 발을 헛디딘 척하며 강물에 빠지면 짐이 가벼워지려나?'

지난번 일이 생각난 당나귀는 ❸꾀를 내어 일부러 물속에 빠졌어요. 그러고는 물속 깊이 몸을 담근 채 ❹한참을 있었어요.

주인은 소금이 물에 모두 녹아 두 번이나 ❺손해를 보자 몹시 화가 났어요. 당나귀는 주인이 ❻채찍을 휘두르자 그제야 ❼마지못해 물 밖으로 나왔어요. 당나귀는 훨씬 가벼워진 몸으로 사뿐사뿐 길을 걸으며 속으로 생각했어요.

'아무리 무거운 짐을 실어도 이젠 끄떡없어. 강물에 빠지면 그만이니까!'

그러던 어느 날, 당나귀는 소금 자루 대신 ❽산더미처럼 커다란 ❾솜뭉치를 싣고 강을 건너야 했어요.

'이번 짐은 가벼운걸? 강물에 빠지면 더 가벼워지겠지?'

신난 당나귀는 이때다 싶어 또 물속으로 풍덩 빠졌어요.

"요 나귀 녀석! 빨리 물속에서 나오지 못해!"

'어! 웬일이지? 이번에는 왜 이리 무거워졌지?'

당나귀가 발버둥을 칠수록 물을 빨아들인 솜뭉치가 당나귀의 몸을 짓눌렀어요.

간신히 물 밖으로 올라온 당나귀는 물에 젖어 훨씬 더 무거워진 솜뭉치를 지고 비틀비틀 걸었어요. ❿제 꾀에 제가 넘어간 것을 깨달은 당나귀는 그제야 자기가 한 행동을 후회했답니다.

– 이솝 우화

❶ **헛디뎌**: 발을 잘못 디뎌서.

❷ **울상**: 울려고 하는 얼굴 표정.

❸ **꾀**: 일을 꾸미거나 해결하기 위한 좋은 생각이나 방법.

❹ **한참**: 시간이 꽤 지나는 동안.

❺ **손해**: 돈, 재산 등을 잃거나 정신적으로 해를 입음.

❻ **채찍**: 가느다란 막대기의 끝에 노끈이나 가죽끈을 달아 말이나 소를 때려 모는 데 쓰는 물건.

❼ **마지못해**: 하고 싶지 않지만 하지 않을 수 없어.

❽ **산더미**: 물건이 많이 쌓여 있음을 빗대어 나타낸 말.

❾ **솜뭉치**: 솜을 뭉쳐 놓은 덩어리.

❿ **제 꾀에 제가 넘어간**: 꾀를 내어 남을 속이려다 도리어 자기가 그 꾀에 당하게 된.

1 당나귀가 강물에 계속 빠진 까닭을 알맞게 짐작한 친구의 이름을 써 보세요.

> **성규**: 등에 실은 짐을 가볍게 하려고 그런 거야.
>
> **가람**: 차가운 물속에서 더위를 식히려고 그런 거야.
>
> **정현**: 물살이 세서 주인이 끌어내 줄 때까지 안전하게 있으려고 그런 거야.

➡ (   )

2 ㉠에서 당나귀의 주인이 하려는 말로 알맞은 것을 골라 보세요. ┄┄┄┄┄┄┄ (   )

① 녹고 있네.   ② 깨져 버렸네.   ③ 커지고 있네.

④ 더 짜지고 있네.   ⑤ 단단해지고 있네.

3 빈칸에 알맞은 낱말을 쓰거나, 내용에 알맞은 낱말을 골라 ○표를 하여 다음 내용을 정리해 보세요.

당나귀가 부린 꾀	등에 실은 ☐☐☐를 더 (가볍게 / 무겁게) 하기 위해 일부러 강물에 빠짐.
당나귀가 제 꾀에 넘어간 부분	☐을 빨아들여 훨씬 더 (가벼워진 / 무거워진) 솜뭉치를 짊어지고 걸어가게 됨.

4 "제 꾀에 제가 넘어간다."와 뜻이 비슷한 한자 성어에 ○표를 해 보세요.

(1) **고진감래(苦盡甘來)**: 쓴 것이 다하면 단 것이 온다는 뜻으로, 고생 끝에 즐거움이 온다는 말.

➡ (   )

(2) **자승자박(自繩自縛)**: 자신이 만든 줄로 제 몸을 스스로 묶는다는 뜻으로, 자기가 한 말과 행동 때문에 자신이 곤란하게 되거나 괴로움을 당하게 된다는 말. ➡ (   )

5 밑줄 친 낱말의 뜻으로 알맞은 것을 골라 번호를 써 보세요.

(1) 장사꾼은 **손해**를 보며 물건을 파는 거라며 속상해했습니다. ⋯⋯⋯⋯⋯⋯⋯ (　　　)

　　　① 보탬이나 도움이 되는 것.

　　　② 돈, 재산 등을 잃거나 정신적으로 해를 입음.

(2) 노래를 부르기 싫었지만 **마지못해** 일어나서 마이크를 잡았습니다. ⋯⋯⋯⋯⋯ (　　　)

　　　① 남이 시킬 때까지 기다릴 수 없어.

　　　② 하고 싶지 않지만 하지 않을 수 없어.

6 보기 를 보고, 둘로 나눌 수 **없는** 낱말을 골라 보세요. ⋯⋯⋯⋯⋯⋯⋯⋯⋯⋯ (　　　)

보기	• 강물 → 강 + 물　　　• 물속 → 물 + 속

① 꽃병　　　　　② 산나물　　　　　③ 고구마　　　　　④ 손수건

7 다음 중 "제 꾀에 제가 넘어간다."는 말이 어울리는 상황을 골라 보세요. ⋯⋯⋯ (　　　)

① 동생이 화병을 깨놓고 오히려 화를 냈습니다.

② 학교에 늦게 도착했는데, 숙제한 것까지 집에 두고 왔습니다.

③ 세일 기간에 만 원 주고 산 시계가 고장 났는데 수리비가 이만 원이 들었습니다.

④ 엄마 심부름을 가기 싫어서 배가 아픈 척했다가 아빠가 사 오신 치킨을 못 먹었습니다.

8 다음 두 문장을 연결할 때, 빈칸에 들어갈 말로 알맞은 것을 골라 보세요. ⋯⋯⋯ (　　　)

저는 국어를 좋아합니다. 　□　 수학은 싫어합니다.

① 그래서　　　　　② 하지만　　　　　③ 왜냐하면

9 빈칸에 들어갈 알맞은 말을 보기 에서 골라 써 보세요.

> 보기   번   그루   자루

(1) 농부는 시장에서 콩을 세 [   ]나 샀습니다.

(2) 우리 집 앞마당에는 감나무 두 [   ]가 있어요.

(3) 엄마께서는 자동차 운전 면허 시험을 한 [   ]에 합격하셨습니다.

틀리기 쉬워요!

10 문장에 알맞은 말을 골라 ○표를 해 보세요.

(1) 시냇물에 발을 (담그니 / 담구니) 시원해.

(2) (몇 일 / 며칠) 동안 비가 계속 내리는구나!

(3) 네가 방 정리를 하다니, (왠일이니 / 웬일이니)?

틀리기 쉬워요!

11 다음 밑줄 친 낱말 중 맞춤법에 맞지 않은 낱말을 골라 ○표를 하고 바르게 고쳐 써 보세요.

(1) | 차에 짐을 실고 캠핑을 떠날 계획을 세웠습니다. |

→ [   ]

(2) | 의자에 앉은 체 잠을 잤더니 허리가 많이 아픕니다. |

→ [   ]

맞은 개수 _____ /11개   143   스스로 붙임딱지

관용어

코가 납작해지다

아는 어휘에 ✔ 표시를 해 보고, 어휘의 뜻을 생각하며 글을 읽어 보세요.

☐ 호통 ☐ 공짜 ☐ 어리둥절하다 ☐ 냥 ☐ 억지 ☐ 얼떨결 ☐ 엽전 ☐ 공평

🕐 공부한 날

월   일

● **호통**: 몹시 화가 나서 크게 소리 지르거나 꾸짖음. 또는 그 소리.

❷ **공짜**: 힘이나 돈을 들이지 않고 거저 얻은 물건.

❸ **어리둥절한**: 일이 돌아가는 상황을 잘 알지 못해서 정신이 얼떨떨한.

❹ **냥**: 옛날 돈인 엽전을 세던 단위.

❺ **억지**: 잘 안될 일을 무리하게 기어이 해내려는 고집.

❻ **얼떨결**: 뜻밖의 일을 갑자기 당해서 정신을 차리지 못하는 사이.

❼ **엽전**: 예전에 사용하던, 놋쇠로 만든 돈. 둥글고 납작하며 가운데에 네모진 구멍이 있음.

❽ **공평**: 어느 쪽으로도 치우치지 않고 모든 사람에게 고름.

❾ **코가 납작해졌어**: 몹시 창피함을 당하거나 기가 죽었어.

옛날에 가난한 농부와 부잣집 박 영감이 한 마을에 살았어. 하루는 농부가 일을 마치고 집으로 가는 길이었어. 농부가 박 영감네 집 앞을 지나가는데, 때마침 저녁 시간이라 생선 굽는 냄새가 솔솔 풍겨 오는 거야.

"킁킁. 이 고소한 굴비 냄새!"

농부는 대문에 바싹 붙어 코를 벌름거리며 냄새를 맡았어.

그때 박 영감이 대문 밖으로 뛰쳐나와 농부에게 ❶호통을 쳤어.

"누가 감히 남의 생선 냄새를 허락도 없이 ❷공짜로 맡느냐? 냄새를 맡았으니 돈을 내거라."

농부는 ❸어리둥절한 표정으로 박 영감에게 물었지.

"아니, 냄새만 맡았을 뿐인데 돈을 내라고요?"

"당연하지. 내가 열 ❹냥이나 주고 사 왔는데 냄새만 맡았으니 다섯 냥만 받겠네."

박 영감은 냄새 맡은 값을 내놓으라고 ❺억지를 부렸어.

농부는 ❻얼떨결에 내일까지 돈을 가져다주겠다는 약속을 하고 집으로 돌아왔어.

그날 밤 농부는 깊은 한숨을 내쉬며 아내와 열 살 먹은 아들에게 박 영감과 있었던 일을 털어놓았어.

"아버지, 제게 **좋은 수**가 있으니 너무 걱정하지 마세요. 제가 내일 해결하고 올게요."

다음 날, 농부 아들은 아버지 대신 ❼엽전을 들고 박 영감을 찾아갔어.

"어르신, 생선 냄새 맡은 값을 치르러 왔습니다."

그런데 농부 아들은 돈은 주지 않고 박 영감 앞에서 엽전이 든 주머니를 흔들어 대는 거야.

"엽전 소리 잘 들으셨죠?"

"지금 내 앞에서 뭐 하는 짓이냐? 어서 다섯 냥을 냉큼 내놓고 가거라!"

"어르신께서 방금 엽전 소리를 들으셨으니 저도 소리 들은 값으로 다섯 냥만 받겠습니다. 저희 아버지에게 냄새 맡은 값을 달라고 하셨으니 어르신께서도 소리 들은 값을 내셔야 ❽공평하지요."

농부 아들의 말을 듣고 뻔뻔스럽던 박 영감은 ❾코가 납작해졌어.

1 이 글에서 박 영감에 대한 설명으로 알맞지 <u>않은</u> 것을 골라 보세요. ·······( )

① 부자이다.   ② 심술궂다.   ③ 억지스럽다.

④ 욕심이 많다.   ⑤ 화를 잘 참는다.

2 다음은 농부와 박 영감 사이의 일을 순서대로 정리한 것입니다. 알맞은 말을 골라 ○표를 해 보세요.

(농부 / 농부 부자)가 박 영감네 집에서 나는 (밥 짓는 / 생선 굽는) 냄새를 맡음.

↓

박 영감이 농부에게 냄새를 맡은 값으로 엽전 (다섯 / 열) 냥을 내라고 함.

3 농부의 아들이 아버지를 도운 '좋은 수'는 무엇인지 빈칸에 알맞은 말을 써 보세요.

➔ 박 영감에게 ☐ ☐ 소리를 들려주고 소리 들은 ☐ 을 내라고 하는 것입니다.

4 이 글을 읽고 '코가 납작해지다'의 뜻을 정리할 때, 빈칸에 알맞은 말을 보기 에서 골라 써 보세요.

| 보기 | 억울함   창피함   괴롭힘 |

➔ '코가 납작해지다'는 몹시 ☐ 을 당하거나 기가 죽다라는 뜻입니다.

5 낱말과 그 뜻이 알맞게 짝 지어진 것에 모두 ○표를 해 보세요.

(1) 억지 - 청하는 일을 하도록 들어줌. ·· (   )

(2) 냥 - 예전에 사용하던, 놋쇠로 만든 돈. ·· (   )

(3) 호통 - 몹시 화가 나서 크게 소리 지르거나 꾸짖음. ···························· (   )

(4) 얼떨결 - 뜻밖의 일을 갑자기 당해서 정신을 차리지 못하는 사이. ········· (   )

6 다음 민지의 물음에 대한 답으로 알맞은 것을 골라 보세요. ················· (   )

> **민지:** '동물'은 '개', '참새', '개구리'를 모두 포함하는 낱말이야. 그럼 '굴비', '고등어', '갈치'를 포함하는 낱말은 무엇일까?

① 산   ② 생선   ③ 동물원

7 다음 중 짝 지어진 낱말 사이의 관계가 보기 와 같은 것을 두 개 골라 보세요. (　)

> **보기**
>
> 허락 – 거절

① 걱정 – 안심   ② 억지 – 고집   ③ 공짜 – 무료   ④ 공평 – 불공평

8 다음 중 '코가 납작해지다'를 알맞게 사용한 경우에 ○표를 해 보세요.

(1)
> **민주:** 영어 말하기 대회에서 네가 대상을 받았다면서?
> **규림:** 응. 그 덕에 항상 영어를 잘한다고 뽐내던 짝꿍의 코가 납작해졌어.

(2)
> **호영:** 짝꿍이 영어 캠프를 다녀온 뒤로 코가 납작해져서 친구들을 무시해요.
> **엄마:** 그래? 거만하지 않은 친구라고 네가 칭찬 많이 했잖니?

9 다음 문장에 알맞은 낱말을 골라 ○표를 해 보세요.

(1) 벌이 꽃 향기를 (맞고서 / 맡고서) 찾아왔어요.

(2) 오전 수업을 (맞히고 / 마치고) 급식실로 갔습니다.

(3) 저는 이 영화가 가장 인상에 (깊게 / 깁게) 남습니다.

10 선생님의 설명을 읽고, 빈칸에 들어갈 알맞은 낱말을 골라 ○표를 해 보세요.

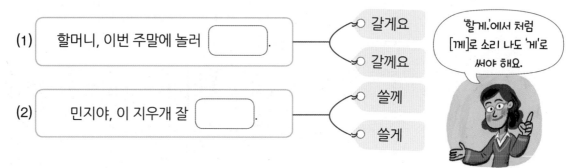

(1) 할머니, 이번 주말에 놀러 [　　　].

　　갈게요
　　갈께요

(2) 민지야, 이 지우개 잘 [　　　].

　　쓸께
　　쓸게

'할게.'에서 처럼 [께]로 소리 나도 '게'로 써야 해요.

11 밑줄 친 낱말을 바르게 발음한 것을 골라 ○표를 해 보세요.

아버지께서 내가 산 물건의 값을 계산하셨습니다.

(1) [갑을]·····(　　　　)　　　　(2) [갑쓸]·····(　　　　)

받침 'ㅄ'은 [ㅂ]으로 발음되고, 값이'는 [갑씨]로 발음되어요.

12 밑줄 친 부분이 서로 어울리게 표현한 문장을 골라 보세요. ·····(　　　)

① 내일 도서관에 책을 반납했습니다.

② 어제 학교에서 몸이 아픈 친구를 도와줄 것입니다.

③ 지금 지각을 하지 않기 위해 최대한 빠르게 가고 있습니다.

한자 성어

모순 (矛 창 모 盾 방패 순)

아는 어휘에 ✔ 표시를 해 보고, 어휘의 뜻을 생각하며 글을 읽어 보세요.

☐ 최고   ☐ 솔깃하다   ☐ 단번에   ☐ 불쑥   ☐ 일제히   ☐ 하마터면

🕐 공부한 날

월   일

옛날, 중국 초나라에 거리에서 무기를 파는 장사꾼이 있었습니다. 그는 먼저 방패를 들고 지나가는 사람들에게 큰 소리로 외쳤습니다.

"자, 이 방패를 한번 보십시오. 이것은 세상 어디에서도 보지 못한 ^❶최고의 방패입니다."

지나가던 사람들은 귀가 ^❷솔깃해져 장사꾼 앞으로 하나둘 모여들었습니다.

"이 방패는 너무나 단단해서 제아무리 날카로운 창도 막아 낼 수 있습니다. 그 어디에도 이 방패를 뚫을 수 있는 것은 없다고 자신합니다."

구경꾼들이 신기해하며 방패를 만지작거리자 장사꾼은 더욱 신이 났습니다. 그래서 이번에는 창을 들더니 더 큰 목소리로 말했습니다.

"자자, 이 창도 보십시오. 정말 튼튼하고 날카로워 보이지 않습니까? 이것만 있으면 ^❸천하에 어떤 방패라도 ^❹단번에 뚫을 수 있습니다."

바로 그때였습니다. 구경꾼들 틈에서 한 사람이 ^❺불쑥 나서며 말했습니다.

"이보시오! 그 어떤 것으로도 뚫을 수 없는 방패와 무엇이든 다 뚫을 수 있는 창이라고 했소? 그렇다면 그 날카로운 창으로 그 단단한 방패를 찌르면 어떻게 되는 것이오? 당신의 말은 앞뒤가 안 맞지 않소?"

당황한 장사꾼은 갑자기 ^❻꿀 먹은 벙어리가 되었습니다.

"장사꾼 양반, 왜 아무 말을 안 하는 거요? 그 창을 가진 사람과 그 방패를 가진 사람이 ^❼겨루면 어느 쪽이 이긴단 말이오? 아무리 물건을 파는 장사꾼이지만 앞뒤가 맞지 않는 말을 하면 안 되지."

장사꾼 주위에 몰려 있던 사람들이 ^❽일제히 웅성거리기 시작했습니다.

"아이고, ^❾하마터면 저 사기꾼 말에 속아 창과 방패를 살 뻔했잖아."

장사꾼은 부끄러워 더 이상 그 자리에 있지 못하고 서둘러 짐을 챙겨 달아났습니다.

이로부터 어떤 사실의 앞뒤, 또는 두 사실이 서로 어긋나 이치에 맞지 않는 것을 창과 방패라는 뜻의 '모순'이라고 한답니다.

❶ **최고**: 가장 좋거나 뛰어난 것.

❷ **솔깃해져**: 그럴듯해 보여 마음이 쏠리는 데가 있어.

❸ **천하**: 하늘 아래 온 세상.

❹ **단번에**: 단 한 번에.

❺ **불쑥**: 생각하지도 않았던 것이 갑자기 나타나거나 생기는 모양.

❻ **꿀 먹은 벙어리**: 하고 싶은 말이나 자신의 생각을 말하지 못하고 있는 사람.

❼ **겨루면**: 서로 버티어 승부를 다투면.

❽ **일제히**: 여럿이 한꺼번에.

❾ **하마터면**: 조금만 잘못했더라면.

1 이 글의 내용으로 맞는 것에는 ○표, 틀린 것에는 ×표를 해 보세요.

(1) 사람들은 장사꾼의 창과 방패를 모조리 샀습니다. ⸺⸺⸺⸺⸺⸺⸺⸺⸺ (○ / ×)

(2) 장사꾼은 사람들 앞에서 창으로 방패를 찔러 보았습니다. ⸺⸺⸺⸺⸺ (○ / ×)

(3) 장사꾼은 창과 방패를 많이 팔기 위해 앞뒤가 안 맞는 말을 했습니다. ⸺ (○ / ×)

2 장사꾼이 창과 방패에 대해 소개한 내용으로 알맞은 말을 골라 ○표를 해 보세요.

이 방패로 말할 것 같으면 어떤 창이라도 다 (뚫을 / 막을) 수 있으며, 이 창으로 말할 것 같으면 어떤 방패라도 다 (뚫을 / 막을) 수 있습니다.

3 이 글에서 장사꾼의 마음이 어떻게 바뀌었는지 보기 에서 골라 순서대로 기호를 써 보세요.

보기   ㉠ 신남.   ㉡ 부끄러움.   ㉢ 당황스러움.

☐ → ☐ → ☐

4 이 글을 읽고 '모순'의 뜻을 바르게 짐작한 친구의 이름을 써 보세요.

서연: 말보다 행동이 앞서야 함을 이르는 말이야.

준희: 말이나 행동이 이치에 맞지 않음을 이르는 말이야.

은석: 둘의 능력이 비슷해서 우열을 가리기 힘들다는 말이야.

→ (   )

5 빈칸에 알맞은 낱말을 보기 에서 골라 써 보세요.

> 보기   불쑥   일제히   단번에

(1) 서준이는 내 부탁을 더 생각해 보지도 않고 [   ] 거절했습니다.

(2) 모퉁이에서 오토바이 한 대가 [   ] 튀어나와서 깜짝 놀랐습니다.

(3) 연극이 끝나자 모든 사람들이 [   ] 일어나 배우들에게 박수를 보냈습니다.

6 밑줄 친 낱말과 바꾸어 쓸 수 있는 낱말을 골라 번호를 써 보세요.

(1) 건강을 지키기 위해서는 운동이 **최고**입니다. ·· (   )
　　　　　　　　① 제일
　　　　　　　　② 최신
　　　　　　　　③ 꼭대기

(2) 준수와 민후는 누가 더 줄넘기를 잘하는지 실력을 **겨루어** 보았습니다. ·············· (   )
　　　　　　　　① 합치어
　　　　　　　　② 다투어
　　　　　　　　③ 미루어

7 다음 중 보기 처럼 '−꾼'을 뒤에 붙일 수 있는 말을 **두 개** 골라 보세요. ·········· (   )

> 보기 • **장사꾼**: 물건을 파는 일을 직업으로 하는 사람.
>   • **사기꾼**: 습관적으로 남을 속여 이득을 꾀하는 사람.

① 울   ② 춤   ③ 귀염   ④ 낚시   ⑤ 개구

8 다음 중 '모순'과 상황이 어울리는 사람을 골라 보세요.━━━━━━━━(   )

① 살을 빼려면 힘드니까 많이 먹어야 한다고 말하는 동생

② 지구 환경을 살리기 위해서 일회용품을 적게 사용하시는 엄마

③ 공부보다 건강이 중요하니까 너무 늦게 자지 말라고 말씀하시는 아빠

틀리기 쉬워요!

9 맞춤법에 맞게 바르게 쓴 낱말을 골라 ○표를 해 보세요.

(1) 날씨가 { 갑자기 / 갑짜기 } 흐려지더니 비가 내렸습니다.

(2) 늦잠을 자서 { 하마트면 / 하마터면 } 학교에 지각할 뻔했습니다.

틀리기 쉬워요!

10 밑줄 친 표현이 바르게 쓰인 것을 **두 개** 골라 보세요.━━━━━━(   )

① 이 수학 문제를 <u>어떡해</u> 풀어야 하나요?

② 이 수학 문제를 <u>어떻게</u> 풀어야 하나요?

③ 이 수학 문제를 못 풀면 <u>어떡해</u>?

④ 이 수학 문제를 못 풀면 <u>어떻게</u>?

'네가 낸 문제를 어떻게 푸냐고 나에게 물어보면 어떡하니?' 처럼 쓰도록 해요!

맞은 개수 _____ /10개

스스로 풀이딱지

Day 34

왜적을 속인 강강술래

아는 어휘에 ✓ 표시를 해 보고, 어휘의 뜻을 생각하며 글을 읽어 보세요.

☐ 조상　☐ 세시 풍속　☐ 유래　☐ 머리를 쓰다　☐ 기발하다　☐ 추모

공부한 날

　　월　　　일

친구들아, '추석의 대표적인 놀이' 하면 가장 먼저 뭐가 떠오르니? 여럿이 서로 손을 잡고 원을 만들어 빙빙 돌면서 노래를 부르고 춤을 추는 '강강술래'를 많이 떠올릴 거야. 옛날부터 우리 ❶조상들이 지켜 온 ❷세시 풍속에 관한 책을 읽다가 강강술래의 ❸유래에 얽힌 흥미로운 내용이 있어 너희들에게 소개하려고 해.

강강술래는 ❹임진왜란을 승리로 이끄는 데 공을 세운 이순신 장군과 깊은 관련이 있어. 주로 여자들의 놀이로 알려져 왔던 강강술래가 전쟁과 무슨 관련이 있는지 궁금하지?

강강술래는 원래 먼 옛날부터 하늘에 제사를 지낼 때 하던 ❺의식이었어. 그런데 이순신 장군이 이 놀이를 이용해 ❻왜적을 물리치는 데 성공을 거두면서 더욱 유명해졌어.

임진왜란 때 이순신 장군은 전라도 ❼수군통제사로서 우리 병사를 이끌고 바다를 지키고 있었어. 그러던 어느 날 한 병사로부터 ❽왜군의 배들이 몰려오고 있다는 보고를 받았어. 이순신 장군은 ❾눈앞이 캄캄했어. 왜냐하면 우리 수군의 배와 병사 수가 왜군에 비해 아주 적었거든. 이 상태에서 직접 맞서 싸우면 질 게 뻔했기 때문에 이순신 장군은 ❿머리를 썼어.

이순신 장군은 해안가의 산봉우리로 마을에 사는 여자들을 불러 모았어. 그리고 마을의 여자들에게 모닥불 주위를 손을 잡고 빙빙 돌면서 '강강술래'를 외치게 했대. 이것은 멀리서 볼 때 우리 병사의 수가 많아 보이게 하려는 작전이었어. 겁먹은 왜군 장수는 조선 병사가 생각보다 많다고 여겨 배를 돌렸다고 해. 이순신 장군의 작전이 정말 ⓫기발하지 않니?

그 후 이 지역에 사는 여자들은 전쟁의 승리를 기념하고 이순신 장군을 ⓬추모하기 위해 매년 보름달이 뜨는 추석날 밤에 모여 강강술래 놀이를 했다고 해. 그것이 우리나라 모든 지역으로 퍼져 추석의 세시 풍속이 된 거야.

❶ **조상**: 자신이 살고 있는 세대 이전의 모든 세대.

❷ **세시 풍속**: 해마다 일정한 시기에 되풀이하여 행해 온 고유의 풍속.

❸ **유래**: 사물이나 일이 생겨나게 된 과정이나 까닭.

❹ **임진왜란**: 1592년부터 1598년까지 2차에 걸쳐서 우리나라에 왜적이 침입한 전쟁.

❺ **의식**: 정해진 방법이나 절차에 따라 치르는 행사.

❻ **왜적**: 적으로서의 일본이나 일본인.

❼ **수군통제사**: 조선 시대에, 바다를 지키던 수군을 지휘하던 벼슬.

❽ **왜군**: 일본의 군대를 낮추어 이르는 말.

❾ **눈앞이 캄캄했어**: 어찌할 바를 몰라 아득했어.

❿ **머리를 썼어**: 어떤 일에 대하여 이리저리 생각하거나 아이디어를 찾아냈어.

⓫ **기발하지**: 유달리 재치가 뛰어나지.

⓬ **추모**: 죽은 사람을 그리며 생각함.

1 이 글의 글쓴이가 글을 쓴 까닭으로 알맞은 것의 기호를 써 보세요.

> ㉠ 감명 깊게 읽은 위인전을 친구들에게 추천하기 위해서
> ㉡ 강강술래의 유래에 대해 친구들에게 소개해 주기 위해서
> ㉢ 우리나라 세시 풍속을 세계에 알리자고 주장하기 위해서

→ (   )

2 이순신 장군이 마을의 여자들에게 '강강술래'를 하게 한 까닭은 무엇인지 골라 보세요.
··· (   )

① 하늘에 제사를 지내려고   ② 강강술래 놀이를 가르치려고

③ 왜군 장수를 안심시키려고   ④ 우리 병사가 많아 보이게 하려고

⑤ 왜군에 맞서 싸우는 훈련을 시키려고

3 이 글의 글쓴이가 말하려는 내용이 잘 드러나도록 빈칸에 알맞은 말을 채워 보세요.

> ☐☐☐☐는 여자들이 손을 잡고 ☐을 만들어 돌면서 노래를 부르고 춤을
> 추는 놀이입니다. 이순신 장군이 이 놀이를 이용해 왜군을 물리친 뒤에 이를 기념하기 위해
> 전라도 지역에서는 매년 ☐☐날 밤에 모여 이 놀이를 하다가 우리나라 모든 지역으
> 로 퍼졌습니다.

4 이 글을 읽고 내용에 알맞은 말을 골라 ○표를 하고 '세시 풍속'의 뜻을 정리해 보세요.

→ 대표적인 추석의 놀이인 강강술래와 같이, (날 / 해)마다 (일정한 / 새로운) 시기에 되풀이

하여 행해 온 고유의 (풍속 / 싸움)을 '세시 풍속'이라고 합니다.

5 밑줄 친 낱말의 뜻을 보기 에서 찾아 기호를 써 보세요.

> 보기 ㉠ 죽은 사람을 그리며 생각함.
>
> ㉡ 자신이 살고 있는 세대 이전의 모든 세대.
>
> ㉢ 사물이나 일이 생겨나게 된 과정이나 까닭.

(1) 조상에게 물려받은 문화유산을 잘 보존합시다. ································· (　　)

(2) 김치의 유래를 알고 싶어서 김치 박물관에 갔습니다. ···················· (　　)

(3) 삼일절을 맞아 곳곳에서 독립 운동가들의 추모 행사가 열렸습니다. ····· (　　)

6 보기 를 보고, '의식'의 뜻이 나머지와 다른 하나를 골라 보세요. ····················· (　　)

> 보기 **의식**
>
> ㉠ 깨어있는 상태에서 자기 자신이나 사물을 알아보고 판단할 수 있는 기능.
>
> ㉡ 행사를 치르는 정해진 방식. 또는 정해진 방법이나 절차에 따라 치르는 행사.

① 설과 추석 아침에는 차례 의식을 지냅니다.

② 처음 본 제사의 의식이 복잡해 보였습니다.

③ 공에 맞아 쓰러졌지만 금방 의식을 되찾았습니다.

④ 왕의 결혼식을 맞아 성대한 결혼 의식을 벌였습니다.

7 보기 와 관련이 깊은 명절을 써 보세요.

> 보기 　　　　강강술래　　　보름달　　　가을　　　송편

8 다음 문장을 띄어쓰기에 맞게 원고지에 써 보세요.

> 멀리서볼때더많습니다.

	멀	리	서					많	습	니	다	.

틀리기 쉬워요!

9 다음 문장에 알맞은 낱말을 골라 ○표를 해 보세요.

(1) 용돈이 { 작아서 / 적어서 } 엄마에게 올려 달라고 말씀드렸습니다.

(2) 수상한 사람이 아파트 { 주위 / 주의 } 를 계속 서성거리고 있습니다.

10 보기 를 보고, 밑줄 친 부분을 문장에 맞게 바꾸어 써 보세요.

> 보기 학생들이 책을 <u>읽었습니다</u>.
>
> → 선생님이 학생들에게 책을 읽혔습니다 .
>
> → 선생님이 학생들에게 책을 읽게 했습니다 .

• 추석날 아이들이 한복을 <u>입었습니다</u>.

→ 추석날 엄마가 아이들에게 한복을 ☐ .

→ 추석날 엄마가 아이들에게 한복을 ☐ 했습니다.

맞은 개수 _____ /10개   155

'광(光)'과 '명(明)'이 들어간 말

아는 어휘에 ✔ 표시를 해 보고, 아래 활동을 하며 뜻을 익혀 보세요.

☐ 광명 ☐ 광복 ☐ 영광 ☐ 관광 ☐ 명암 ☐ 변명 ☐ 문명

순서대로 써 봐요

빛 광

光
빛 **광**

 사람이 불을 밝게 비추는 것을 나타내는 글자예요. '빛', '기세', '경치' 등을 뜻해요.

'광명'은 밝고 환한 상태. 또는 밝은 미래나 희망을 상징하는 밝고 환한 빛을 뜻하는 말이에요.

● 광(光)이 들어간 낱말은 '빛'과 관련 있는 경우가 많아요.

광 복	
빛 光 돌아올 復	뜻 빼앗긴 주권을 다시 찾음.
	예 1945년 8월 15일, 우리나라는 마침내 일제의 통치에서 벗어나 광복을 맞이했습니다.

영 광	
꽃 榮 빛 光	뜻 빛이 날 만큼 아름답고 자랑스러운 명예.
	예 그는 피나는 노력 끝에 금메달의 영광을 얻을 수 있었습니다.

'관광'에서의 '光'은 '경치'를 뜻하고 있어.

관 광	
볼 觀 빛 光	뜻 어떤 곳의 경치, 상황, 풍속 등을 찾아가서 구경함.
	예 우리 고장은 매년 꽃 축제를 보기 위해 많은 사람들이 관광을 옵니다.

밝은 빛의 도시, '광명시(光明市)'

광	명	시
빛 光	밝을 明	시장 市

경기도에 있는 도시인 광명시의 이름의 유래는 두 가지가 알려져 있어요. '광명두(光明斗)'라고 하는 등을 받쳐 걸어 두는 나무로 된 도구와 고을의 모양이 닮았다는 거예요. 그리고 해와 달이 잘 들어 밝은 빛이 있는 살기 좋은 도시라는 뜻이라는 말도 있어요.

광복절은 우리 민족에게 광명의 새 세상을 열어 주었어!

明
밝을 명

해[日]와 달[月]이 만나 '밝다', '밝히다', '명료하다'의 뜻으로 쓰이게 되었어요.

明
밝을 **명**

● 명(明)이 들어간 낱말은 '밝다', '명료하다'와 관련있는 경우가 많아요.

명	암
밝을 明	어두울 暗

뜻 1. 밝음과 어두움.
　　2. 기쁜 일과 슬픈 일.
　　3. 그림에서 색의 짙음과 밝은 정도.
예 물체의 명암은 빛의 방향에 따라 다르게 나타납니다.

변	명
분별할 辨	밝을 明

뜻 이해나 용서를 구하기 위해 자신의 잘못이나 실수에 대해 그 이유를 밝혀 말함.
예 지각한 이유를 변명하였지만, 모두 거짓말이었습니다.

문	명
글월 文	밝을 明

뜻 사람의 물질적, 기술적, 사회적 생활이 발전한 상태.
예 과학과 기계 문명이 발달하면서 우리의 생활이 편리해졌습니다.

1 낱말과 뜻이 알맞도록 선으로 이어 보세요.

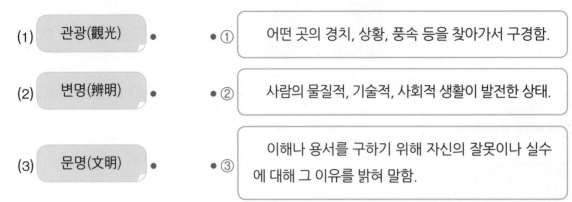

(1) 관광(觀光) •   • ① 어떤 곳의 경치, 상황, 풍속 등을 찾아가서 구경함.

(2) 변명(辨明) •   • ② 사람의 물질적, 기술적, 사회적 생활이 발전한 상태.

(3) 문명(文明) •   • ③ 이해나 용서를 구하기 위해 자신의 잘못이나 실수에 대해 그 이유를 밝혀 말함.

2 주어진 뜻을 바탕으로 빈칸에 공통으로 들어갈 글자를 써 보세요.

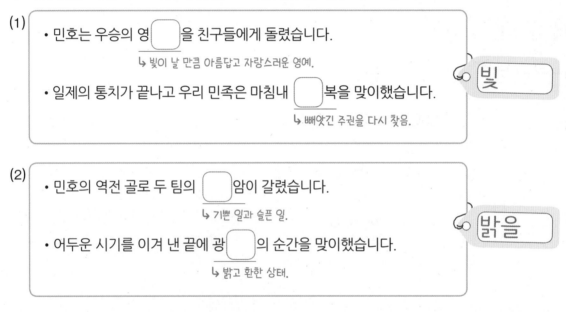

(1)
• 민호는 우승의 영▢을 친구들에게 돌렸습니다.
  ↳ 빛이 날 만큼 아름답고 자랑스러운 영예.

• 일제의 통치가 끝나고 우리 민족은 마침내 ▢복을 맞이했습니다.
  ↳ 빼앗긴 주권을 다시 찾음.

빛

(2)
• 민호의 역전 골로 두 팀의 ▢암이 갈렸습니다.
  ↳ 기쁜 일과 슬픈 일.

• 어두운 시기를 이겨 낸 끝에 광▢의 순간을 맞이했습니다.
  ↳ 밝고 환한 상태.

밝을

3 낱말을 이루고 있는 한자의 관계가 보기 와 비슷한 것을 골라 보세요. ·············· (   )

보기

명	암
밝을 明	어두울 暗

① 장단(길 長, 짧을 短)   ② 편안(편할 便, 편안할 安)   ③ 문서(글월 文, 글 書)

158

4 다음 뜻에 알맞은 낱말이 완성되도록 빈 퍼즐에 들어갈 글자를 찾아 선으로 이어 보세요.

(1) 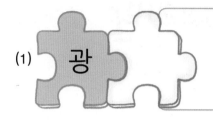 빼앗긴 주권을 다시 찾음. •

• ①

(2)  빛이 날 만큼 아름답고 자랑스러운 명예. •

• ②

(3)  어떤 곳의 경치, 상황, 풍속 등을 찾아가서 구경함. •

• ③

(4)  ① 밝음과 어두움.
② 기쁜 일과 슬픈 일.
③ 그림에서 색의 짙음과 밝은 정도. •

• ④

(5)  이해나 용서를 구하기 위해 자신의 잘못이나 실수에 대해 그 이유를 밝혀 말함. •

• ⑤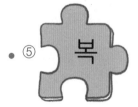

(6)  사람의 물질적, 기술적, 사회적 생활이 발전한 상태. •

• ⑥

스스로
붙임딱지

붉은색을 나타내는 순우리말

- **발갛다**: 밝고 엷게 붉다.
- **발그스름하다**: 조금 발갛다.
- **발그레하다**: 엷게 발그스름하다.

- **붉다**: 빛깔이 핏빛 또는 익은 고추의 빛과 같다.
- **불그레하다**: 엷게 불그스름하다.
- **불그스레하다**: 조금 붉다.
- **시붉다**: 빛깔이 아주 붉다.

- **뻘겋다**: 어둡고 짙게 붉다.
- **뻘그레하다**: 엷게 뻘그스름하다.

- **벌겋다**: 어둡고 옅게 붉다.
- **벌그스름하다**: 조금 벌겋다.
- **벌그레하다**: 엷게 벌그스름하다.

- **빨갛다**: 밝고 짙게 붉다.
- **빨그레하다**: 엷게 빨그스름하다.
- **빨그스름하다**: 조금 빨갛다.
- **새빨갛다**: 매우 빨갛다.

- **뻘그스름하다**: 조금 뻘겋다.
- **시뻘겋다**: 매우 탁하고 어두운 듯하게 빨갛다.

☑ 얼굴은 어떨 때 붉어지는지 생각해 보세요.

연주의 두 뺨이 꽃빛으로 <u>발그레</u> 물들었습니다.

화가 난 윤호의 얼굴이 <u>벌겋게</u> 되었습니다.

8주 어휘 미리보기

뜻을 알고 있는 낱말에 V표 해 보세요.
알고 있는 낱말은 글에서 어떻게 쓰였는지 확인하고,
모르는 낱말은 글을 읽으며 재미있게 익혀 보아요.

		배울 내용	배울 낱말		공부한 날
Day 36	속담	오르지 못할 나무는 쳐다보지도 마라	☐ 미궁 ☐ 신세 ☐ 경고 ☐ 귀담아듣다	☐ 제물 ☐ 우연히 ☐ 욕망 ☐ 추락하다	월 / 일
Day 37	관용어	말짱 도루묵	☐ 피란 ☐ 일행 ☐ 보잘것없다	☐ 꾸러미 ☐ 덕분 ☐ 말짱	월 / 일
Day 38	한자 성어	등용문(登龍門)	☐ 거슬리다 ☐ 조종하다 ☐ 칭송하다	☐ 벼슬아치 ☐ 궁리 ☐ 출세	월 / 일
Day 39	교과 어휘 - 과학	달의 모습을 알아보아요	☐ 표면 ☐ 충돌 ☐ 마그마 ☐ 지형	☐ 운석 ☐ 지각 ☐ 용암	월 / 일
Day 40	한자 어휘	'체(體)'와 '육(育)'이 들어간 말	☐ 체육 ☐ 액체 ☐ 육아 ☐ 사육	☐ 육체 ☐ 해체 ☐ 교육	월 / 일

속담
오르지 못할 나무는 쳐다보지도 마라

아는 어휘에 ✔ 표시를 해 보고, 어휘의 뜻을 생각하며 글을 읽어 보세요.

☐ 미궁 ☐ 제물 ☐ 신세 ☐ 우연히 ☐ 경고 ☐ 욕망 ☐ 귀담아듣다 ☐ 추락하다

🕐 **공부한 날**

월   일

"다이달로스, 괴물 미노타우로스를 가두어 놓을 곳이 필요하다. 한번 들어가면 누구도 결코 빠져나올 수 없는 ❶미궁을 만들거라! 만약 네가 만든 미궁에서 빠져나오는 자가 있다면 네가 그 곳에 갇히게 될 것이다."

뛰어난 건축가이자 발명가인 다이달로스는 미노스 왕의 명령을 받고 미궁을 만들었습니다. 미노스 왕은 괴물을 미궁에 가두고 아테네의 젊은이들을 ❷제물로 바쳤습니다.

그러던 어느 해, 미궁에 갇혀 있던 아테네의 왕자 테세우스가 괴물을 죽이고 탈출하는 사건이 일어났습니다. 테세우스가 미궁에서 빠져나올 수 있게 도움을 준 이는 다름 아닌 다이달로스였습니다. 그래서 다이달로스는 화가 난 미노스 왕의 명령으로 그의 아들 이카로스와 함께 미궁에 갇히는 ❸신세가 되었습니다. 다이달로스는 미궁을 직접 만든 사람이었지만 설계도를 갖고 있지 않아서 그조차 탈출이 불가능했습니다.

그렇게 미궁에 갇히게 된 다이달로스는 ❹우연히 하늘을 보다가 새들이 나는 것을 보게 되었습니다. 그 순간 다이달로스의 머릿속으로 좋은 생각이 스쳐 지나갔습니다.

"저 새들처럼 날개만 있다면 여기서 빠져나갈 수 있어. 이카로스야, 깃털을 주워 날개를 만들자꾸나. 미궁 위가 뚫려 있다는 게 우리에게 큰 행운이야."

다이달로스와 이카로스는 미궁에 떨어진 깃털을 매일 주워 모았습니다. 그리고 깃털 하나하나를 벌집의 ❺꿀밀로 붙여 날개 두 쌍을 만들었습니다. 날개를 완성한 두 사람은 날개를 달고 나는 연습을 했습니다.

"이카로스야, 이것만은 꼭 기억하거라. 이 날개는 너무 높게 날면 날개를 붙인 꿀밀이 뜨거운 태양에 녹게 된단다. 또 너무 낮게 날면 파도에 젖어 날개가 무거워진다. 그러니 욕심 부리지 말고 반드시 적당한 높이로 날아야 한단다."

드디어 두 사람은 날개를 달고 날아올랐습니다. 하늘을 날게 된 이카로스는 다이달로스의 ❻경고에도 불구하고 더 높이 날고 싶은 ❼욕망을 참지 못하고 조금씩 더 높이 위로 올라갔습니다. 그러자 태양열에 꿀밀이 녹아 내리면서 깃털이 떨어져 나갔습니다.

"아버지 말씀을 ❽귀담아들을걸. 오르지 못할 나무는 쳐다보지도 말아야 했는데 너무 욕심을 부렸구나."

이카로스는 결국 바다로 ❿추락하고 말았습니다.

– 그리스 로마 신화, 「다이달로스와 이카로스」

❶ **미궁**: 들어가면 나올 길을 쉽게 찾을 수 없게 되어 있는 곳.

❷ **제물**: 제사를 지낼 때 바치는 물건이나 동물.

❸ **신세**: 불행한 일과 관련된 한 사람의 상황이나 형편.

❹ **우연히**: 어떤 일이 어쩌다 저절로 이루어진 면이 있게.

❺ **꿀밀**: 벌집을 만들기 위하여 꿀벌이 분비하는 물질.

❻ **경고**: 조심하거나 삼가도록 미리 주의를 줌.

❼ **욕망**: 부족을 느껴 무엇을 가지려 하거나 원하는 마음.

❽ **귀담아들을걸**: 주의하여 잘 들을걸.

❾ **오르지 못할 나무는 쳐다보지도 말아야**: 자기의 능력 밖의 불가능한 일에 대해서는 처음부터 욕심내지 않아야.

❿ **추락하고**: 높은 곳에서 떨어지고.

1 이 글의 내용과 <u>다른</u> 것을 골라 보세요. ──────────────────────── (   )

① 이카로스는 바다에 떨어졌습니다.

② 다이달로스는 건축가이자 발명가입니다.

③ 이카로스는 하늘 높이 날고 싶은 욕망이 있었습니다.

④ 다이달로스는 미궁 안에서 하늘을 나는 새를 보았습니다.

⑤ 다이달로스는 미궁에 갇혔을 때 설계도를 가지고 있었습니다.

2 다이달로스가 미궁에서 탈출하기 위해 한 일은 무엇인지 빈칸에 알맞은 말을 써 보세요.

➡ 미궁에 떨어진 새의 [ ][ ]을 주워 [ ][ ]를 만들었습니다.

3 다이달로스가 하늘을 날기 전에 아들에게 해 준 말로 알맞은 것에 ○표를 해 보세요.

(1) 새가 날아가는 방향을 따라 낮게 날아라. ──────────────────── (   )

(2) 너무 높지도 낮지도 않게 적당한 높이로 날아라. ──────────────── (   )

(3) 하늘을 날 기회가 없을지 모르니 되도록 높이 날아라. ──────────── (   )

4 이 글의 내용을 통해 "오르지 못할 나무는 쳐다보지도 마라."의 뜻을 알맞게 짐작한 친구의 이름을 써 보세요.

> **수영**: 함께 힘을 합치면 더욱 쉽게 할 수 있다는 말이구나.
>
> **진희**: 잘 아는 일이라도 세심하게 주의를 하라는 말이구나.
>
> **윤석**: 능력 밖의 불가능한 일은 처음부터 욕심내지 말아야 한다는 말이구나.

➡ (   )

5 문장의 빈칸에 들어갈 알맞은 낱말을 찾아 선으로 이어 보세요.

(1) 비행기 [   ] 사고가 일어났습니다. •   • ① 욕망

(2) 꼭 이기고 싶은 [   ]이 생겼습니다. •   • ② 미궁

(3) 길이 너무 복잡해서 [   ] 속 같습니다. •   • ③ 추락

6 밑줄 친 말이 보기 에 쓰인 '떨어지다'와 같은 뜻으로 쓰인 문장에 ○표를 해 보세요.

> 보기　　　　　숲에 떨어진 밤과 도토리는 다람쥐를 위해 남겨 놓아요.

(1) 계단에서 떨어져 다리를 다쳤습니다. ·· (   )
(2) 학교가 집에서 멀리 떨어져 있습니다. ··· (   )
(3) 이번 반장 선거에서 두 표 차이로 떨어졌습니다. ························· (   )

7 밑줄 친 '우연히'와 바꾸어 써도 뜻이 통하는 말을 두 개 골라 보세요. ··············· (   )

> 우연히 공원에 갔다가 민수를 만나 이야기를 하다 왔습니다.

① 매일　　　　② 뜻밖에　　　　③ 꾸준히　　　　④ 조용히　　　　⑤ 어쩌다가

8 밑줄 친 낱말이 알맞지 않은 것을 골라 보세요. ··· (   )

① 제가 만약 회장이 된다면 최선을 다하겠습니다.
② 만약 오늘 비가 온다면 소풍을 갈 수 없게 됩니다.
③ 은수는 아무리 힘들어도 결코 포기하지 않았습니다.
④ 내일이 오지 않기를 바랐지만 결코 오고 말았습니다.

9 다음 중 "오르지 못할 나무는 쳐다보지도 마라."라는 말이 어울리는 상황에 ○표를 해 보세요.

(1) 학급 회의 때 친구들이 서로 자기 의견을 주장해 시간만 흘러갔습니다. ─────────(   )

(2) 시험 전날까지 공부는 하지 않고 게임만 하다가 수학 시험을 망쳤습니다. ─────(   )

(3) 수영을 한 달 배운 친구가 무턱대고 깊은 물에 들어갔다가 빠질 뻔했습니다. ───(   )

틀리기 쉬워요!

10 보기 를 보고, 알맞은 낱말을 골라 ○표를 해 보세요.

> 보기
>
> 다섯 시까지는 <u>반드시</u> 돌아올게요.
>
> → 반드시: '틀림 없이 꼭.'이라는 뜻이에요.
>
> 아침에 이불을 <u>반듯이</u> 정리합니다.
>
> → 반듯이: '비뚤거나 흐트러지지 않고 바르게.'라는 뜻이에요.

(1) 옷장에 옷이 (반듯이 / 반드시) 개어져 있습니다.

(2) 외출 후에는 (반듯이 / 반드시) 손을 깨끗이 씻어야 합니다.

(3) 요리가 끝난 후에는 불이 꺼졌는지 (반듯이 / 반드시) 확인해야 합니다.

틀리기 쉬워요!

11 보기 를 보고, 밑줄 친 낱말을 준말로 바꾸어 써 보세요.

낱말의 한 부분을 줄여서 만든 말을 '준말'이라고 합니다.

> 보기   닭들을 닭장에 <u>가두어</u> 놓았습니다. → (가둬)

(1) 친구와 빵을 <u>나누어</u> 먹었습니다. → (   )

(2) 내일 준비물을 알려 <u>주었으면</u> 해. → (   )

관용어

말짱 도루묵

아는 어휘에 ✔ 표시를 해 보고, 어휘의 뜻을 생각하며 글을 읽어 보세요.

☐ 피란 ☐ 꾸러미 ☐ 일행 ☐ 덕분 ☐ 보잘것없다 ☐ 말짱

🕐 **공부한 날**

월   일

조선 시대 선조 임금 때 있었던 일이에요. 임진왜란이 일어나 왜군이 한양까지 쳐들어왔어요. 임금은 어쩔 수 없이 북쪽으로 ❶피란을 떠나야만 했지요. 서둘러 떠난 피란 길이었기에 먹을거리를 마련하는 일이 쉽지 않았어요.

그러던 어느 날, 피란길에 임금이 먹을 것이 부족하다는 소문을 들은 한 어부가 생선 ❷꾸러미를 들고 선조 임금의 ❸일행을 찾아왔어요.

"별것 아니지만 이것을 임금님께 바치고자 합니다."

그날 저녁, ❹수라간 궁녀는 어부가 가져온 생선으로 정성껏 음식을 만들어 임금께 올렸어요. 임금은 오랜만에 생선 요리를 아주 맛있게 먹었어요. 저녁 식사를 만족스럽게 마친 임금은 생선을 바친 어부를 불러오게 했어요.

"그대 ❺덕분에 맛있는 생선을 맛보았네. 이 생선의 이름이 무엇인고?"

"예, '묵'이라고 하옵니다."

"묵이라……. 그 이름은 이 맛있는 생선에 어울리지 않는 듯하구나. 맛에 비해 이름이 참 ❻보잘것없구나."

임금은 잠시 생각에 잠겼어요.

"그래, 그게 좋겠다. 은색으로 빛이 나면서 맛도 아주 좋으니 이제부터 이 생선을 '은어'라고 부르도록 하라."

그로부터 7년의 시간이 흘러 전쟁은 끝이 났어요. 다시 궁으로 돌아온 임금은 피란길에 맛있게 먹었던 은어가 생각나서 ❼수라상에 올리라고 명하였어요. 그런데 임금은 상에 올라온 은어를 맛보더니 얼굴을 찌푸리면서 젓가락을 내려놓는 것이었어요.

"㉠어찌 된 일인지 예전에 먹었던 은어 맛이 안 나는구나. 맛이 형편없으니 이 은어를 ❽도로 묵이라고 불러라."

이리하여 잠시나마 '은어'였던 '묵'이 '도로 묵'이 되었다가 나중에 '도루묵'으로 바뀌었어요. 이때부터 일이 소득없이 헛되어 끝날 때 '❾말짱 도루묵이네.'라는 말을 쓰게 되었답니다.

❶ **피란**: 전쟁이나 난리 등을 피하여 옮겨 감.
❷ **꾸러미**: 하나로 뭉쳐서 싼 물건.
❸ **일행**: 함께 길을 가는 사람들의 무리.
❹ **수라간**: 임금의 진지를 짓던 주방.
❺ **덕분**: 베풀어 준 은혜나 도움.
❻ **보잘것없구나**: 볼만한 가치가 없을 정도로 훌륭하지 않구나.
❼ **수라상**: 궁중에서, 임금에게 올리는 밥상을 높여 이르던 말.
❽ **도로**: 본래의 상태대로.
❾ **말짱**: 빠짐없이 모두.

1 선조 임금이 은어를 도로 묵이라고 부르게 한 까닭은 무엇인지 골라 보세요.····(   )

① 은어 맛이 너무 좋아서   ② 전쟁의 아픔이 생각나서

③ 은어의 생김새가 이상해서   ④ 피란길에 먹었던 은어 맛이 안 나서

⑤ 맛에 비해 생선 이름이 보잘것없어서

2 선조 임금이 ㉠과 같이 느끼게 된 까닭을 이야기의 흐름에 알맞게 짐작한 친구의 이름을 써 보세요.

8주차

Day 37

정답과 해설 37쪽

> **도현**: 임금이 나이가 들고 몸이 약해져서 생선 요리가 싫어졌을 거야.
> **재인**: 궁녀들이 피란길에 임금이 먹었던 은어가 아닌 다른 생선을 수라상에 올렸을 거야.
> **승우**: 피난길에서는 배가 고파서 맛이 있었지만 궁에서 맛있는 음식을 먹다 보니 그 맛이 예전 같지 않았을 거야.

➔ (   )

3 이 글에서 일어난 일을 순서대로 정리했습니다. 빈칸에 알맞은 낱말을 보기 에서 골라 써 보세요.

> **보기**   덕분   도로   피란

> 임진왜란이 일어나 선조 임금은 [   ] 을 떠났습니다. 한 어부가 임금에게 '묵'이라는 생선을 바쳤습니다. 어부 [   ] 에 피란길에 생선을 맛본 임금은 맛에 비해 '묵'이란 이름이 보잘것없다며 '은어'로 부르게 하였습니다. 전쟁이 끝나고 궁에서 은어를 다시 맛본 임금은 맛이 없다며 [   ] 묵이라고 부르게 하였습니다.

4 이 글의 내용을 바탕으로 '말짱 도루묵'의 뜻으로 알맞은 것에 ○표를 해 보세요.

(1) 나쁜 일이 도리어 좋은 일이 됨. ·· (   )

(2) 어떤 일이 거침없이 빨리 진행됨. ·· (   )

(3) 일이 아무런 소득이 없는 헛된 일이나 헛수고가 됨. ························· (   )

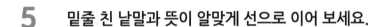

5 밑줄 친 낱말과 뜻이 알맞게 선으로 이어 보세요.

(1) 등산객 <u>일행</u>이 사고가 났습니다. •

(2) <u>도로</u> 제자리에 갖다 놔. •

(3) <u>말짱</u> 거짓말이었습니다. •

• ① 빠짐없이 모두.

• ② 본래의 상태대로.

• ③ 함께 길을 가는 사람들의 무리.

6 빈칸에 공통으로 들어갈 낱말을 써 보세요.

(1)
• 자네 □□ 에 맛있는 생선을 맛보았네.

• 소방관 아저씨 □□ 으로 생명을 구할 수 있었어요.

ㄷ ㅂ

(2)
• 맛에 비해 생선 이름이 참 □□□ 없다.

• □□□ 없는 저의 연주를 들어 주셔서 감사합니다.

ㅂ ㅈ ㄱ

(3)
• 임금이 먹을 것이 □□ 하다는 소문을 들었다.

• 세계적으로 물이 □□ 해지고 있으므로 물을 아껴 씁니다.

ㅂ ㅈ

7 보기 의 낱말 뜻을 보고, 빈칸에 들어갈 알맞은 낱말을 골라 써 보세요.

보기 • **바치다**: 신이나 웃어른에게 정중하게 드리다.

• **받치다**: 물건이나 몸의 한 부분을 다른 것의 아래에 놓이게 하다.

(1) 과일을 쟁반에 [   ].   (2) 왕에게 음식을 [   ].

8 다음 중 '말짱 도루묵'과 어울리는 상황이 <u>아닌</u> 친구의 이름을 써 보세요.

학급 게시판에 글을 다 써 놓고 저장을 하지 않아서 다 날아갔어.

정재

인터넷에 있는 내용을 베껴서 숙제를 했는데 선생님이 아실까 봐 두려워.

은결

운동으로 체력을 키웠는데 무리해서 다치는 바람에 원래대로 돌아갔어.

한솔

➡ (   )

8주차
Day 37

정답과 해설 37쪽

9 밑줄 친 낱말을 맞춤법에 맞게 바르게 고쳐 써 보세요.

(1) 우리 가족은 <u>오랫만</u>에 외식을 했습니다. ➡ (   )

(2) 식탁 위에 숟가락과 <u>젇가락</u>을 놓거라. ➡ (   )

(3) 아버지께서는 편찮으신 할머니를 <u>정성것</u> 돌보셨습니다. ➡ (   )

틀리기 쉬워요!

10 보기 를 보고, 밑줄 친 부분을 바르게 쓴 것을 두 개 골라 보세요. ·························· (   )

> **보기**
>
> | 지우와 나는 친구**예요**. | 이것은 은찬이의 책**이에요**. |
> |---|---|
> | ➡ 받침이 없이 끝나는 낱말(친구) 뒤에는 '-예요'를 붙여요. | ➡ 받침으로 끝나는 낱말(책) 뒤에는 '-이에요'를 붙여요. |

① 오늘은 <u>토요일이에요</u>.

② 이 <u>지우개는</u> 얼마에요?

③ 제가 키우는 <u>강아지예요</u>.

④ 이것은 오렌지가 아니라 <u>귤이예요</u>.

스스로 붙임딱지

한자 성어

등용문 (登 오를 등 龍 용 용 門 문 문)

아는 어휘에 ✔ 표시를 해 보고, 어휘의 뜻을 생각하며 글을 읽어 보세요.

☐ 거슬리다 ☐ 벼슬아치 ☐ 조종하다 ☐ 궁리 ☐ 칭송하다 ☐ 출세

⏱ 공부한 날

월   일

① **거슬러**: 반대 방향으로 움직여.

② **벼슬아치**: 옛날에 관청에 나가서 나랏일을 하는 관리.

③ **내시**: 옛날에 궁궐에서 임금의 시중을 들던 남자.

④ **조종하면서**: 남을 자기 마음대로 다루어 부리면서.

⑤ **횡포**: 제멋대로 굴며 매우 난폭함.

⑥ **불의**: 사람의 도리나 정의 등에 어긋나 옳지 않음.

⑦ **궁리**: 어떤 일을 해결할 방법을 깊이 생각함. 또는 그 생각.

⑧ **양심**: 자신이 스스로 세운 옳고 그름을 판단하는 기준에 따라 바른 말과 행동을 하려는 마음.

⑨ **칭송했어요**: 매우 훌륭하고 위대한 점을 칭찬하여 말했어요.

⑩ **출세**: 사회적으로 높은 지위에 오르거나 유명하게 됨.

⑪ **관문**: 어떤 일을 하기 위하여 반드시 거쳐야 하는 힘들고 중요한 과정.

옛날, 중국 황허강 위쪽에는 '용문'이라고 불리는 계곡이 있었어요. 이곳은 물의 흐름이 너무 거세고 빨라서 큰 물고기도 물살을 ①거슬러 올라가기가 무척 어려웠어요. 하지만 일단 물고기가 세찬 물살을 거슬러 용문을 오르기만 하면 용이 되어 하늘로 올라간다는 전설이 있었어요. 그래서 많은 물고기가 용이 되기 위해 용문에 오르는 것을 가리켜 '등용문'이라고 했어요.

등용문이라는 말은 중국의 후한이라는 나라의 ②벼슬아치였던 '이응'에 의해 더 많이 알려지게 되었어요.

이응이 나라의 관리로 있을 당시 궁궐은 매우 혼란스러운 때였어요. 궁궐의 ③내시들은 놀기만 좋아했던 임금을 자기들 마음대로 뒤에서 ④조종하면서 온갖 ⑤횡포를 부렸어요. 날이 갈수록 임금의 힘은 약해지고 내시들의 힘은 점점 세져만 갔지요. 신하들은 내시들이 두려워 ⑥불의를 보고도 모른 체했어요. 하지만 이응은 엉망이 된 나라를 바로 세우기 위해 뜻이 맞는 신하들을 불러 모았어요.

내시들은 모이기만 하면 이응을 궁에서 몰아낼 ⑦궁리만 했어요. 결국 이응은 내시들과 맞서 싸우다가 벼슬도 빼앗기고 옥에 갇히기까지 했어요. 이응을 따르는 신하들은 이응의 이런 모습을 보고 "불의에 맞서 뜻을 굽히지 않고 ⑧양심을 지키는 정의로운 신하다."라며 ⑨칭송했어요. 특히 **젊은 관리**들은 이응과 가까이 지내고 싶어 하고 그에게 인정받는 것을 영광으로 여겼어요. 이응의 추천을 받아 관직에 오르는 것을 '등용문'이라 부를 정도였지요.

그 후로 '등용문'이라는 말은 '용문에 오른다.'는 뜻으로, 인정을 받고 ⑩출세를 하기 위해 거치는 어려운 ⑪관문을 일컫는 말이 되었답니다.

1 이 글의 내용으로 맞는 것에는 ○표, 틀린 것에는 ×표를 해 보세요.

(1) 이응은 내시들의 불의를 보고도 모른 척했습니다. ⋯⋯⋯⋯⋯⋯⋯⋯⋯⋯⋯⋯ (○ / ×)

(2) 젊은 관리들은 이응에게 인정받는 것을 영광으로 여겼습니다. ⋯⋯⋯⋯⋯⋯⋯ (○ / ×)

(3) 중국 황허강에는 물고기가 '용문'이라는 계곡을 거슬러 오르면 용이 된다는 이야기가 전해집니다. ⋯⋯⋯⋯⋯⋯⋯⋯⋯⋯⋯⋯⋯⋯⋯⋯⋯⋯⋯⋯⋯⋯⋯⋯⋯⋯⋯⋯⋯⋯⋯⋯⋯ (○ / ×)

2 이 글에서 후한의 '젊은 관리'들이 생각한 '등용문'은 무엇인지 골라 보세요.⋯⋯ (   )

① 임금에게 인정받는 것   ② 나라를 바로 세우는 것

③ 내시들과 가까이 지내는 것   ④ 내시들의 횡포에 맞서 싸우는 것

⑤ 이응의 추천을 받아 관직에 오르는 것

3 다음은 이 글에 나오는 인물에 대한 설명입니다. 보기 에서 알맞은 낱말을 골라 빈칸에 써 보세요.

보기   양심   횡포   불의

(1) 내시들은 임금을 조종하면서 온갖 ☐☐를 부렸습니다.

(2) 이응은 ☐☐에 맞서 뜻을 굽히지 않고 ☐☐을 지켰습니다.

4 한자와 뜻풀이를 알맞게 선으로 연결해 보고, 빈칸을 알맞게 채워 보세요.

(1) 登 오를 등	(2) 龍 용 용	(3) 門 문 문
① 출세를 위해	② 넘어야 할	③ 관문

➜ '등용문'에서 '용'은 ☐☐를, '문'은 ☐☐을 뜻합니다.

171

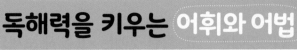
5 낱말과 뜻을 보고, 빈칸에 알맞은 말을 보기 에서 골라 써 보세요.

> 보기   궁리   관리   조종   칭찬

(1) ☐ : 어떤 일을 해결할 방법을 깊이 생각함.

(2) ☐ **하다**: 남을 자기 마음대로 다루어 부리다.

(3) **벼슬아치**: 옛날에 관청에 나가서 나랏일을 하는 ☐ .

(4) **칭송하다**: 매우 훌륭하고 위대한 점을 ☐ 하여 말하다.

6 밑줄 친 말이 보기 에 쓰인 '불리다'와 같은 뜻으로 쓰인 것에 ○표를 해 보세요.

> 보기   어느 도시의 광장 한가운데에는 '행복한 왕자'라고 <u>불리는</u> 동상이 있습니다.
> ↳ 이름이 붙여진.

(1) 준형이는 교무실로 선생님께 <u>불리어</u> 갔습니다. ──────────────────── (   )
(2) 최우승자로 내 이름이 <u>불려서</u> 눈물이 났습니다. ──────────────────── (   )
(3) 내 짝꿍은 마음이 착해서 친구들에게 천사로 <u>불립니다</u>. ──────────────── (   )

7 '등용문'을 의미에 맞게 사용한 친구의 이름을 써 보세요.

요즘 외국 힙합 노래를 많이 듣는데 너무 신나. 게다가 영어 공부도 저절로 되니까 <u>등용문</u>이야.

저 텔레비전 프로그램이 신인 가수의 <u>등용문</u>이라고 하니, 나도 한번 도전해 봐야겠어. 래퍼의 꿈을 꼭 이루고 싶어.

연아   규진

➜ (   )

8 의 낱말 뜻을 보고, 문장에 알맞은 낱말을 골라 ○표를 해 보세요.

> 보기 · **가두다**: 「1」 사람이나 동물을 벽으로 둘러싸거나 울타리가 있는 일정한 장소에 넣고 밖으로 나오지 못하게 하다.
> 「2」 물 따위를 일정한 곳에 괴어 있게 하다.
> · **갇히다**: 「1」 사람이나 동물이 벽으로 둘러싸이거나 울타리가 있는 일정한 장소에 넣어져 밖으로 나오지 못하게 되다.
> 「2」 어떤 공간이나 상황에 있게 되다.

(1) 고기를 그물에 (가두어 / 갇히어) 잡습니다.

(2) 변 사또는 춘향을 옥에 (가두었 / 갇히었)습니다.

(3) 문이 고장나 방에 (가두어 / 갇히어) 나오지 못했습니다.

8주차
Day
38

정답과 해설 37쪽

9 보기 를 보고, 낱말의 띄어쓰기가 바른 것을 골라 ○표를 해 보세요.

> 보기 칭송을 하다. → (칭송하다 / 칭송 하다).

(1) 공부를 하다. → (공부하다 / 공부 하다).

(2) 인정을 받다. → (인정받다 / 인정 받다).

(3) 오염이 되다. → (오염되다 / 오염 되다).

'칭송을 하다.'가
'칭송하다.'가 되듯이
낱말과 낱말이 만나
하나의 낱말이 될 때에는
붙여 써요.

틀리기 쉬워요!

10 문장에서 알맞은 말을 골라 ○표를 해 보세요.

(1) 산 (위쪽 / 윗쪽)에서 이상한 소리가 들렸습니다.

(2) 이웃끼리 (가까이 / 가까히) 지내도록 합시다.

(3) 너는 나를 보고도 왜 모르는 (채하니 / 체하니)?

Day 39 달의 모습을 알아보아요

아는 어휘에 ✔ 표시를 해 보고, 어휘의 뜻을 생각하며 글을 읽어 보세요.

☐ 표면　☐ 운석　☐ 충돌　☐ 지각　☐ 마그마　☐ 용암　☐ 지형

⏰ 공부한 날

　　월　　일

슬기: 밤하늘에 빛나는 달을 봤을 때는 **①표면**이 매끄럽게만 보였는데, 실제 달의 표면이 울퉁불퉁하다는 게 정말 놀라워요.

선생님: 자, 지금부터는 달의 표면에 숨겨져 있는 더 신기한 것들을 살펴볼까요? 달의 표면 사진을 자세히 보세요. 검게 보이는 부분이 있지요? 17세기 초에 **②천문학자**들은 이 부분이 지구의 바다처럼 물이 가득 차 있을 것이라고 생각하여 '달의 바다'라고 이름을 붙였어요. 그런데 이름과는 달리 달에는 바다가 없어요.

우진: 선생님, 달의 바다가 물로 차 있지 않는데도 왜 검게 보이는 거예요?

선생님: 그건 그 부분이 검은색의 **③현무암**으로 덮여 있기 때문이에요. 그리고 밝게 보이는 곳보다 높이가 낮기 때문이에요. 이쯤 되면 달의 바다가 어떻게 만들어졌는지 궁금하지 않나요? 우주에는 크고 작은 돌덩이들이 떠다니고 있어요. 이 돌덩이들은 우주를 떠돌다가 **④운석**이 되어 달의 표면에 부딪쳐 '크

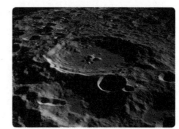

달 표면의 크레이터(충돌 구덩이)

레이터'라고 하는 크고 작은 **⑤충돌 구덩이**를 만들어요. 게다가 **⑥지각**이 얇아진 곳은 운석들이 뚫고 들어가 땅속에 녹아 있는 **⑦마그마**를 솟구치게 해요. 땅 위로 흘러내린 **⑧용암**은 달 표면에 생긴 커다란 충돌 구덩이에 고여서 현무암으로 굳어지게 돼요. 이렇게 '달의 바다'라고 부르는 **⑨지형**이 만들어진 거예요.

정현: 선생님, 달의 표면을 보면 밝은 부분도 있는데 그것은 무엇인가요?

선생님: 달에도 지구처럼 산과 같은 높은 지형이 있어요. '달의 고지'라고 부르는 이 부분은 달의 바다보다 높아서 밝게 보여요. 달의 고지에도 운석이 충돌해서 생긴 크레이터가 많이 있어요.

슬기: 지구의 표면에는 크레이터가 보이지 않는데 달의 표면에는 크고 작은 크레이터가 왜 많은지 궁금해요.

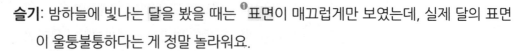

달의 바다

달의 고지

선생님: 지구의 표면도 아주 오랜 옛날에는 크레이터로 뒤덮여 있었어요. 세월이 흐르면서 물과 공기에 크레이터가 깎여 점점 사라졌지요. 그러나 지구와 달리 달에는 물도 공기도 없어서 수십억 년 전에 생긴 크레이터들이 없어지지 않고 그대로 남아 있는 거예요.

① 표면: 사물의 가장 바깥쪽. 또는 가장 윗부분.

② 천문학자: 우주와 우주의 모든 물체들의 온갖 현상과 규칙 등을 연구하는 과학자.

③ 현무암: 화산이 터질 때 용암이 굳어서 생긴 것으로, 검은색이나 검은 회색을 띤 단단한 돌. (아래 사진)

④ 운석: 우주에서 지구의 공기가 있는 층까지 들어와 다 타지 않고 땅에 떨어진 물질.

⑤ 충돌: 서로 맞부딪치거나 맞섬.

⑥ 지각: 지구의 바깥쪽을 차지하는 부분.

⑦ 마그마: 땅속 깊은 곳에서 암석이 녹아서 만들어진 뜨거운 액체.

⑧ 용암: 화산이 폭발할 때 솟구쳐 나온 마그마.

⑨ 지형: 땅의 생긴 모양.

1 이 글의 내용에 알맞은 말을 골라 ○표를 해 보세요.

(1) 달의 표면은 (매끄럽습니다 / 울퉁불퉁합니다).

(2) 지구에 비해 달에는 크레이터가 (많습니다 / 적습니다).

(3) 달의 바다는 달의 고지보다 높이가 (낮습니다 / 높습니다).

2 달의 표면에 검게 보이는 부분이 있는 까닭으로 알맞은 것을 <u>두 개</u> 골라 보세요.

.... (   )

① 나쁜 공기가 많기 때문에   ② 물이 가득 차 있기 때문에

③ 현무암으로 덮여 있기 때문에   ④ 크레이터들이 없어졌기 때문에

⑤ 달의 고지보다 높이가 낮기 때문에

3 달의 바다가 어떻게 만들어졌는지 보기 에서 알맞은 낱말을 골라 빈칸에 써 보세요.

보기	용암	운석	충돌

우주를 떠다니던 돌덩이가 ☐☐이 되어 달 표면에 부딪쳐서 생긴 ☐☐ 구

덩이에 땅속에서 흘러나온 ☐☐이 고여서 만들어졌습니다.

4 다음은 달 표면의 모습입니다. ㉠은 무엇을 나타내는지 글에서 찾아 써 보세요.

➜ ☐☐☐☐

5 보기 에서 낱말의 뜻을 골라 번호를 써 보세요.

> 보기 ① 땅의 생긴 모양.
>
> ② 화산이 폭발할 때 솟구쳐 나온 마그마.
>
> ③ 땅속 깊은 곳에서 암석이 녹아서 만들어진 뜨거운 액체.
>
> ④ 우주에서 지구의 공기가 있는 층까지 들어와 다 타지 않고 땅에 떨어진 물질.

(1) 지형 ➡ (   )　　　　　(2) 운석 ➡ (   )

(3) 용암 ➡ (   )　　　　　(4) 마그마 ➡ (   )

6 밑줄 친 부분과 바꾸어 쓸 수 있는 낱말을 골라 번호를 써 보세요.

(1) 지구의 **바깥쪽 부분**을 '지각'이라고 합니다. ─────────────── (   )

　　① 면적

　　② 표면

　　③ 양면

(2) 빙판길에서 미끄러져 친구와 **맞부딪쳤습니다**. ─────────────── (   )

　　① 출동했습니다

　　② 출전했습니다

　　③ 충돌했습니다

7 보기 의 낱말 뜻을 보고, 다음 문장의 밑줄 친 낱말의 뜻으로 알맞은 것의 번호를 써 보세요.

> 보기 ① **지각**: 지구의 바깥쪽을 차지하는 부분.
>
> ② **지각**: 정해진 시각보다 늦게 출근하거나 등교함.

(1) 버스를 잘못 타는 바람에 지각을 했습니다. ──────────────── (   )

(2) 달의 표면은 단단한 지각으로 이루어져 있습니다. ─────────── (   )

8 보기 의 낱말 뜻을 보고, 빈칸에 들어갈 알맞은 낱말을 골라 써 보세요.

> 보기 · **덮여**: 물건 따위가 드러나거나 보이지 않도록 겉에 다른 물건이 씌워져.
>
> · **덥혀**: 몸에서 땀이 날 만큼 체온을 높이거나 사물의 온도를 높여.

(1) 밥상 위에 신문지가 [   ] 있었습니다.

(2) 엄마가 차가운 우유를 따뜻하게 [   ] 주셨습니다.

틀리기 쉬워요!

9 밑줄 친 낱말을 바르게 발음한 것에 ○표를 해 보세요.

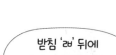

> 피자의 두께가 굉장히 <u>얇다</u>.

받침 'ㄼ' 뒤에 'ㄷ'이 오면 [ㄹ]로 발음해요.

(1) [얍따]⋯⋯(   )　　(2) [얄따]⋯⋯(   )

틀리기 쉬워요!

10 문장에서 밑줄 친 낱말이 맞춤법에 맞게 바르게 쓰인 것을 골라 보세요.⋯⋯⋯(   )

① 나무를 <u>깍아</u> 의자를 만들었습니다.

② <u>궁굼한</u> 것이 있으면 질문해 주세요.

③ 찰흙이 오래되서 딱딱하게 <u>굳었습니다</u>.

11 문장에 알맞은 말을 골라 ○표를 해 보세요.

(1) 우리는 (빛나게 / 빛나는) 보름달을 보고 소원을 빌었습니다.

(2) 동생은 (커다란 / 커다랗게) 개를 보자마자 울음을 터뜨렸습니다.

40 한자 어휘
'체(體)'와 '육(肓)'이 들어간 말

공부한 날   월   일

아는 어휘에 ✔ 표시를 해 보고, 아래 활동을 하며 뜻을 익혀 보세요.

☐체육 ☐육체 ☐액체 ☐해체 ☐육아 ☐교육 ☐사육

骨豊
몸 체

뼈[骨]와 풍성함[豊]을 뜻하는 글자가 만나 뼈를 포함한 모든 것이 갖추어진 '몸'을 나타내게 되었어요. '몸', '바탕', '물체', '물질' 등을 뜻해요.

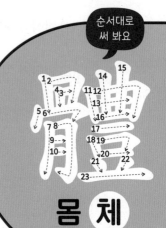

순서대로 써 봐요

몸 체

'체육'은 운동을 통해 몸을 튼튼하게 만드는 일. 또는 그런 목적으로 하는 운동을 말해요.

● 체(體)가 들어간 낱말은 '몸', '구체적 물건'과 관련 있는 경우가 많아요.

육 체
고기 肉 몸 體

뜻 사람의 몸. 비 신체(身體)
예 마라톤은 육체와 정신을 모두 튼튼하게 하는 운동입니다.

액 체
진 液 몸 體

뜻 물, 기름과 같이 부피가 있으나 일정한 형태가 없으며 흐르는 성질이 있는 물질.
예 가루 세제보다는 액체로 된 세제가 물에 잘 녹아서 빨래가 잘됩니다.

해 체
풀 解 몸 體

뜻 1. 단체, 조직 등이 흩어짐. 또는 흩어지게 함.
2. 기계 등이 뜯어져 분리됨. 또는 뜯어서 분리함.
예 로봇을 다시 조립하기 위해 해체를 했습니다.

체육(體育)은 우리 몸의 건전한 성장을 위한 교육을 뜻하기도 해요. 체육 시간에 운동을 해서 우리의 건강을 지키고 더 튼튼해질 수 있어요.

체육 시간에 하는 피구가 제일 재미있어!

育 기를 육

아이를 기르는 일을 나타내는 한자예요. '기르다', '자라다' 등을 뜻해요.

育 기를 육

● 육(育)이 들어간 낱말은 '기르는 것'과 관련 있는 경우가 많아요.

육 아	
기를 育 · 아이 兒	뜻 어린아이를 돌보고 기름.
	예 부모님은 나의 어린 시절에 나를 기르며 육아 일기를 쓰셨습니다.

교 육	
가르칠 敎 · 기를 育	뜻 지식과 기술 등을 가르치며 인격을 길러 줌.
	예 맹자의 어머니는 아들의 교육을 위해 서당 옆으로 이사하였습니다.

토끼를 사육할 때에는 신선한 먹이를 준비해야 해.

사 육	
먹일 飼 · 기를 育	뜻 가축이나 짐승을 먹이고 돌보아 기름.
	예 사람들이 소고기를 많이 먹으면서 소를 사육하는 농장이 늘었습니다.

1 낱말의 뜻이 바른 것에는 ○표, 틀린 것에는 ×표를 해 보세요.

(1) 육체(肉體) | 운동을 통해 몸을 튼튼하게 만드는 일. | (○ / ×)

(2) 육아(育兒) | 지식과 기술 등을 가르치며 인격을 길러 줌. | (○ / ×)

(3) 해체(解體) | 1. 단체, 조직 등이 흩어짐. 또는 흩어지게 함.
2. 기계 등이 뜯어져 분리됨. 또는 뜯어서 분리함. | (○ / ×)

2 빈칸에 들어갈 알맞은 낱말을 보기 에서 골라 써 보세요.

보기   체육   교육   사육

(1) 학교에서 [ ][ ] 시간에 줄넘기를 했습니다.

(2) 옆집에서는 닭과 병아리를 [ ][ ]하고 있습니다.

(3) 부모님은 약속을 잘 지켜야 한다고 우리를 [ ][ ]하셨습니다.

3 빈칸에 공통으로 들어갈 글자를 써 보세요.

고[ ]	일정한 굳은 모양과 부피를 가지고 있어서 만지고 볼 수 있는 물질. 얼음 등이 있음.
액[ ]	물, 기름과 같이 부피가 있으나 일정한 형태가 없으며 흐르는 성질이 있는 물질. 물 등이 있음.
기[ ]	일정한 모양이나 부피가 없고 널리 퍼지려는 성질이 있어 자유롭게 떠서 돌아다니는 물질. 수증기 등이 있음.

→ [ ]

4 탐험가 친구가 밀림 깊은 곳에 있는 보물을 찾으려고 해요. 한자에 알맞은 뜻을 골라 친구가 악어를 피해 올바른 길을 찾을 수 있도록 도와주세요.

70살은 칠순? 고희?

지민이의 할아버지께서는 올해 일흔 살을 맞으셨어요. 가족들은 할아버지의 생신에 '**칠순 잔치**'를 열었어요. 칠순이 무엇인지 궁금해하는 지민이에게 아버지께서는 일흔 살을 '칠순'이라고 한다고 알려주셨어요. 그런데 오랜만에 오신 친척 어르신께서 할아버지께 "삼촌, **고희**를 축하드립니다."라고 말씀하시는 게 아니겠어요? '왜 칠순이라고 했다가 고희라고 했다가 하는 거지?' 지민이는 궁금해졌어요.

☑ 나이를 나타내는 한자어에는 다음과 같은 것이 있어요.

나이	한자어	뜻
15	지학(志學)	15세가 되어 학문에 뜻을 두는 나이라는 뜻.
20	약관(弱冠)	갓을 쓰는 나이라는 뜻. 남자의 스무 살.
	방년(芳年)	꽃다운 나이라는 뜻. 여자의 스무 살.
30	이립(而立)	마음이 확고하게 도덕 위에 서서 움직이지 않는 나이라는 뜻.
40	불혹(不惑)	세상일에 흔들리지 않을 나이라는 뜻.
50	지천명(知天命)	하늘의 뜻을 깨달을 수 있는 나이라는 뜻.
60	이순 = 육순 (耳順) (六旬)	인생의 경험이 쌓이고 판단력이 성숙해 지면서 귀가 순해져 모든 말을 객관적으로 듣고 이해할 수 있는 나이라는 뜻. 육순의 순(旬)은 10을 뜻함.
61	환갑 = 회갑 (還甲) (回甲)	태어난 간지의 해가 다시 돌아온 해라는 뜻.
	화갑(華甲)	열 십(十) 자 여섯 개와 한 일(一) 자 하나가 모인 한자인 꽃 화(華) 자를 써서 61살을 나타냄.
70	고희 = 칠순 (古稀) (七旬)	당나라 시인 두보의 시에서 '인생칠십고래희(인생은 칠십 살기도 예부터 드물었다.)'라고 한 것에서 나온 말.
80	산수 = 팔순 (傘壽) (八旬)	우산 산(傘) 자가 팔십(八十)을 나타내는 한자로 쓰임.
99	백수(白壽)	백(百)에서 일(一)을 빼서 백(白)이 된 데서 99살을 나타냄.

스스로 붙임딱지

일일학습을 마친 후, 스스로 붙임딱지를 골라 본문에 붙여 보세요.

- 스스로 문제를 끝까지 풀고
오답 확인까지 마쳐 뿌듯할 때! →

- 지문에서 새로 알게 된 점이
있어 보람찰 때! →

- 내용에서 모르는 점을
스스로 알려고 노력하였을 때! →

- 열심히 풀었지만 풀면서
어려움을 느꼈을 때! →

여기에 붙여요!

뿌듯해요!

어휘력 쑥쑥 자람판

1 어휘력과 독해력을 키우는 하루 15분 공부 습관,
"어휘력 자신감"과 함께 오늘부터 시작해 보세요!

2 일일학습을 마친 후, 오답까지 확인하면
"어휘력 자람판"에 붙임딱지를 하나 붙여 주세요!

3 스스로 Day4까지 채운 후
어휘력과 독해력이 쑥쑥 자란 나를 발견해 보세요.

자람판은 뒷장에 있어요!

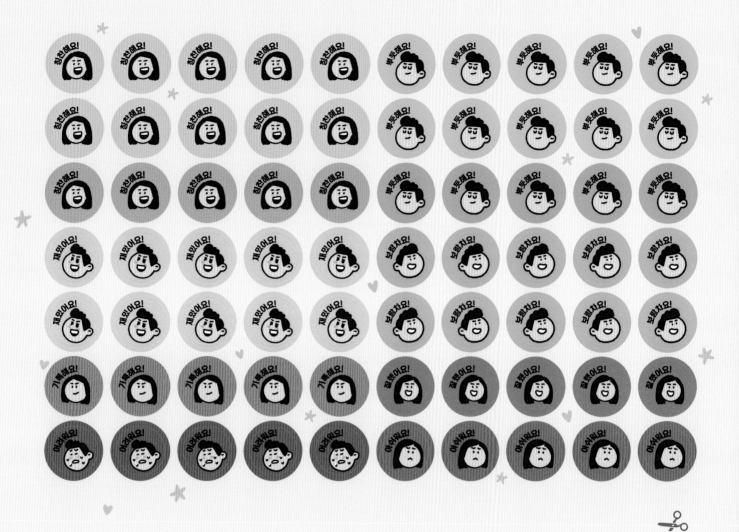

글이 술술~
자신감이
쑥쑥~

어휘력 자신감 3단계

지학사

주간 테스트 + 정답과 해설

지학사

어휘력
자신감

초등 국어

3

단계

주간
테스트

[1~2] 다음 글을 읽고, 물음에 답하세요.

> '우리 반 자리를 어떻게 정할까?'라는 주제로 반 친구들이 모여 회의를 했습니다. 정현이가 교실에 먼저 온 순서대로 앉자는 ㉠의견을 내었습니다. 그러자 키가 작은 예찬이가 키가 큰 친구들이 앞자리에 앉으면 칠판이 잘 보이지 않는다며 ㉡찬성했습니다. 다시 정현이가 키가 작은 친구들이 아침에 일찍 등교하면 된다고 말하자, 여러 친구들이 ㉢항의를 했습니다. 반 친구들은 자리 정하는 방법을 놓고 한참 동안 ㉣의논을 했습니다.

1 정현이네 반 친구들이 처한 상황으로 알맞은 것은 무엇인가요? ⋯⋯⋯⋯⋯⋯⋯⋯ (   )

① 남을 속이기 위해 노력하고 있습니다.

② 서로 자기 말이 맞다고 우기고 있습니다.

③ 여럿이 모여 하나의 주제를 의논하고 있습니다.

④ 한 명의 친구가 낸 의견이 좋아서 따르고 있습니다.

2 ㉠~㉣ 중 낱말이 <u>잘못</u> 쓰인 것은 무엇인가요? ⋯⋯⋯⋯⋯⋯⋯⋯⋯⋯⋯⋯⋯⋯ (   )

① ㉠   ② ㉡   ③ ㉢   ④ ㉣

3 밑줄 친 표현이 바르게 쓰이지 <u>않은</u> 것은 무엇인가요? ⋯⋯⋯⋯⋯⋯⋯⋯⋯⋯⋯⋯ (   )

① 시험이 <u>눈 깜짝할 사이</u>에 끝났습니다.

② 19등이나 20등이나 <u>조삼모사</u>입니다.

③ 그 방법은 <u>고양이 목에 방울 달기</u>니까 시간 낭비하지 말자.

4 보기 의 밑줄 친 낱말과 바꾸어 쓸 수 있는 낱말은 무엇인가요?·······················(　)

> 보기   보물찾기 놀이에서 감춰 둔 보물을 <u>찾아내다</u>.

① 발명하다　　　　② 발견하다　　　　③ 분리하다　　　　④ 허용하다

5 빈칸에 공통으로 들어갈 알맞은 낱말을 쓰세요.

> • 독감에 걸리지 않도록 미리 ☐☐ 주사를 맞았습니다.
>
> • 요리를 한 후에는 불이 잘 꺼졌는지 확인해 화재를 ☐☐해야 합니다.

➡ ☐☐☐

6 밑줄 친 부분이 바르게 쓰인 것은 무엇인가요?·······························(　)

① 나이가 <u>지그시</u> 든 분이 길을 물었습니다.
② 은주의 새 옷은 모두의 <u>눈낄</u>을 끌었습니다.
③ 큰 산불이 나서 뒷산이 몽땅 <u>타고</u> 말았습니다.
④ 꼭 시험에 합격하게 해 달라고 하늘에 <u>정성것</u> 기도했습니다.

7 다음 문장의 밑줄 친 '작문'에 쓰인 '문'과 같은 한자가 쓰인 문장은 무엇인가요? ·(　)

> 책을 꾸준히 읽다 보니 <u>작문(作文)</u>을 하는 실력이 늘었어요.

① 날씨가 더워서 <u>창문</u>을 활짝 열었습니다.
② 식당 주인이 손님에게 <u>주문</u>을 받으러 왔습니다.
③ 선생님의 <u>질문</u>에 아무도 대답을 하지 못했습니다.

[1~2] 다음 글을 읽고, 물음에 답하세요.

> **수민:** 태우야, '내가 존경 하는 위인'을 주제로 하는 글짓기 숙제 다 했니?
>
> **태우:** 응. 나는 평소에 존경하던 단군왕검의 ㉠홍익인간 정신에 대해 썼어. 그런데 글짓기 숙제하려고 새 공책을 샀는데, 학교 앞 문방구에서 천 원에 파는 것을 집 앞에서는 이천 원에 파는 거 있지. 완전 ㉡바가지 긁혔어.
>
> **수민:** 숙제 얘기 하다가 왜 갑자기 ㉢삼천포로 빠지니? 정말 넌 엉뚱하다니까.

1 다음 중 빈칸에 이 글에 쓰인 존경 이 들어가기에 **어색한** 문장은 무엇인가요?…( )

① 저는 부모님을 [   ]하고 있습니다.

② 우리를 진심으로 아끼시는 선생님을 [   ]합니다.

③ 다른 친구의 의견을 [   ]하는 태도를 갖도록 노력해야 합니다.

④ 한글을 만든 세종 대왕은 모든 국민들에게 [   ]받고 있습니다.

2 ㉠~㉢ 중 **잘못** 쓴 표현은 무엇인가요?─────────────( )

① ㉠   ② ㉡   ③ ㉢

3 밑줄 친 낱말이 **잘못** 쓰인 것은 무엇인가요?─────────────( )

① 길을 잘못 들어 졸지에 삼천포로 갔습니다.

② 하필 소풍날 비가 오다니 믿을 수가 없습니다.

③ 배가 고팠는데, 때마침 점심시간을 알리는 종이 울렸습니다.

④ 마라톤은 고대 아테네의 마라톤 전투에서 유래한 경기입니다.

⑤ 점심을 배불리 먹었기 때문에 저녁에는 꿋꿋이 한 숟가락만 먹을 수 있었습니다.

4 빈칸에 들어갈 알맞은 낱말을 보기 에서 찾아 쓰세요.

> 보기   유행   업적   샛길

> 옛날, 프랑스의 한 작은 마을에 사람들을 병에 걸리게 하는 박테리아를 연구하는 파스퇴르라는 과학자가 있었어요. 파스퇴르는 당시에 유행하던 닭 콜레라라는 병을 연구하고 있었어요. 어느 날, 며칠 동안 그냥 놔두었던 세균을 실험하다가 놀라운 사실을 알게 되었어요. 그것은 시간이 지날수록 세균의 힘이 점점 약해진다는 것이었어요.
>
> 그리고 이어진 실험을 통해 파스퇴르는 병을 일으키지 못할 정도로 약한 세균을 가지고 있으면 강한 세균이 몸에 들어왔을 때 맞서 싸울 수 있다는 사실을 발견하게 되었어요. 이것이 바로 '백신'의 시초였어요. 파스퇴르는 세심한 관찰과 "세균을 이용해서 세균을 치료한다."라는 새로운 생각으로 전염병으로부터 인간을 구하는 ☐☐을 남기게 되었습니다.

5 밑줄 친 낱말을 바르게 고쳐 쓴 것은 무엇인가요? ·· (   )

① 언덕 위에 올라 마을을 굽어보았습니다.
   ↳ 구버보았습니다.

② 콩밥에서 콩을 불리하고 밥만 먹었습니다.
   ↳ 분리하고

③ 민영이는 배가 불러서 엄마가 주시는 음식을 사양했습니다.
   ↳ 사향했습니다

6 빈칸에 공통으로 들어갈 알맞은 낱말은 무엇인가요? ······························· (   )

> • 영화가 끝나고 사람들은 줄을 서서 ☐☐로 향했습니다.
>
> • 우리는 ☐☐가 보이지 않는 어려운 상황에 빠졌습니다.

① 수출(輸出)   ② 출구(出口)
③ 돌입(突入)   ④ 입장료(入場料)

정답과 해설 39쪽

1 다음 빈칸에 들어갈 알맞은 낱말을 쓰세요.

> 에디슨과 그의 연구 팀은 가정에서도 일반적으로 사용할 수 있는 전구를 만들기 위해 밤
> 낮으로 수천 번의 실험을 하며 1년을 보냈어요. ☐ 끝에 ☐이 온다고, 수많은
> 실험 끝에 그들은 마침내 10시간도 넘게 켜 놓을 수 있는 전구를 만드는 데 성공했어요.

2 보기 의 밑줄 친 말과 바꾸어 쓸 수 있는 말은 무엇인가요?·····························( )

> 보기   언니는 천둥 치는 소리가 나는데도 눈도 깜짝 안 하고 책만 보았습니다.

① 흥미롭게   ② 인색하게   ③ 깜짝 놀라   ④ 아무렇지 않게

3 다음 빈칸에 들어갈 알맞은 한자 성어는 무엇인가요?·····························( )

> "어제 본 만화에서 주인공이 동료들에게 배신 당해서 ☐에 빠졌더라? 어떻
> 게 위기를 극복할지 정말 궁금해."

① 조삼모사   ② 홍익인간   ③ 사면초가

4 두 낱말의 관계가 <u>다른</u> 하나는 무엇인가요?·····························( )

① 아군 – 적군   ② 풍년 – 흉년
③ 부유하다 – 가난하다   ④ 곤란하다 – 난처하다

5 다음 빈칸에 들어갈 알맞은 낱말을 쓰세요.

> 오늘날은 인터넷, 휴대 전화 등의 ☐ 수단을 이용해 여러 사람과 정보를 빠르게 주고받을 수 있으며, 한 번에 많은 정보를 주고받을 수도 있습니다.

6 보기 를 보고, 두 문장이 같은 뜻이 되도록 바꾸어 쓰세요.

> 보기　　　　　　　주사가 하나도 아프지 않습니다.
> ➜ 주사가 하나도 안 아픕니다.

> 지각을 하지 않으려고 열심히 달렸습니다.

➜ _____

7 다음 문장에서 잘못 쓴 낱말을 찾아 밑줄을 긋고 알맞게 고쳐 쓰세요.

(1) 우리 둘은 생김새도 비슷하고 키도 <u>갔아요</u>. ➜ _____

(2) 오늘은 더워서 머리를 <u>묵고</u> 학교에 갔습니다. ➜ _____

(3) 지민이는 비를 맞아 온몸이 다 <u>젓고</u> 말았습니다. ➜ _____

8 빈칸에 들어갈 알맞은 낱말을 보기 에서 찾아 쓰세요.

> 보기　　　　　　하복　　　동복　　　춘추복

(1) 봄철과 가을철에 입는 옷을 ( )이라고 합니다.

(2) 여름이 되면 교복을 짧은 반팔의 ( )으로 바꾸어 입습니다.

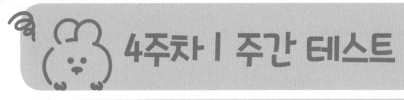

1 다음 빈칸에 들어갈 표현으로 알맞은 것은 무엇인가요? ⋯⋯⋯⋯⋯⋯⋯⋯⋯⋯ (   )

> **유진**: 세영아, 왜 화가 나 있어? 무슨 일 있었니?
>
> **세영**: 옆 반 친구 때문에 정말 화가 나.
>
> **유진**: 왜? 뭐라고 했는데?
>
> **세영**: 글쎄 우리 반은 키가 작은 땅콩들이니까 이번 농구 시합에서 질 거라는 거야.
>
> **유진**: 뭐? 정말 너무하네. 우리 열심히 연습해서 [   ]는 것을 보여 주자.

① 입이 가볍다 　　　　　② 등잔 밑이 어둡다 　　　　　③ 작은 고추가 더 맵다

2 보기 의 밑줄 친 말과 바꾸어 쓸 수 있는 말은 무엇인가요? ⋯⋯⋯⋯⋯⋯⋯⋯⋯ (   )

> **보기**　　　　　　　　땀을 많이 흘렸더니 갈증이 난다.

① 애가 탄다 　　　② 목이 탄다 　　　③ 속이 탄다 　　　④ 살이 탄다

3 다음 빈칸에 들어갈 알맞은 말은 무엇인가요? ⋯⋯⋯⋯⋯⋯⋯⋯⋯⋯⋯⋯⋯ (   )

> 고흐의 작품 중 [   ]는 뭐니 뭐니해도 「해바라기」라고 생각합니다. 이 그림은 태양
>
> 처럼 뜨겁고 격정적인 화가의 감정을 가장 잘 표현하고 있습니다.

① 흑미 　　　　　　　② 백미 　　　　　　　③ 우두머리

4 다음 빈칸에 들어갈 알맞은 낱말을 쓰세요.

고양이, 개, 고래처럼 새끼를 낳고 젖을 먹여 키우는 동물을 ☐☐ 동물이라고 합니다.

5 보기 를 보고, 다음 밑줄 친 부분을 수를 가리키는 우리말로 바꾸어 쓰세요.

보기
아버지는 40살에 미국으로 유학을 떠났습니다.
➜ 아버지는 마흔 살에 미국으로 유학을 떠났습니다.

(1) 우리 할아버지께서는 60살의 연세에도 건강하십니다.
➜ 우리 할아버지께서는 _____의 연세에도 건강하십니다.

(2) 나는 30살 즈음에 결혼을 하고 싶습니다.
➜ 나는 _____ 즈음에 결혼을 하고 싶습니다.

6 다음 중 밑줄 친 낱말이 바르게 쓰인 문장은 무엇인가요? ·········· (   )

① 옹기쟁이가 가마에서 옹기를 구워 냅니다.

② 이모는 새로 유행하는 옷을 즐겨 입는 멋장이입니다.

③ 언니는 무서운 영화는 절대 보지 못하는 겁쟁이입니다.

④ 사람들은 자기만 옳다고 우기는 고집장이를 싫어합니다.

7 빈칸에 공통으로 들어갈 알맞은 낱말은 무엇인가요? ·········· (   )

• ☐☐을 치르고 호텔을 떠났습니다.

• 비행 시간을 ☐☐에 넣지 않아서 여행 일정에 문제가 생겼습니다.

① 오산(誤算)   ② 계획(計劃)   ③ 예산(豫算)   ④ 계산(計算)

정답과 해설 40쪽

1 빈칸에 들어갈 알맞은 속담은 무엇인가요? ·································· (   )

> | 고, 유명한 작가가 되겠다는 말을 입에 달고 다니시던 엄마께서
>
> 정말 작가가 되셔서 방송에도 출연하셨습니다.

① 말이 씨가 된다

② 말 한 마디에 천 냥 빚도 갚는다

③ 가는 말이 고와야 오는 말이 곱다

④ 낮말은 새가 듣고 밤말은 쥐가 듣는다

2 빈칸에 들어갈 알맞은 말은 무엇인가요? ·································· (   )

> 밤낮을 | | 않고 열심히 노력하여 마침내 시험에 합격했습니다.

① 가르지   ② 보내지   ③ 가리지   ④ 지내지

3 빈칸에 들어갈 알맞은 한자 성어를 쓰세요.

> 관중과 포숙아처럼 | || || || | 를 나눌 진정한 친구가 있었으면 정말 좋겠습
>
> 니다.

4 밑줄 친 낱말과 뜻이 반대되는 낱말을 쓰세요.

(1) 부정적 생각을 버려라. ↔ | |

(2) 마침내 줄넘기 이단 뛰기에 성공했다. ↔ | |

(3) 이번 시합은 우리 팀이 유리하다. ↔ | |

5 빈칸에 들어갈 알맞은 낱말은 무엇인가요? ──────────────────── (　　　　)

> 밀가루와 육류 섭취가 늘어나면서 우리의 ☐☐☐이 점점 서양식으로 변하고 있습니다.

① 의생활　　　　　　　　② 식생활　　　　　　　　③ 주생활

6 빈칸에 공통으로 들어갈 알맞은 말을 보기 에서 찾아 쓰세요.

> 보기　　　　　　　관심　　심신　　자신

> • 오랜만에 산에 오르니 ☐☐이 상쾌합니다.
> • ☐☐이 허약하면 별 것 아닌 일에도 깜짝깜짝 놀라게 됩니다.

7 다음 문장에 알맞은 낱말에 ○표를 하세요.

(1) 어머니께서는 날씨가 춥다며 (두꺼운 / 두터운) 이불을 꺼내셨습니다.

(2) 우리는 방학 때면 함께 여행을 하며 (두꺼운 / 두터운) 정을 쌓았습니다.

8 밑줄 친 부분의 표기가 바른 것은 무엇인가요? ──────────────── (　　　　)

① 고슴도치는 뾰족한 가시로서 자신을 지킵니다.

② 아버지께서는 말썽꾸러기 동생을 말로써 타일렀습니다.

③ 우리 학교 대표로서 대회에 참가하여 최선을 다하겠습니다.

④ 아이가 건강하고 씩씩하게 자라는 것은 부모로써 큰 기쁨이 됩니다.

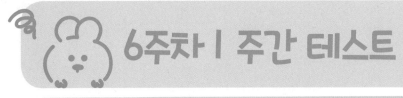

1 빈칸에 들어갈 알맞은 속담은 무엇인가요?·····························(   )

> 운동회 때 운동장에 줄 서는 것부터 우리 3학년이 먼저 모범을 보여야 합니다.
>
> [   ] 법이니까요. 질서와 규칙을 잘 지키며 운동회에 적극적으로 참
>
> 여하면 동생들도 우리를 따라 질서 있게 행동할 것입니다.

① 천 리 길도 한 걸음부터 걷는   ② 윗물이 맑아야 아랫물이 맑은

③ 돌다리도 두들겨 보고 건너는   ④ 우물을 파도 한 우물을 파야 하는

2 다음 문장에서 알맞은 말에 ○표를 하세요.

> 우리 아버지는 한번 시작한 일은 마무리 지을 때까지 절대 (귀를 기울이지 / 말을 바꾸어
>
> 타지) 않고 그대로 하십니다.

3 빈칸에 들어갈 알맞은 한자 성어는 무엇인가요?·····················(   )

> 고대 그리스의 도시 국가인 아테네와 스파르타는 [   ]이라 두 나라 사이에 전쟁
>
> 이 끊이지 않았습니다.

① 관포지교   ② 죽마고우

③ 견원지간   ④ 백발백중

4 다음 밑줄 친 낱말과 바꾸어 쓸 수 있는 낱말은 무엇인가요?

> 그가 이 일에 적합한 인재임을 모두가 한눈에 알아보았습니다.

① 앙숙   ② 재목   ③ 인품   ④ 후계자

5 빈칸에 들어갈 알맞은 낱말을 보기 에서 골라 쓰세요.

> 보기   부득부득   드문드문   재잘재잘

(1) 그가 빨리 가야 한다고 [   ] 우겨서 할 수 없이 따라 나섰습니다.

(2) 동생이 하루 종일 내 옆에서 [   ] 떠들어 공부를 할 수가 없습니다.

6 다음 문장에 알맞은 낱말에 ○표를 하세요.

(1) 입을 크게 (벌이고 / 벌리고) 하품을 하였습니다.

(2) 할머니 생신을 맞아 잔치를 (벌이기 / 벌리기)로 하였습니다.

7 밑줄 친 낱말을 맞춤법에 맞게 바르게 고쳐 쓰세요.

(1) 앞으로 재랑 친하게 지내렴. ➡ _____

(2) 명절을 맞아 친척 윗어른들께 세배를 했습니다. ➡ _____

(3) 며칠 동안 밥을 못 먹었더니 얼굴이 홀쭉하게 여의어 갔습니다. ➡ _____

8 빈칸에 공통으로 들어갈 알맞은 낱말은 무엇인가요? ·········· (   )

> • 이 동네는 전철역, 버스 정류장이 가까워 교통이 [   ]합니다.
>
> • 건조기, 식기 세척기 등 전기 제품 발달로 집안일이 한층 [   ]해졌습니다.

① 편리(便利)   ② 불편(不便)

③ 간편(簡便)   ④ 간단(簡單)

[1~2] 다음 글을 읽고, 물음에 답하세요.

한 농부가 보기 드물게 커다란 무를 수확하여 고을을 잘 다스리는 사또에게 선물로 바쳤어요. 사또는 귀한 무를 받았다며 *호방에게 보답할 것이 있는지 물었어요.

"네, 사또. 다른 것은 없고 송아지 한 마리가 있습니다."

"그럼 그걸 이 농부에게 내주거라."

이웃 마을에 사는 욕심 많은 농부는 이 소문을 듣게 되었어요.

'무를 바쳤는데 송아지라니, 내가 송아지를 바치면 더 큰 걸 받겠구나.'

욕심 많은 농부는 사또를 찾아가 송아지를 바쳤어요. 사또는 호방에게 귀한 물건이 있으면 가져오라고 했어요. 그러자 호방은 얼마 전에 들어온 커다란 무를 안고 와서 욕심쟁이 농부 앞에 내려놓았어요. 욕심쟁이 농부는 얼떨결에 송아지와 무를 바꾼 꼴이 되었어요.

*호방: 조선 시대에 돈과 곡식 등에 관한 일을 맡아보던 벼슬.

1 욕심 많은 농부의 모습에 어울리는 속담은 무엇인가요?·······················(   )

① 티끌 모아 태산

② 제 꾀에 제가 넘어간다

③ 발 없는 말이 천 리 간다

④ 하늘이 무너져도 솟아날 구멍이 있다

2 얼떨결에 와 바꾸어 쓸 수 있는 낱말은 무엇인가요?·······················(   )

① 선뜻   ② 기쁘게   ③ 뜻밖에   ④ 당연하게

3 다음 중 밑줄 친 부분이 바르게 쓰인 것은 무엇인가요?·······················(   )

① 용돈을 아껴 쓸께요.

② 이제 몇 일 후면 기다리던 방학입니다.

③ 계곡물에 손을 담구니 정말 시원했습니다.

④ 빗길에 미끄러져서 하마터면 큰일날 뻔했습니다.

4 빈칸에 들어갈 알맞은 낱말을 쓰세요.

> "거북이가 나를 따라오려면 아직도 멀었으니 나무 그늘에서 낮잠이나 자야겠다."
>
> 토끼가 잠을 자는 동안 거북이는 쉬지 않고 결승점을 향해 나아갔어요. 한참 후에 토끼가 눈을 떠 보니 결승점에 거북이가 서 있는 것이었어요.
>
> "게으름뱅이 토끼야, 잘 보라고! 내가 이겼지?"
>
> 잘난 척하던 토끼는 [   ]가 납작해졌어요.

5 다음 중 '모순'에 어울리는 상황은 무엇인가요? (정답 2개) ·················· (   )

① 좋은 성적을 받기 위해 열심히 노력하는 성규

② 자신의 잘못을 후회하고 친구에게 사과하는 은석

③ 찬 것을 싫어한다면서 아이스크림을 먹고 있는 서윤

④ 차도를 걸으며 교통질서를 지켜야 한다고 말하는 진영

6 밑줄 친 부분 중에서 맞춤법이 틀린 낱말을 찾아 ○표를 하고 바르게 고쳐 쓰세요.

> 숙제를 <u>않</u> 하고 게임만 하면 <u>어떡해</u>?

→ [   ]

7 보기 에서 밑줄 친 '명'이 '광명'에 쓰인 '명'과 같은 한자가 쓰인 낱말을 찾아 쓰세요.

光 明
빛 광 밝을 명
밝고 환함.

보기 별<u>명</u>   <u>명</u>암   생<u>명</u>

→ [   ]

1 빈칸에 들어갈 알맞은 속담은 무엇인가요?···(   )

> 과학자들이 계속된 실패에 " [   ] " 하며 포기했다면, 인류는 달에 착륙하여
>
> 지구의 모습을 바라보지 못했을 것입니다.

① 등잔 밑이 어둡다고 했지.

② 바늘 도둑이 소도둑 된다고 했지.

③ 오르지 못할 나무는 쳐다보지도 말아야지.

2 다음 중 두 낱말 사이의 관계가 <u>다른</u> 짝은 무엇인가요?·······························(   )

① 덕분 – 덕택   ② 우연히 – 어쩌다가

③ 부족하다 – 풍족하다   ④ 형편없다 – 보잘것없다

3 빈칸에 공통으로 들어갈 알맞은 말은 무엇인가요?·······································(   )

> • 산에 나무를 많이 심어도 산불이 크게 나면 [   ] 이 됩니다.
>
> • 자동차가 더러워서 방금 세차를 했는데, 비가 내려서 [   ] 이 되었네.

① 미궁   ② 파리 목숨   ③ 말짱 도루묵

4 다음 문장에서 알맞은 말에 ○표를 하세요.

> 내일 (만약 / 결코) 비가 온다면 다음에 만나자.

5 다음 중 '등용문'이라는 표현이 올바르게 사용된 신문 기사에 ○표를 하세요.

(1) 　최근 인터넷과 스마트폰에 지나치게 <u>등용문</u>하는 청소년이 증가한 것으로 조사됐다. 집에 머무는 시간이 늘고, 원격 수업이 확대되었기 때문으로 풀이된다.　　　　　　　　　　　　　 − ○○일보

(2) 　세계적인 연주자들의 <u>등용문</u>이자 국내에서 가장 오래된 역사와 전통을 자랑하는 '소년 △△일보 음악 경연 대회'에서는 대한민국 음악 꿈나무들의 당당한 도전을 기다립니다.　　　　　　 − △△일보

6 밑줄 친 표현이 바르지 <u>않은</u> 것은 무엇인가요?·····················(　)

① 약속 시간을 <u>반듯이</u> 지켜야 해.
② 사또에게 음식을 만들어 <u>바쳤습니다</u>.
③ 동생이 책상에 스티커를 <u>붙였습니다</u>.
④ 모차르트를 <u>가리켜</u> 음악의 천재라고 합니다.

7 다음 중 밑줄 친 '육'의 뜻이 나머지와 <u>다른</u> 것은 무엇인가요?·········(　)

① <u>육</u>체: 사람의 몸.
② <u>육</u>아: 어린이를 돌보고 기름.
③ 사<u>육</u>: 가축이나 짐승을 먹이고 돌보아 기름.
④ 교<u>육</u>: 지식과 기술 따위를 가르치며 인격을 길러 줌.

어휘력
자신감

초등 국어

3

단계

정답과
해설

1 (1) ○　(2) ○　(3) X　　**2** 지긋이, 실행, 낭비

3 의논

독해력을 키우는 어휘와 어법

4 (1) ㄹ　(2) ㄱ　(3) ㄷ　(4) ㄴ

5 ④

6 (1) 수　(2) 선뜻　(3) 의논　　**7** ②

8 (1) 지긋이　(2) 지그시　(3) 틀린 곳 없음　(4) 지그시

9 (1) 실행하지 않았어　(2) 의논하게　(3) 회의하는

---

1 쥐들은 고양이 목에 방울을 달 쥐를 뽑지 못하고 결국 고양이 목에 방울을 달지 못했습니다.

2 나이가 지긋이 든 쥐가 고양이 목에 방울을 달자고 의견을 냈지만 쥐가 고양이 목에 방울을 다는 것은 실행하기 어려운 일입니다. 하지만 쥐들은 며칠 동안 시간만 낭비하며 회의를 했습니다.

3 쥐들은 무서운 고양이를 피하려고 방울을 달 방법을 생각해 보았으나, 이는 실행하기 어려운 것을 의논하여 시간만 낭비한 것이었습니다. 이처럼 '고양이 목에 방울 달기'는 하기 어려운 것을 공연히 의논하는 것을 뜻하는 말입니다.

독해력을 키우는 어휘와 어법

4 (1)은 '낭비', (3)은 '공연히', (4)는 '회의'의 뜻을 고르면 됩니다.

5 손주가 와서 할머니가 대문 앞까지 마중 나오는 상황에는 '반기며'가 어울립니다.

6 '수'는 어떤 일을 하는 방법을, '선뜻'은 '아무 망설임이나 어려움 없이 쉽게.'라는 뜻을, '의논'은 '어떤 일에 대해 서로 의견을 나눔.'을 뜻하므로 밑줄 친 말과 각각 바꿔 쓸 수 있습니다.

7 '고양이 쥐 생각해 주다.'는 속으로는 해칠 마음을 품고 있으면서, 겉으로는 생각해 주는 척함을 이르는 말입니다. '고양이한테 생선을 맡기다.'는 고양이한테 생선을 맡기면 고양이가 생선을 먹을 것이 뻔한 일이란 뜻으로, 어떤 일이나 사물을 믿지 못할 사람에게 맡겨 놓고 마음이 놓이지 않아 걱정함을 비유적으로 이르는 말입니다.

8 (1) 나이가 비교적 많아 듬직해 보인다는 뜻의 '지긋이'로 고쳐야 합니다. (2) 눈을 슬며시 힘을 주어 감는 것이므로 '지그시'로 고쳐야 합니다. (3) 조용히 슬픔을 참고 견디는 모양을 나타내므로 알맞은 표현입니다. (4) 맨발로 흙을 슬며시 힘을 주어 밟는 모양이므로 '지그시'로 고쳐야 합니다.

9 (1) 질문하는 문장에 어울리는 말은 '실행하지 않았어?'입니다. (2) 집으로 초대하는 목적에 어울리는 말은 '의논하게'입니다. (3) '것' 앞에는 '~하는'의 모양이 자연스럽습니다.

---

1 산불, 예방

2 허용, 라이터, 위험한, 쓰레기

3 (1) 장작　(2) 눈, 사이　(3) 예방

독해력을 키우는 어휘와 어법

4 (1) ②　(2) ①　(3) ④　(4) ③

5 (1) 가파르다　(2) 자연 경관　(3) 까다롭다

6 ②

7 ②

8 (1) 손등　(2) 눈길　(3) 극장

9 (1) 태웠습니다　(2) 탔습니다　(3) 타고

---

1 이 글은 산불의 위험성과 산불을 예방하는 방법에 대해 설명하고 있습니다.

2 산불을 예방하기 위해서 등산객들은 허용된 곳에서만 밥을 먹고 요리를 하며, 산에 오를 때 라이터나 성냥 등을 사용하지 않아야 합니다. 또 산 근처에 사는 주민들은 집 주위에 가스통 등 위험한 물건을 놓지 않고, 쓰레기를 산에서 태우지 않도록 조심해야 합니다.

3 땔나무는 '장작'으로, 아주 짧은 시간은 '눈 깜짝할 사이'로, 미리 막는 것은 '예방'으로 바꾸어 쓸 수 있습니다.

독해력을 키우는 어휘와 어법

4 보기 에 있는 글자와 주어진 낱말의 뜻을 짐작하여 알맞은 낱말을 만들어 봅니다.

6 '간신히'는 '힘들게 겨우.'라는 뜻이므로, '겨우'와 바꾸어 써도 뜻이 통합니다.

7 모두 매우 짧은 순간을 나타내는 말인 '눈 깜짝할 사이에'가 들어가야 합니다. ①은 '무엇을 찾으려고 매우 집중하며', ③은 '상황을 잘 모르거나 어색하여 눈길을 어디에 두어야 할지 모르고', ④는 '눈앞의 광경이 비참하고 끔찍하거나 매우 민망하여 차마 볼 수 없게'를 뜻하는 말입니다.

8 '손등', '눈길', '극장' 모두 [손뜽], [눈낄], [극짱]으로 소리 나지만 글로 적을 때는 '손등', '눈길', '극장'으로 적습니다.

9 (1)은 모닥불을 붙여 마른 잎을 타게 했다는 뜻이므로 '태우다'가 (2)의 숲과 (3)의 장작은 불이 번져서 탄타는 뜻이므로 '타다'가 알맞습니다.

Day 03

1 (1) × (3) ×　　　2 정성껏, 형편, 반발
3 일곱, 차이, 잔꾀

독해력을 키우는 어휘와 어법

4 (1) ③　(2) ④　(3) ①　(4) ②
5 (1) 형편　(2) 차이　(3) 잔꾀
6 ①　　　　　　　7 ③
8 (1) 마음껏　(2) 지금껏　(3) 목청껏
9 (1) 반발할 것입니다　(2) 형편이 될 것입니다

Day 04

1 사신, 인재, 지휘, 칭송
2 (1) ②　(2) ①　(3) ③ / 기리어

독해력을 키우는 어휘와 어법

3 (1) ③　(2) ②　(3) ④　(4) ①
4 (1) ①　(2) ①　(3) ②　(4) ②
5 ③
6 ②
7 (1) 인제 → 인재　(2) 비로탄 → 비롯한
8 (1) 비석이야　(2) 기리어　(3) 지휘하다

---

1 송나라의 저공은 원숭이들을 자식과 같이 여겼으나 형편이 어려워져서 나눠 주는 도토리의 양을 줄여야 했습니다. 원숭이들은 도토리를 아침에 세 개, 저녁에 네 개 주는 것에는 반대했지만 아침에 네 개, 저녁에 세 개를 주는 것에는 찬성했습니다.

2 원숭이들을 정성껏 돌보던 송나라의 저공은 도토리를 구하기 힘들어져 원숭이들에게 아침에 세 개, 저녁에 네 개씩 주겠다고 말을 했다가 원숭이들의 반발로 아침에 네 개, 저녁에 세 개씩 주겠다고 다시 말을 하여 원숭이들을 달랬습니다.

3 저공이 아침에 세 개, 저녁에 네 개라고 말한 것과 아침에 네 개, 저녁에 세 개라고 말한 것은 그 결과가 같습니다. 이처럼 눈앞의 차이만 알고 결과가 같은 것을 모르는 어리석은 상황을 비유할 때 '조삼모사'라는 말을 사용합니다.

독해력을 키우는 어휘와 어법

5 (1)은 살림살이의 상태나 처지가 나아졌다는 뜻이므로 '형편'이, (2)는 성격이 달라서 싸웠다는 뜻이 되는 '차이'가, (3)은 늑대의 약은 꾀에 넘어갔다는 뜻이므로 '잔꾀'가 빈칸에 들어갈 말로 알맞습니다.

6 '거세다'는 주장이나 영향이 강한 것을 말하므로 '강하게'와 바꾸어 쓸 수 있습니다.

7 '조삼모사(朝三暮四)'는 눈앞의 차이만 알고 결과가 같은 것을 모를 때나 잔꾀로 남을 속여 놀리는 것을 이르는 말이므로 영은이가 바르게 사용하였습니다. 수정이가 쓸 수 있는 한자 성어는 '오합지졸(烏合之卒)'이고, 진호가 쓸 수 있는 한자 성어는 '일석이조(一石二鳥)', '일거양득(一擧兩得)'입니다.

8 '마음껏'과 '목청껏'은 '마음'과 '목청'의 뒤에 '-껏'이 붙어 '그것이 닿는 데까지'의 뜻이, '지금껏'은 '지금'의 뒤에 '-껏'이 붙어 '그때까지 내내'의 뜻이 더해진 말이 됩니다.

9 '-ㄹ 것입니다'는 문장에 추측의 뜻을 더해 주는 말입니다. '-ㄹ 것입니다'를 붙여서 (1)은 까닭 없이 반대한다면 누구든 반발하게 된다는 추측을, (2)는 낭비를 하면 형편이 나빠지게 된다는 추측을 나타냅니다.

1, 2 강감찬 장군이 태어날 때 집 위로 별이 떨어졌습니다. 그 주변을 지나가던 중국의 사신은 별이 떨어진 집에서 아기가 태어난 것을 알고는 장차 인재로 자랄 것이라 하였고, 그 말대로 강감찬 장군은 귀주대첩을 지휘하여 큰 승리를 거뒀습니다. 그래서 사람들은 강감찬 장군을 기리어 장군이 태어난 집터를 낙성대라고 불렀고, 이 일대의 지명은 현재 낙성대동이 되었습니다.

독해력을 키우는 어휘와 어법

4 (1)과 (2)는 목적을 위해 단체의 행동을 다스리는 것이므로 ①의 뜻이 알맞고, (3)과 (4)는 연주를 이끄는 것이므로 ②의 뜻이 알맞습니다.

5 보기의 낱말은 서로 뜻이 반대되는 관계에 있습니다. '기리다'와 '기념하다'는 서로 뜻이 비슷한 낱말입니다.

6 노인이 무학대사에게 '이곳'에서 십 리(十里)를 더 가라[往]한 데서 '왕십리'라는 지명이 유래되었습니다.

7 (1) 어떤 일을 할 수 있는 능력을 갖춘 사람을 뜻하므로 '인재'로 써야 합니다. '인제'는 '바로 이때.'라는 뜻입니다. (2) 여럿 가운데서 앞의 것을 첫째로 삼아 그것을 중심으로 다른 것도 포함한다는 뜻의 '비롯한'은 '비로탄'으로 소리 나는 대로 쓰지 않도록 주의합니다.

8 (1) 묻는 문장에서는 '비석이야'가 더 잘 어울립니다. (2) 할아버지의 뜻을 기리기 위해서 돕는 것이므로 '기리어'가 쓰여야 자연스럽습니다. (3) 이순신 장군이 병사들을 지휘하는 도중 적군이 쏜 총탄을 맞은 것이므로 '지휘하다'가

---

1 (1) ② (2) ① (3) ③
2 글자 자(字)
3 문화, 한자
4 (1) 문자, 한자 (2) 작문, 타자기 (3) 문화

2 주어진 낱말은 '한자(漢字)', '타자기(打字機)', '십자수(十字繡)'이므로 모두 빈칸에 '글자 자(字)'가 들어가야 알맞습니다.

3 우리나라의 문화는 바로 위에 이웃하고 있는 중국의 영향을 많이 받았습니다. 예전에는 문자로 중국 글자인 한자를 썼습니다. 하지만 세종 대왕이 백성들이 쉽게 쓸 수 있도록 한글을 창제하여 우리나라의 문자로 쓰게 되었습니다.

4 (1) 세종 대왕은 중국 문자인 한자로 힘들어하는 백성들을 위해 우리말에 맞는 한글을 창제했습니다. (2) 우리글이 없어지는 것을 막기 위해 한글로 작문한 사람들 덕에 한글을 지킬 수 있었습니다. 타자기는 서양에서 발명된 것으로, 컴퓨터가 생기기 전 문서를 만드는 데 사용했습니다. (3) 세계화 시대의 한류 열풍으로 음악, 영화 등 우리말과 우리글로 만든 우리의 문화를 전 세계 사람들이 즐기고 있습니다.

1 (1) ○ (2) × (3) ×
2 (1) 바닷가 (2) 분리, 한눈
3 샛길로 빠지다, 샛길로 새다

독해력을 키우는 어휘와 어법

4 (1) 유래 (2) 흔적 (3) 비록
5 해설 참조   6 (1) ② (2) ①
7 (1) 하필 (2) 졸지에   8 ②
9 (1) 배려해서 (2) 샛길 (3) 주제

1 (2) 삼천포시는 지금은 없어진 지역 이름입니다. (3) 예전에 삼천포에 사는 사람들은 "삼천포에 빠지다."는 말에 기분 나빠했다고 합니다.

2 "삼천포로 빠지다."라는 말의 유래는 주변을 지나가던 사람들이 아름다운 바닷가 도시인 삼천포에 자신도 모르게 갔다는 것과 분리되는 기차에서 한눈을 팔아 잘못된 방향인 삼천포로 가게 된 사람들이 많았다는 것 두 가지가 있습니다.

3 '샛길로 빠지다'와 '샛길로 새다'는 '엉뚱한 곳으로 가거나 정도에서 벗어난 일을 하다.'의 뜻을 지닌 관용어입니다.

독해력을 키우는 어휘와 어법

4 '유래'는 '사물이나 일이 생겨난 바.'를, '흔적'은 '어떤 것이 없어지거나 지나간 뒤에 남은 표시.'를, '비록'은 '아무리 그러하더라도.'를 뜻하는 낱말입니다.

5 ㉠은 '졸지에', ㉡은 '샛길', ㉢은 '주제', ㉣은 '분리하다'. ㉤은 '하필', ㉥은 '배려하다'로, 모두 색칠하면 개미가 됩니다.

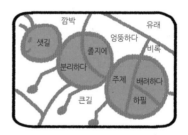

6 모습을 보고 생각하는 것과 다르다는 뜻으로 쓰였으므로 ②의 뜻이 알맞습니다. (2) 건물의 폭발과는 관계가 없는 사람들을 나타내므로 ①의 뜻이 알맞습니다.

7 (1) '다른 방법으로 하지 않고 어찌하여 꼭'이라는 뜻의 '하필'이 어울립니다. (2) '갑작스럽게.'라는 뜻의 '졸지에'가 어울립니다.

8 "삼천포로 빠지다."는 바닷가의 좋은 점을 말하다가 오징어 튀김으로 이야기가 엉뚱한 방향으로 흘러간 ②의 상황에 어울립니다. ①은 해 줄 사람은 생각지도 않는데 미리부터 다 된 일로 알고 행동하는 상황이므로 '김칫국부터 마신다'가 어울립니다.

1 ③   2 ②
3 (1) 바가지, ②   (2) 바가지, ①

독해력을 키우는 어휘와 어법

4 (1) ②   (2) ③   (3) ④   (4) ①
5 (1) 어색   (2) 존경   (3) 사양
6 (1) ② (2) ①   7 ①
8 (1) 높아지다   (2) 밝아지다   (3) 괜찮아지다   (4) 점잖아지다
9 (1) 냉랭하니   (2) 어색한   (3) 풍부하여, 받았습니다.

1 ① 원숭이는 가죽신 없이는 땅에서 걸을 수 없어서 나무 위로 올라가게 되었습니다. ② 너구리는 원숭이가 도토리를 주면 사양하지 않고 받았습니다. ④ 원숭이가 너구리에게 준 것은 도토리입니다. 원숭이는 땅에서 걸을 수 없게 돼 어쩔 수 없이 집을 버리고 나무 위로 올라갔습니다.

2 원숭이는 가죽신 없이는 아무 데도 갈 수 없게 되어서 도토리를 가지고 너구리 집으로 가게 되었다는 내용이 이어지므로 ㉠에는 '그래서'가 들어가야 합니다. 원숭이는 가죽신을 직접 만들려고 했지만 그러지 못했다는 내용이 이어지므로 ㉡에는 '그러나'가 들어가야 합니다.

3 너구리는 원숭이에게 바가지를 씌워 원숭이로 하여금 도토리를 많이 가져오도록 했습니다. 너구리에서 속은 원숭이는 순진하고 어리석은 성격이고, 너구리는 교활하고 꾀가 많으며 계획적인 성격이라 할 수 있습니다.

독해력을 키우는 어휘와 어법

5 (1) 자연스럽지 않다는 뜻의 '어색하다'가 알맞습니다. (2) 세종 대왕을 높이고 따르고 싶은 마음은 '존경하다'가 알맞습니다. (3) 겸손하게 받지 않는 '사양하다'가 알맞습니다.

6 (1) 먹은 양이 적다는 것이므로 ②가 알맞습니다. (2) 어렵게 힘들여 표를 구했다는 것이므로 ①이 알맞습니다.

7 600원짜리 생수를 턱없이 비싼 가격에 파는 상황을 가리키는 말이므로 물건을 제 가격보다 비싸게 주어 손해를 보게 한다는 뜻의 '바가지를 씌우다'가 알맞습니다. '누워서 떡 먹기'와 '땅 짚고 헤엄치기'는 하기가 매우 쉬운 것을 비유적으로 이르는 말이고, '눈 가리고 아웅'은 실제로 보람 없는 일을 형식적으로 하는 체할 때 주로 쓰입니다.

8 주어진 낱말에서 '-다'를 '-아지다'로 바꾸면 '그런 상태가 점점 되어 가다.'의 뜻이 더해집니다.

9 (1) 질문하는 문장에서는 '냉랭하니'가 더 어울립니다. (2) 문장의 현재 상태를 가리킬 때에는 '어색한 문장'이 자연스럽습니다. (3) 선생님이 학생들에게 존경을 받는 것이 더 자연스럽습니다. 그리고 선생님이 존경을 받는 이유는 아이들을 가르쳐 본 경험이 풍부하기 때문이므로 '풍부하여'가 더 어울립니다

1 거울, 방울, 바람, 구름
2 환웅, 쑥, 마늘, 단군
3 (1) ①   (2) ③   (3) ② / 정신

독해력을 키우는 어휘와 어법

4 (1) ③   (2) ①   (3) ②   (4) ④
5 (1) 지배자   (2) 증명   (3) 백성
6 ④   7 홍익인간
8 (1) 수북이   (2) 깨끗이   (3) 촉촉이
9 (1) 다스렸구나   (2) 진동하니   (3) 증명하자

1 환웅은 자신이 하늘의 신인 환인의 아들이라는 것을 증명하는 물건인 청동으로 된 검과 거울, 방울을 가지고 내려왔으며, 농사를 짓는 데 도움이 되는 비와 바람과 구름을 다스리는 신들과 함께 내려와 인간들을 돕도록 하였습니다.

2 사람이 되게 해 달라는 곰과 호랑이의 부탁에 환웅은 백 일 동안 햇빛을 보지 않고 쑥과 마늘만 먹어야 한다고 했습니다. 곰은 이것에 성공하고 웅녀라는 여자가 되었고, 환웅과 결혼하여 우리 민족의 조상님인 단군을 낳았습니다.

독해력을 키우는 어휘와 어법

5 (1) 다른 사람을 자신의 뜻대로 다스리는 '지배자'가 알맞습니다. (2) 진실인지 아닌지 증거를 들어서 밝히는 '증명하다'가 알맞습니다. (3) 국민을 이르는 말인 '백성'이 알맞습니다.

6 ④는 첫 번째 '진동'의 뜻으로 쓰였고, 나머지는 두 번째 '진동'의 뜻으로 쓰였습니다.

7 단군은 '홍익인간'을 기본 정신으로 하여 고조선을 세웠습니다.

8 '수북이'는 [수부기]로 소리 나므로 '이'로, '깨끗이'는 [깨끄시]로 소리 나므로 '이'로, '촉촉이'는 [촉초기]로 소리나므로 '이'로 적습니다.

9 (1) 느낌표가 있을 때는 '다스렸구나!' 또는 '다스렸군!'처럼 써야 합니다. (2) 물음표가 있을 때는 '진동하니?' 또는 '진동할까?'처럼 써야 합니다. (3) 무엇인가를 같이 하자고 할 때는 '증명하자.' 또는 '증명해 보자.'처럼 써야 합니다.

1 (1)○ (2)× (3)○

2 흑사병, 궁금증, 깨달음, 중력

3 (1) 관찰하다 (2) 추리하다 (3) 발견하다

독해력을 키우는 어휘와 어법

4 (1)㉠ (2)㉢ (3)㉣ (4)㉡

5 업적, 시초, 깨달음

6 (1)① (2)②   7 추리 / ③

8 (1)배든 사과든 (2)먹던   9 (3)○

---

1 뉴턴은 주변의 사물을 주의 깊게 관찰하고 그것이 어떻게 움직이는지 이해하기 위해 노력했습니다.

2 흑사병 때문에 학교에 갈 수 없어 고향으로 내려간 뉴턴은 우연히 사과나무 아래에서 졸고 있다가 사과에 머리를 맞았습니다. 떨어지는 사과를 보고 사과가 아래로만 떨어지는 것에 궁금증이 생긴 뉴턴은, 추리 끝에 깨달음을 얻고 모든 물체에는 중력이 존재한다는 만유인력의 법칙을 밝혀냈습니다.

3 (1)은 뉴턴이 떨어지는 사과를 관찰한 것이고, (2)는 땅에 떨어진 사과를 보며 추리한 것이며, (3)은 새로운 사실을 발견한 것입니다.

독해력을 키우는 어휘와 어법

5 에디슨이 만든 우리 삶을 유용하게 하는 발명품을 가리키는 말이므로 첫 번째 빈칸에는 '업적'이, 소리를 녹음하는 장치의 처음이 축음기라는 뜻이므로 두 번째 빈칸에는 '시초'가 알맞습니다. 에디슨의 삶과 말을 통해 노력이 가장 중요한 것을 알게 되었다는 뜻이므로 세 번째 빈칸에는 '깨달음'이 들어가야 알맞습니다.

6 (1) ②는 '발명하다'와 바꾸어 쓰기에 알맞습니다. (2) ①은 '수색하다'와 바꾸어 쓰기에 알맞습니다.

7 도일이는 생크림에 찍힌 발자국을 보고 범인을 추리하여 케이크를 먹은 범인이 강아지임을 알아낼 수 있었습니다.

8 (1) 배와 사과 중 선택을 하라는 뜻을 지니고 있으므로 '배든 사과든'으로 써야 합니다. (2) 어제의 일을 떠올린 것이므로 '먹던'으로 써야 합니다.

9 (1)은 '유행하는'으로, (2)는 '위대한'으로 쓰여야 자연스러운 문장이 됩니다.

1 (1)× (2)○ (3)○

2 (1) 외출 (2) 입장료

3 (1) 수출 (2) 출구

4 (1)⑥ (2)① (3)⑤ (4)④ (5)③ (6)②

---

1 (1) '출입'은 사람이 어떤 곳을 드나드는 것을 말합니다. 제시된 뜻은 '외출'의 뜻입니다.

2 아래의 뜻을 참고하여 문장에 맞는 낱말을 쓰면 (1) '외출', (2) '입장료'입니다.

3 (1) 미국이 우리나라에 밀을 팔아 내보내는 것이므로 상품이나 기술을 다른 나라로 팔아 내보낸다는 뜻의 '수출'이 알맞습니다. (2) 비상시 대피할 수 있는 문을 표시한 것이므로 '출구'가 알맞습니다.

4

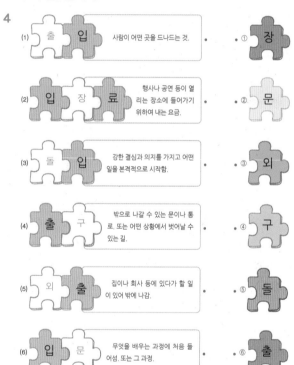

(1) 출입 — 사람이 어떤 곳을 드나드는 것. · · ① 장

(2) 입장료 — 행사나 공연 등이 열리는 장소에 들어가기 위하여 내는 요금. · · ② 문

(3) 돌입 — 강한 결심과 의지를 가지고 어떤 일을 본격적으로 시작함. · · ③ 외

(4) 출구 — 밖으로 나갈 수 있는 문이나 통로. 또는 어떤 상황에서 벗어날 수 있는 길. · · ④ 구

(5) 외출 — 집이나 회사 등에 있다가 할 일이 있어 밖에 나감. · · ⑤ 돌

(6) 입문 — 무엇을 배우는 과정에 처음 들어섬. 또는 그 과정. · · ⑥ 출

Day 11
본문 52쪽

1 (1) 폴란드 (2) 두 (3) 러시아
2 물리학, 라듐, 화학상, 지폐
3 고된, 좋은

독해력을 키우는 어휘와 어법

4 (1) ② (2) ① (3) ④ (4) ③
5 ③
6 (2) ○
7 ⑤
8 (1) 잃어버렸습니다 (2) 잃지 (3) 잊고
9 (1) 안 좋은 (2) 안 하고

---

1 마리의 고향인 폴란드는 한때 러시아의 식민지였습니다. 마리는 노벨상을 두 번이나 수상한 과학자이자 여성 최초의 노벨상 수상자입니다.

3 '고생 끝에 낙이 온다'는 어려운 일이나 고된 일을 겪고 난 뒤에는 반드시 즐겁고 좋은 일이 생긴다는 말입니다.

독해력을 키우는 어휘와 어법

5 '밤낮없이'는 '언제나 늘.'이라는 뜻으로, '쉼 없이', '끊임없이', '쉬지 않고'와 바꾸어 쓸 수 있습니다.

6 보기 에 쓰인 '공'은 '어떤 일을 위해 바친 노력과 수고. 또는 그 결과.'를 뜻하므로 (2)가 같은 뜻으로 쓰였습니다. (1)의 '공'은 운동이나 놀이 등에 쓰는 둥근 물건을 뜻합니다. (3)의 '공'은 국가나 사회, 단체, 집단과 관련된 일을 뜻합니다.

7 "고생 끝에 낙이 온다."는 열심히 살아가는 많은 사람에게 희망을 줄 때 쓰는 말입니다.

8 (1)은 '잃다'의 ①번 뜻, (2)는 '잃다'의 ②번 뜻, (3)은 '잊다'의 ①번 뜻으로 쓰였습니다.

9 '않'은 '아니하'의 준말로, '좋지 않은'은 '안 좋은'으로, '하지않고'는 '안 하고'로 바꾸어 쓸 수 있습니다. 뒤에 오는 말의 반대 뜻을 나타낼 때에는 '않'이 아니라 '안'으로 쓰고 뒷말과 띄어 써야 합니다.

Day 12
본문 56쪽

1 자린고비
2 (1) 밥버러지 (2) 빈손 (3) 굴비 (4) 흉년
3 (1) ○

독해력을 키우는 어휘와 어법

4 (1) 일화 (2) 부지하다 (3) 인색하다 (4) 호통
5 (1) ② (2) ④
6 (1) 실존 (2) 흉년   7 (3) ○
8 ②
9 (1) 같아요 (2) 갔다가 (3) 같다고

---

1 '자린고비'는 재물을 몹시 아끼는 사람을 낮추어 이르는 말입니다.

3 '눈도 깜짝 안 하다'는 '조금도 놀라거나 당황하지 않다.'라는 뜻입니다. (2)는 '혀를 내두르다'의 뜻입니다.

독해력을 키우는 어휘와 어법

5 '북어'는 말린 명태를, '굴비'는 소금에 약간 절여서 통으로 말린 조기를 말합니다. 얼린 명태는 '동태', 청어나 꽁치를 차게 말린 것은 '과메기'라고 합니다.

6 '허구의 인물'은 존재하지 않는 꾸며 낸 인물을 뜻하므로, 뜻이 반대되는 말은 '실존 인물'이며, '풍년'은 '농사가 잘되어 다른 때보다 수확이 많은 해.'를 뜻하므로 뜻이 반대되는 말은 '농사가 잘되지 않아 다른 때보다 수확이 적은 해.'인 '흉년'입니다.

7 '눈도 깜짝 안 하다'는 '조금도 놀라거나 당황하지 않다.'라는 뜻이므로, (3)의 상황이 가장 어울립니다. (1)과 (2)에 자연스럽게 어울리는 눈과 관련된 표현으로는 놀라서 눈을 크게 뜬다는 뜻의 '놀란 토끼 눈이 되어', '눈이 등잔만 해져서' 등이 있습니다.

8 '값을'은 [갑쓸]로 발음합니다. 'ㅄ' 받침은 '에', '은', '을', '이' 등 모음으로 시작하는 조사와 만나면 앞의 받침은 [ㅂ]으로, 뒤의 첫음은 [ㅆ]으로 소리 납니다.

9 (1), (3)은 '서로 다르지 않다.'라는 뜻으로 쓰이는 '같다'가 알맞습니다. (2)에는 '한곳에서 다른 곳으로 장소를 이동했다.'는 뜻의 '갔다'가 알맞습니다.

---

1 (1)× (2)× (3)○
2 포위, 사방, 의욕
3 (1)② (2)③ (3)① / 사방, 초나라, 노래

독해력을 키우는 어휘와 어법

4 (1)④ (2)① (3)③ (4)②
5 포위
6 ③, ④
7 민이
8 젓다, 젖었습니다
9 (1)바닷가 (2)나뭇가지

1 ④
2 전서구, 고립, 사례
3 (1)② (2)① / 소식, 방법

독해력을 키우는 어휘와 어법

4 (1)고립 (2)활약 (3)구조
5 아군
6 (1)훈장 (2)만세 삼창
7 ③
8 (1)② (2)②
9 (1)묶다 (2)섞다 (3)닦다

---

1 항우가 한나라에 쫓기는 신세였으며, 노랫소리를 들은 초나라 군사들은 고향을 그리워해 사기가 떨어졌습니다.

2 쫓기던 항우가 한나라 군사들에게 포위되었는데, 항우를 이기기 위해 장량이 꾀를 내어 항복한 초나라 군사들에게 밤마다 초나라 노래를 부르게 해 사방에 노랫소리가 울려 퍼졌습니다. 그것을 들은 초나라 군사들은 싸울 의욕을 잃고 도망쳐 항우는 싸움에서 패했습니다.

3 '사면초가'는 '사방에 초나라의 노래가 가득하다.'라는 뜻으로, 외롭고 곤란한 처지에 놓였다는 의미입니다.

독해력을 키우는 어휘와 어법

5 주위가 에워싸이고 둘러싸일 때 '포위되다'라는 낱말을 사용합니다.

6 '곤란하다'는 '사정이 몹시 어렵고 난처하다.'라는 뜻이므로, '어렵다', '난처하다'와 바꾸어 쓸 수 있습니다.

7 '사면초가'는 아무에게도 도움을 받지 못하는 외롭고 곤란한 처지에 놓였을 때 쓰는 말입니다.

8 '젓다'는 '액체나 가루 따위가 고르게 섞이도록 손이나 기구 따위를 내용물에 넣고 이리저리 돌리다.'의 뜻이고, '젖다'는 '물이 배어 축축하게 되다.'라는 뜻입니다. 어떤 심정에 잠기다는 뜻으로 이 글에서처럼 '그리움에 젖다' 등으로도 쓸 수 있습니다.

9 우리말로 된 단어끼리 합쳐질 때, 모음으로 끝나는 '바다', '나무' 등은 뒤에 'ㄱ'을 만나 '바닷가', '나뭇가지'처럼 사이시옷을 받쳐 씁니다.

1 ① 전서구는 교통이 불편한 지역의 통신 목적으로도 사용되었습니다. ② '셰르 아미'는 프랑스어입니다. ③ 군용으로 활용된 전서구의 통신 성공률은 95퍼센트에 달할 만큼 대단히 높았습니다.

2 다리에 쪽지를 매달아 정보를 전달하는 새를 전서구라고 합니다.(1문단) 1차 세계 대전 때 '셰르 아미'는 고립된 194명의 병사들을 구출하는 데 공을 세웠습니다.(2문단) 우리나라에서도 전서구가 신문사에 필름을 전달한 사례가 있습니다.(3문단)

3 '통신 수단'은 소식을 전하는 데 이용하는 방법이나 도구를 말합니다.

독해력을 키우는 어휘와 어법

4 (1)에는 '다른 곳이나 사람과 교류하지 못하고 혼자 따로 떨어짐.'의 뜻을 지닌 '고립'이, (2)에는 '활발히 활동함.'의 뜻을 지닌 '활약'이, (3)에는 '재난으로 위험에 처한 사람을 구함.'의 뜻을 지닌 '구조'가 알맞습니다.

5 적의 군대나 군사를 '적군'이라고 합니다. '적군'의 반대말은 우리 편 군대를 뜻하는 '아군'입니다.

6 (1) 나라에 크게 공헌한 사람에게 나라에서 주는 가슴에 다는 물건은 '훈장'입니다. (2) 두 손을 높이 들면서 만세를 세 번 외치는 일을 '만세 삼창'이라고 합니다.

7 전철은 소식을 전하는 통신 수단이 아니라, 이동할 때 쓰는 교통수단입니다.

8 받침 'ㅎ'은 뒤따르는 소리에 따라 발음을 달리해야 합니다. 받침 'ㅎ'이 'ㄱ', 'ㄷ', 'ㅂ', 'ㅈ'을 만나면 각각 [ㅋ], [ㅌ], [ㅍ], [ㅊ]으로 발음됩니다. 따라서 [이러케], [똘코]로 발음해야 합니다.

9 끈이나 줄로 매듭을 만드는 것은 '묶다', 두 가지 이상의 것을 한데 합치는 것은 '섞다', 때나 더러운 것을 없애거나 윤기를 내려고 문지르는 것은 '닦다'라고 씁니다.

Day 15
본문 68쪽

1 (1)③ – ㉠ (2)① – ㉢ (3)④ – ㉡ (4)② – ㉣
2 (1) 동백 (2) 입춘 (3) 하복
3 추석
4 • 봄: 입춘 • 여름: 하복 • 가을: 추석, 추분
  • 겨울: 동백, 동지

---

1 (1) 봄은 한자로 '춘(春)'입니다. 이십사절기 중 봄의 시작을 뜻하는 입춘(立春)에는 사람들이 좋은 기운이 오길 바라는 마음에서 입춘대길(立春大吉)을 대문에 거꾸로 써 붙입니다. (2) 여름은 한자로 '하(夏)'입니다. 여름에는 날씨가 더워서 사람들이 얇은 하복을 꺼내 입습니다. (3) 가을은 한자로 '추(秋)'입니다. 가을에는 봄부터 키운 벼를 추수해서 맛있는 쌀이 나옵니다. (4) 겨울은 한자로 '동(冬)'입니다. 겨울에는 눈이 내리고 추운 날씨 속에 붉거나 하얀 동백꽃이 피기도 합니다.

2 (1) '동백(冬栢)'은 눈 내리는 겨울에도 꽃이 피어 지어진 이름입니다. (2) '입춘(立春)'은 일 년을 이십사절기로 나누었을 때 봄이 오는 때를 가리키는 절기를 말합니다. (3) 여름에 입는 옷은 '하복(夏服)', 겨울에 입는 옷은 '동복(冬服)', 봄가을에 입는 옷은 '춘추복(春秋服)'입니다.

3 가을의 명절인 '추석(秋夕)'은 가을에 추수하고 그해 거둔 쌀로 빚은 송편과 햇과일 등의 음식을 장만하여 차례를 지냅니다. 추석에는 씨름, 줄다리기, 강강술래 등의 민속놀이를 즐깁니다.

4 '입춘(立春)'은 이십사절기 중 봄이 시작하는 날을 가리키는 말입니다. '하복(夏服)'은 여름에 입는 옷입니다. '추석(秋夕)'은 가을의 명절이고, '추분(秋分)'은 이십사절기 중 낮과 밤의 길이가 같은 가을날을 말합니다. '동백(冬栢)'은 겨울에 꽃이 피며, '동지(冬至)'는 이십사절기 중 밤의 길이가 가장 긴 날로, 겨울에 있습니다.

Day 16
본문 74쪽

1 ①
2 거인, 무릿매, 함성
3 (1)① (2)④ / 작은, 큰, 뛰어나고

독해력을 키우는 어휘와 어법

4 (1)④ (2)① (3)② (4)③
5 ②   6 ④
7 함성   8 (2)○
9 (1) 고집쟁이 (2) 개구쟁이 (3) 대장장이
10 (1) 열 살 (2) 한 그루 (3) 세 자루 (4) 다섯 개

---

1 이스라엘의 왕은 자신을 내보내 달라는 다윗에게, 어린 소년일 뿐인 다윗이 어려서부터 군인이 되어 전쟁터를 누빈 거인 골리앗을 이길 수 없을 것이라며 말렸습니다. 다윗은 거창한 무기 없이 돌멩이 다섯 개와 무릿매만 들고 골리앗과 맞섰고, 이것으로 돌이 이마에 박힌 골리앗은 쓰러지고 말았습니다. 골리앗이 쓰러지자 블레셋 군대는 모두 달아났습니다.

2 블레셋의 장군인 거인 골리앗과 맞서 싸우겠다고 나서는 이스라엘 사람이 아무도 없었는데, 이 이야기를 들은 다윗이 왕의 허락을 받아 무릿매와 돌멩이만 들고, 갑옷으로 무장한 골리앗 앞으로 나아갔습니다. 다윗이 던진 돌에 이마를 맞은 골리앗이 쓰러지자, 이스라엘 군대는 함성을 지르며 달려나갔고 블레셋 군대는 달아났습니다.

3 "작은 고추가 더 맵다."는 몸집이 작은 사람이 큰 사람보다 재주가 뛰어나고 야무짐을 나타내는 말입니다.

독해력을 키우는 어휘와 어법

5 '쏜살같이'는 '쏜 화살과 같이 매우 빠르게.'라는 뜻입니다.

6 '양치기'와 '군인'은 직업의 한 종류입니다. 양치기나 군인 외에 교사, 의사, 가수, 화가 등 돈을 벌기 위해 일정 기간 동안 계속하여 하는 일을 '직업'이라고 합니다.

7 '여러 사람이 함께 큰 소리로 외치거나 지르는 소리'란 뜻의 '함성'이 들어가야 알맞습니다.

8 "작은 고추가 더 맵다."는 몸집이 작은 사람이 큰 사람보다 재주가 뛰어나고 야무짐을 나타낼 때 쓰는 말입니다.

9 어떤 특성이 있는 사람은 '-쟁이'를 붙여 '고집쟁이', '개구쟁이'처럼 쓰고, 어떤 기술이 있는 사람은 '-장이'를 붙여, '대장장이', '옹기장이', '도배장이'와 같이 씁니다.

10 수를 나타내는 말과 단위를 나타내는 말 사이는 띄어 써야 하므로, '열 살', '한 그루', '세 자루', '다섯 개'처럼 띄어 쓰도록 합니다.

1 (1) ○ (2) ○ (3) ×
2 불법, 해골, 마음
3 갈증

4 (1) ① (2) ③ (3) ④ (4) ②
5 ③
6 (1) 50 (2) 40 (3) 30 (4) 60
7 (1) ○
8 (1) 배터 (2) 차자 (3) 써근
9 찾다, 찾고, 찾습니다

1 원효대사는 큰 깨달음을 얻은 후 당나라에 가는 것을 그만두고 신라로 돌아와 불교를 널리 알리는 데 힘썼습니다.

2 불법을 공부하러 당나라로 떠났다가 비를 만나 동굴에서 하룻밤을 지내게 된 원효대사는 간밤에 목이 타서 마셨던 시원한 물이 알고 보니 해골 물이었다는 사실을 알고 모든 것이 마음먹기에 달렸다는 것을 깨달았습니다. 그래서 당나라에 가지 않고 신라로 돌아와 불교를 널리 알리는 데 힘썼습니다.

3 '목이 타다'는 '심하게 갈증을 느끼다.'라는 뜻입니다.

5 '즈음'은 '무렵'으로, '갈증'은 '목마름'으로 바꾸어도 뜻이 통합니다. '기여하다'는 '도움이 되도록 이바지하다.'라는 뜻이고, '기부하다'는 '자선 사업이나 공공사업을 돕기 위하여 돈이나 물건 따위를 대가 없이 내놓다.'라는 뜻이므로 그 뜻이 다릅니다.

6 30은 '서른', 40은 '마흔', 50은 '쉰', 60은 '예순'으로 읽습니다.

7 '목이 타다'는 '심하게 갈증을 느끼다.'는 뜻으로 (1)에 들어가야 알맞습니다. (2)에는 '살이 타서', (3)에는 '애가 타서'가 들어가야 어울립니다.

8 받침이 하나인 앞 글자에 모음이 이어지면 앞 글자의 받침을 다음에 오는 모음의 첫 글자 자리로 옮겨서 읽습니다. 따라서 '뱉어'는 [배터]로, '찾아'는 [차자], '썩은'은 [써근]으로 읽습니다.

9 '찾다'는 '여기저기를 뒤지거나 살피다.'라는 뜻이고, '찼다'는 '발로 내어 지르거나 받아 올렸다.'라는 뜻입니다.

1 촉나라, 인재, 다섯
2 무술, 눈썹, 백미
3 (1) 흰 눈썹 (2) 평범한 사람 가운데 뛰어난 사람

4 (1) 곤경 (2) 신임 (3) 학문
5 (1) ① (2) ③
6 (2) ○
7 ①
8 (1) 까매서 (2) 빨개서
9 가리킬, 가르쳐

1 촉나라의 유비는 오나라의 손권과 손을 잡고 적벽대전에서 승리해 형주 땅을 차지했습니다. 그리고 그곳의 인재인 마량을 추천받아 신하로 얻게 되었습니다. 마량은 마씨 성의 다섯 형제 중 가장 뛰어난 재주를 지녔다는 평가를 받았습니다.

2 형주 땅의 마씨 성을 가진 다섯 형제는 무술뿐만 아니라 글과 시 등의 학문에 뛰어난 것으로 유명하였는데, 그중 마량이 가장 뛰어났습니다. 마량은 흰 눈썹을 가지고 태어났다고 해서 '백미'라 불렸는데, 이로부터 여럿 가운데 가장 뛰어난 사람이나 뛰어난 물건, 작품을 '백미'라고 부르게 되었습니다.

3 '백미'는 '흰 눈썹'이라는 뜻으로 여럿 가운데 가장 뛰어난 사람 또는 물건이나 작품을 가리키며, '군계일학'은 '많은 닭 중에 한 마리의 학'이라는 뜻으로 평범한 사람 가운데 뛰어난 사람을 가리키는 말입니다.

5 (1)에서는 사람을 높여 부르는 말로, (2)에서는 노력과 수고를 들여 이룬 결과로서의 공적을 뜻하는 말로 '공'이 사용되었습니다.

6 '손을 잡다'는 '서로 힘을 합하다.'의 뜻으로 쓰였습니다. (1)은 '손을 끊다'가, (2)는 '바짓가랑이를 붙잡다'가 적절합니다.

7 ①은 '가장 뛰어난 작품'의 뜻으로 '백미'를 사용하였습니다. ②에 쓰인 '백미'는 '흰 쌀'을 뜻하는 말입니다.

8 '하얗다'와 '노랗다'가 '하얘서', '노래서'로 모양이 바뀌는 것처럼, '까맣다'는 '까매서'로, '빨갛다'는 '빨개서'로 활용됩니다.

9 '가리키다'는 '손가락 따위로 어떤 방향이나 대상을 집어서 보이거나 말하거나 알리다.'의 뜻이고, '가르치다'는 '지식이나 기능, 이치 따위를 깨닫게 하거나 익히게 하다.'의 뜻입니다.

1 ③
2 새끼, 젖, 초음파, 사냥, 십(10)
3 포유동물
4 한살이

독해력을 키우는 어휘와 어법

5 (1) ①   (2) ③   (3) ②   (4) ④
6 ③
7 (1) 밤   (2) 두껍다   (3) 밝다
8 ②
9 (1) 낳기   (2) 낫기
10 (1) 낮에는   (2) 젖을   (3) 찾으러

---

1 박쥐는 낮에는 자고 밤에만 날아다닙니다.

2 박쥐는 동굴에서 새끼를 낳고, 새끼는 날 수 있을 때까지 어미 젖을 먹고 자랍니다. 박쥐는 눈이 보이지 않지만 초음파를 이용해 작은 곤충을 사냥할 수 있으며, 보통 십 년 정도 삽니다.

3 박쥐뿐만 아니라 사람, 개, 고래 모두 포유동물이라고 하였습니다.

4 동물이 태어나서 어린 시절을 거치며 성장하여 새끼를 낳고 죽을 때까지의 과정을 '동물의 한살이'라고 합니다.

독해력을 키우는 어휘와 어법

6 '산울림'과 '메아리'는 '울려 퍼져 가던 소리가 산이나 절벽 같은 데에 부딪쳐 되울려오는 소리.'라는 뜻을 지닌 말입니다.

7 '낮'의 반대말은 '밤', '얇다'의 반대말은 '두껍다', '어둡다'의 반대말은 '밝다'입니다.

8 개는 포유동물이므로 새끼를 낳습니다. 따라서 '새끼 → 강아지 → 큰 강아지 → 개'의 한살이를 거칩니다.

9 '낳다'는 '배 속의 아이, 새끼, 알을 몸 밖으로 내놓다.'라는 뜻이며, '낫다'는 '병이나 상처 따위가 고쳐져 본래대로 되다.'라는 뜻입니다.

10 '밤'의 반대말은 '낮'이고, 어미 박쥐가 새끼에게 먹이는 것은 '젖'이며, 주변에 없는 것을 얻거나 만나기 위해 여기저기를 뒤지거나 찾는 것은 '찾다'입니다. '낫'은 풀을 벨 때 쓰는 농기구이고, '젓'은 '새우젓', '멸치젓' 같은 삭힌 음식을 말합니다.

---

1 (1) ①   (2) ③   (3) ②
2 계산
3 계획, 오산, 생계
4 해설 참조

---

2 '계산'은 수를 세거나 더하기, 빼기, 곱하기, 나누기 등의 셈을 하는 것을 뜻하며, 이외에도 어떤 일을 미리 예상하거나 고려하는 것, 물건값이나 비용을 내는 것, 어떤 일이 자신에게 이익인지 손해인지 따지는 것을 뜻하기도 합니다.

3 앞으로의 일을 자세히 생각하여 정함을 뜻하는 '계획'과 잘못된 추측이나 예상을 뜻하는 '오산', 그리고 살림을 꾸리고 살아가는 방법이나 형편을 뜻하는 '생계'가 빈칸에 알맞은 낱말입니다.

4

---

1 (1) ○ (2) × (3) ×

2 역전극, 부정적, 말조심

3 ③

독해력을 키우는 어휘와 어법

4 (1) ② (2) ④ (3) ① (4) ③

5 (1) ㉠ (2) ㉢ (3) ㉡

6 ③

7 ③

8 (2) ○

9 (1) 오지 않는 (2) 먹지 않았습니다

1 ②

2 의서, 귀양, 동의보감

3 (2) ○

독해력을 키우는 어휘와 어법

4 (1) 피난 (2) 처방 (3) 의술

5 ④   6 ②

7 (1) ○ (3) ○

8 모시고

9 (1) 대화로써 (2) 회장으로서

10 (1) 됐으면 (2) 돼서

---

1 모두가 결승전에서 박상영 선수가 승부를 뒤집기에는 늦었다 생각했습니다. 세계 1위 선수를 꺾고 리우 올림픽 결승전에 올라온 선수는 헝가리의 게자 임레 선수입니다.

2 2016년 리우 올림픽 남자 펜싱 경기에서 "할 수 있다!"를 외쳐 역전극을 펼친 박상영 선수가 말이 씨가 된 예입니다. 뇌 과학적으로도 부정적인 말을 하면 그 말이 뇌에 입력되어 짜증 나는 상태가 되고, 긍정적인 말을 하면 행복해진다고 합니다. 따라서 글쓴이는 말이 씨가 된다는 사실을 명심해 항상 말조심을 하고, 긍정적인 말을 하자고 말하고 있습니다.

3 "말이 씨가 된다."는 늘 말하던 것이 마침내 사실대로 되었을 때를 이르는 말로, 긍정적이고 이로운 말을 많이 하라는 교훈을 주는 말입니다.

독해력을 키우는 어휘와 어법

5 '승리'의 반대말은 '패배', '부정적'의 반대말은 '긍정적', '이로운'의 반대말은 '해로운'입니다.

6 점수를 '따내다', '얻다', '획득하다'는 모두 자신의 힘으로 점수를 가지고 오는 것을 뜻하는 말입니다. 그러나 '뜯어내다'는 '남의 것을 조르거나 위협하여 얻어 내다.'를 뜻하므로 바꾸어 쓰기에 어색합니다.

7 '입에 달고 살다'는 습관처럼 늘 되풀이해 자주 말한다는 뜻입니다.

8 "말이 씨가 된다."는 늘 말하던 것이 사실대로 된다는 뜻이므로 평원왕이 늘 말하던 대로 평강 공주가 바보 온달에게 시집을 간 (2)의 상황에 어울립니다.

9 '아무도' 뒤에는 부정의 뜻을 가진 말이 와야 어울립니다. '아무도 오지 않는', '아무도 먹지 않았습니다'로 고쳐 써야 문장이 자연스럽습니다.

---

1 선조 임금이 허준에게 백성이 쉽게 볼 수 있는 의서를 만들라고 명했습니다.

2 선조 임금은 허준에게 백성이 쉽게 볼 수 있는 의서를 만들라 명했고, 명을 받은 허준은 피난을 갔다와서도, 멀리 귀양을 가서도 의서를 만드는 일에 몰두했습니다. 허준이 완성한 25권의 책에 광해군은 『동의보감』이란 이름을 지어 주었습니다.

3 '밤낮을 가리지 않다'는 쉬지 않고 계속하는 것을 말합니다.

독해력을 키우는 어휘와 어법

5 '귀양'은 옛날에 죄인을 먼 시골이나 섬으로 보내어 일정 기간 동안 제한된 곳에서 살게 했던 형벌을 뜻하고, '피난'은 재난을 피해 멀리 옮겨 가는 것을 뜻하므로 서로 뜻이 비슷한 말이 아닙니다.

6 '돌아가시다, 숨을 거두다' 모두 '죽다'를 나타내는 표현입니다. '돌이키다'는 '원래 향하고 있던 방향에서 반대쪽으로 돌리다.'라는 뜻입니다.

7 '밤낮을 가리지 않다'는 '쉬지 않고 계속하다.'라는 뜻입니다. 밤낮을 가리지 않고 연구에 몰두하거나 밤낮을 가리지 않고 줄넘기 연습을 한다는 문장은 자연스럽습니다. (2)는 처음 보는 사람에게도 꺼리지 않고 인사를 잘한다는 의미인 '낯을 가리지 않고'가 어울립니다.

8 '모시다'는 '웃어른이나 존경하는 이를 가까이에서 받들다.'라는 뜻으로, '데리고'의 높임 표현은 '모시고'입니다.

9 일의 수단이나 도구를 나타낼 때는 '-로써'를, 신분이나 자격을 나타낼 때는 '-로서'를 씁니다. '대화'는 싸움을 해결하는 수단이므로 '-로써'를, '회장'은 지위를 나타내므로 '-로서'를 쓰는 것이 알맞습니다.

10 '되어'는 '돼'로 줄여 쓸 수 있습니다. '되었으면'은 '됐으면'으로, '되어서'는 '돼서'로 줄여 씁니다.

1 (1) 재주　(2) 불리　(3) 재상
2 비난, 비겁자, 관포지교
3 (1) ④　(2) ②　(3) ①　(4) ③ / 우정

독해력을 키우는 어휘와 어법

4 (1) ①　(2) ③　(3) ②
5 ④
6 ②
7 ①
8 (2) ○
9 두꺼운, 두터운
10 (1) ①　(2) ②

1 (1) ×　(2) ○　(3) ○
2 가죽, 사냥, 텐트, 이글루
3 의식주, 옷, 음식(식량), 집

독해력을 키우는 어휘와 어법

4 (1) 원주민　(2) 식량　(3) 추측
5 (1) ⓒ　(2) ㉠　(3) ⓒ
6 동물
7 ①
8 (1) 역할　(2) 켜고
9 ④

1 포숙아는 관중의 뛰어난 재주를 알아 그를 아끼고 감싸 주었습니다. 전쟁에서 싸움이 불리해지자, 관중은 혼자서 세 번이나 도망을 쳤지만 포숙아는 그를 두둔했습니다. 그리고 포숙아는 죽을 위기에 처한 관중을 뽑아 써야 한다고 환공을 설득하여, 환공은 관중을 재상으로 삼았습니다.

2 관중과 포숙아는 어려서부터 둘도 없는 친구가 되었고, 사람들이 관중을 비난하고, 비겁자라 욕해도 포숙아는 늘 관중을 아끼고 감싸 주었습니다. 훗날 사람들은 둘의 우정을 가리켜 '관포지교'라고 불렀습니다.

3 '관포지교'는 관중과 포숙아의 사귐처럼 우정이 두터운 친구 관계를 이르는 말입니다.

독해력을 키우는 어휘와 어법

5 ①~③은 뜻이 서로 반대 관계의 낱말이고, ④는 뜻이 비슷한 관계의 낱말입니다.

6 '대수롭지 않다.'는 '별일이 아니다.', '아무렇지도 않다.'는 뜻입니다.

7 주어진 문장에서 '바람'은 '~는 바람에'와 같이 쓰여 뒷말의 이유나 원인을 나타냅니다.

8 '관포지교'는 서로 믿어 주는 친구 사이를 이르는 말입니다.

9 '두껍다'는 '두께가 보통의 정도보다 크다.'는 뜻이고, '두텁다'는 '믿음, 관계, 인정 등이 굳고 깊다.'는 뜻입니다. 따라서 '두껍다'는 물건의 두께를 나타낼 때, '두텁다'는 관계나 믿음의 정도를 나타낼 때 쓰는 말입니다.

10 (1) 받침 'ㄲ' 뒤에 모음이 오면 앞의 받침은 [ㄹ]로, 뒤의 첫음은 [ㄱ]으로 소리 납니다. (2) 받침 'ㄲ' 뒤에 자음 'ㄱ'이 오면 앞의 받침은 [ㄹ]로, 첫음은 [ㄲ]으로 소리 납니다.

1 이누이트가 사는 북극해 지역은 일 년 내내 땅속이 얼어붙어 있어서 농작물을 키울 수가 없습니다.

2 이누이트는 추운 날씨 때문에 동물의 가죽으로 옷을 만들어 입고, 순록, 물범 등을 사냥해 먹었으며, 툰드라 지대의 잔디 땅에 지은 흙담집, 동물의 가죽과 뼈로 만든 텐트, 눈덩이를 벽돌 모양으로 쌓아 올린 이글루에서 살았습니다.

3 '의식주'는 사람이 살아가는 데 가장 기본적이고 필수적인 세 가지 요소를 말합니다. '의'는 입을 옷, '식'은 먹을 음식, '주'는 생활하는 집을 말합니다.

독해력을 키우는 어휘와 어법

5 '표면'과 '겉면', '추측'과 '짐작', '일컫다'와 '부르다'가 비슷한 뜻의 낱말입니다.

6 석유, 석탄, 가스, 고래 기름은 모두 열, 빛, 움직이는 힘 등 에너지를 얻을 수 있는 물질인 연료입니다. 따라서 '연료'는 석유, 석탄, 가스, 고래 기름을 모두 포함하는 낱말입니다. 순록, 바다표범, 북극곰, 고래, 연어를 모두 포함하는 낱말은 '동물'입니다.

7 먹고 사는 것이 '의식주'에 해당하므로 ①은 자연스럽지 못한 문장입니다.

8 마땅히 하여야 할 직책이나 임무를 뜻하는 '역할'은 '역활'로 잘못 쓰기 쉽습니다. 등잔이나 양초 따위에 불을 붙이는 것은 '키다'가 아니라, '켜다'로 써야 합니다.

9 ①은 불을 일으켜 타게 하다라는 뜻이며, ②는 물체와 물체를 서로 바짝 가깝게 하다라는 뜻입니다. ③은 어떤 감정이나 감각을 생기게 하다라는 뜻이고, ④가 [보기]와 같이 이름이 생기게 하다라는 뜻으로 쓰였습니다.

Day 25

본문 112쪽

1 (1) 관심   (2) 중심   (3) 심리   (4) 신체
2 (1) 대신   (2) 자신
3 (1) 마음   (2) 몸
4 해설 참조

2 (1)은 밥을 대신하여 죽을 먹었다는 말이고, (2)에서 왕비는 백설 공주보다 자기 자신이 예쁘다고 생각한다는 말입니다.

3 작심(作心)은 '마음'을 먹음을, 살신(殺身)은 '몸'을 죽임을 뜻합니다.

4

Day 26

본문 118쪽

1 (1) ○   (2) ○   (3) ○   (4) ×
2 수레, 구덩이, 효도
3 (1) ①   (2) ② / 윗사람, 아랫사람

독해력을 키우는 어휘와 어법

4 (1) ②   (2) ①   (3) ③
5 ③
6 ③
7 ④
8 (2) ○
9 (1) 윗집   (2) 윗니   (3) 웃돈
10 (1) 쟤   (2) 걔

1 농부의 아버지는 자신을 버리고 가는 아들을 마지막까지 걱정하였습니다.

3 "윗물이 맑아야 아랫물이 맑다."는 윗사람이 먼저 바르게 행동해야 아랫사람도 본받아 잘한다는 뜻입니다.

독해력을 키우는 어휘와 어법

5 '영문'은 일이 돌아가는 형편이나 그 까닭을 뜻하므로, '까닭'으로 바꾸어 써도 그 뜻이 통합니다.

6 '눈앞이 캄캄해지다'는 어찌할 바를 몰라 아득해진 상태를 말합니다.

7 '묵묵히'는 '말없이 조용하게'의 뜻이므로, 묵묵히 일하고, 묵묵히 걷고, 묵묵히 듣고, 묵묵히 지켜보는 것은 어울리나, 묵묵히 소리치는 것은 어색합니다.

8 "윗물이 맑아야 아랫물이 맑다."는 윗사람이 먼저 바르게 행동해야 아랫사람도 본받아 잘한다는 뜻이므로, (2)가 속담을 바르게 사용한 예에 해당합니다.

9 '윗집/아랫집', '윗니/아랫니'와 같이 위와 아래의 구분이 있는 경우는 '윗-'을 붙여 씁니다. '웃돈'은 본래 값에 덧붙이는 돈이라는 뜻으로, 아래와의 구분이 없는 낱말이므로 '웃-'을 붙여 씁니다.

10 '저 아이', '그 아이'를 줄여 쓸 때에는 '쟤', '걔'로 쓰는 것이 바른 표기입니다.

1 백 년 전쟁, 프랑스, 앙숙

2 후계자, 백 년, 잔 다르크

3 개, 원숭이, 나쁜

독해력을 키우는 어휘와 어법

4 (1) ③ (2) ④ (3) ① (4) ②

5 ①

6 ③

7 (2) ○

8 벌리고, 벌이는

9 (1) 열 살 (2) 칠백 년

---

1 잔 다르크의 활약으로 프랑스가 승리하며 끝난 전쟁은 백 년 전쟁입니다. 백 년 전쟁이 끝난 후에도 영국과 프랑스는 계속 앙숙으로 지내며, 전쟁을 벌이고 경쟁을 하였습니다.

2 프랑스의 후계자 문제와 플랑드르 같은 프랑스에 있는 영국의 땅을 두고 다투면서 백 년 전쟁이 시작되었고, 전쟁이 백년 넘게 이어지면서 두 나라는 상대편 나라를 서로 미워하는 마음이 점점 커졌습니다. 프랑스의 영웅 잔 다르크의 활약으로 전쟁은 프랑스의 승리로 끝났습니다.

3 '견원지간'은 개와 원숭이의 사이라는 뜻으로, 사이가 매우 나쁜 두 관계를 비유적으로 이르는 말입니다.

독해력을 키우는 어휘와 어법

5 '속절없이'는 '단념할 수밖에 달리 어찌할 방법이 없이.'라는 뜻입니다. 어쩔 수 없이 시간은 흘러가고, 어쩔 수 없이 나이를 먹고, 어쩔 수 없이 당하기만 할 수는 있지만, 어쩔 수 없이 별들이 떠 있다는 말은 어색합니다. ①은 '속절없이' 대신 '끝없이'나 '수없이'가 들어가야 어울립니다.

6 '뚜껑을 열다'는 사물의 내용이나 결과 등을 보는 것을 비유하는 말입니다. 그만두는 것을 비유하는 말은 '뚜껑을 덮다', 화가 나는 것을 좋지 않게 말하는 것은 '뚜껑이 열리다'입니다.

7 '견원지간'은 사이가 매우 나쁜 두 관계를 비유적으로 이르는 말입니다.

8 '벌리다'는 '둘 사이를 넓히거나 멀게 하다.'라는 뜻이고, '벌이다'는 '전쟁이나 말다툼 따위를 하다.'라는 뜻입니다.

9 나이를 세는 말 '살'과 한 해를 세는 말 '년'은 숫자와는 붙여 쓰지만 수를 나타내는 말과 띄어 씁니다.

---

1 (1) 문추 (2) 재목 (3) 특출한

2 태도, 후회, 산적

3 (1) ○

독해력을 키우는 어휘와 어법

4 (1) 승부 (2) 눈여겨보다 (3) 인품

5 ②

6 (1) ② (2) ①

7 (1) ○ (3) ○

8 (1) [훌련] (2) [골란] (3) [달란한]

9 (1) 쫓기다 (2) 쫓다 (3) 쫓다

---

2 조자룡은 원래 원소의 부하였으나, 제멋대로인 원소의 태도를 참지 못하고 고향으로 돌아가려던 중에 공손찬의 목숨을 구해 주고 그의 부하가 되었습니다. 이후 유비를 만난 조자룡은 성급히 공손찬의 부하가 된 것을 후회하였고, 공손찬을 떠나 산적들의 우두머리로 있다가 결국 유비의 부하가 되었습니다.

3 '말을 바꾸어 타다'는 사람이나 일 따위를 바꾸거나 변경하다라는 뜻입니다.

독해력을 키우는 어휘와 어법

5 ②의 '재목'은 어떤 일에 적합한 능력을 갖춘 사람을 뜻합니다. ①, ③의 '재목'은 무엇을 만드는 데 쓰는 나무를 뜻합니다.

6 '후퇴하다'는 '뒤로 물러나다.'라는 뜻이므로 '물러나는'과 바꾸어 쓸 수 있고, '전진하다'는 '움직여 앞으로 나가다.'라는 뜻이므로 뜻이 반대됩니다. '난폭하다'는 '행동이 몹시 거칠고 사납다.'라는 뜻이므로 '사나운'과 바꾸어 쓸 수 있고, '온화하다'는 '성격이나 태도가 온순하고 부드럽다.'라는 뜻이므로 뜻이 반대됩니다.

7 '말을 바꾸어 타다'는 사람이나 일 따위를 바꾸거나 변경하다는 뜻입니다.

8 받침 'ㄴ'은 'ㄹ' 앞에서 [ㄹ]로 발음하기 때문에 '훈련'은 [훌련]으로, '곤란'은 [골란]으로, '단란한'은 [달란한]으로 발음합니다.

9 '쫓다'는 제 힘으로 움직여 대상을 잡으려 하거나 내보내는 의미를 지녔고, '쫓기다'는 다른 힘에 의해 움직여 도망가거나 떠나게 된다는 의미를 지녔습니다. 범인은 도망치는 입장이므로 '쫓기다', 술래와 엄마는 대상을 잡거나 내보내려 하므로 '쫓다'가 알맞습니다.

1 (1) × (2) ○ (3) ×

2 뼈, 메아리, 반사

3 ③

독해력을 키우는 어휘와 어법

4 (1) 소음 (2) 타이르다 (3) 고백

5 ④ 6 ② 7 ③

8 (1) 여의고 (2) 여위고

9 (1) 이것을 (2) 그것을

1 에코는 말이 너무 많은 게 탈이었고, 에코의 수다 때문에 제 우스를 놓친 헤라가 화가 나서 에코에게 벌을 내렸습니다.

2 에코가 죽은 후 에코의 뼈는 바위가, 에코의 목소리는 메아 리가 되어 남았습니다. 이 신화는 산 위에서 바위에 부딪친 소리가 메아리가 되는 현상을 나타내고 있습니다. 메아리는 소리가 나아가다가 물체에 부딪쳐 되돌아오는 소리의 반사 성질 때문에 생기는 현상입니다.

3 소리가 나아가다 물체에 부딪쳐 되돌아오는 성질을 소리의 반사라고 합니다. ③과 같이 하면 소리가 반사되지 않고 모 여서 한 방향으로 나아갑니다.

독해력을 키우는 어휘와 어법

4 '냉정하다'는 태도가 따뜻한 정이 없고 차가운 것을 뜻하는 말입니다.

5 '조잘조잘'은 조금 작은 목소리로 자꾸 빠르게 말을 하는 것 을, '재잘재잘'은 낮고 빠른 목소리로 조금 시끄럽게 자꾸 이 야기하는 것을, '주절주절'은 낮은 목소리로 계속 말을 하는 것을 뜻하는 말이므로, 모두 빈칸에 들어갈 말로 알맞습니 다. '주렁주렁'은 열매 등이 많이 달려 있거나 사람들이 많이 딸린 모양을 뜻하는 말입니다.

6 보기 에 쓰인 '탈'은 결함이나 허물, 단점을 뜻하는 말입니다. ①에서 '탈'은 몸에 생긴 병을, ③에서는 전혀 예상치 못했던 사고를, ④에서는 기계나 기구 등의 고장을 뜻합니다.

7 '성가시다'는 자꾸 들볶거나 번거롭게 굴어 괴롭고 귀찮은 것 을 말합니다. 소음을 들으면 머리가 아프거나 기분이 나빠지 고, 어떤 일에 집중할 수 없어 괴롭게 됩니다. 따라서 주어진 문장에서 '성가셔서'는 '괴로워서'로 바꾸어 쓸 수 있습니다.

8 부모나 사랑하는 사람이 죽어서 이별하는 것은 '여의다', 몸 의 살이 빠져 마른 것은 '여위다'로 둘을 구별하여 써야 합니 다.

9 '이것을'은 '이걸', '저것을'은 '저걸', '그것을'은 '그걸', '무엇을' 은 '무얼'로 줄여 쓸 수 있습니다. '이걸'은 다시 '이것을'로, '그 걸'은 다시 '그것을'로, 줄여서 쓴 말을 원래 형태로 바꾸어 쓸 수도 있습니다.

1 (1) 편의점 (2) 승리

2 ①, ②

3 요구, 자격

4 (1) 간편, 불편 (2) 승리, 편의점 (3) 이익, 권리

1 (1) '편의점'은 하루 24시간 내내 문을 열고 간단한 생활필수 품 등을 파는 가게를 뜻하므로 새벽에도 약을 살 수 있고, 급 할 때 필요한 필수품을 살 수 있습니다. (2) '승리'는 전쟁이나 경기에서 이기는 것을 뜻하는 말로 좋은 작전이 있으면 승리 하기 쉽고, 경기에서 승리를 하면 기쁩니다.

2 '불편하다'는 이용하기에 편리하지 않다는 뜻으로 쓰일 때는 '편리하다'와 뜻이 반대되는 말이고, 몸이나 마음이 편하지 않고 괴롭다는 뜻으로 쓰일 때는 '편안하다'와 뜻이 반대되는 말입니다. '편식하다'는 좋아하는 음식만 가려 먹는다는 뜻 이고, '편평하다'는 넓고 평평하다는 뜻입니다.

3 '권리'는 어떤 일을 하거나 다른 사람에게 요구할 수 있는 정 당한 힘이나 자격을 가리키는 말입니다. 권리에는 책임이 따 르며, 자신의 의무를 다할 때 권리를 주장할 수 있습니다.

4 (1)

(2)

(3)

1 성규   2 ①
3 솜뭉치, 가볍게, 물, 무거워진
4 (2)○

독해력을 키우는 어휘와 어법

5 (1)② (2)②   6 ③   7 ④
8 ②   9 (1)자루 (2)그루 (3)번
10 (1)담그니 (2)며칠 (3)웬일이니
11 (1)실고 → 싣고 (2)체 → 채

---

1 발을 헛디뎌 강물에 빠졌다가 소금 자루가 가벼워진 일을 겪은 당나귀가 그 후로 일부러 물속에 계속 빠진 상황이므로 당나귀는 짐을 가볍게 하려고 일부러 물속에 빠져 한참을 있었을 것입니다.

2 주인이 소금 자루를 등에 진 채 강물에 빠져 있는 당나귀의 모습을 보고 한 말이므로 '녹고 있네.'가 알맞습니다.

3 당나귀는 등에 실은 가벼운 솜뭉치를 더 가볍게 하기 위해 강물에 일부러 빠졌습니다. 하지만 솜뭉치가 물을 빨아들여서 당나귀는 훨씬 더 무거워진 물에 젖은 솜뭉치를 등에 지고 걸어야 했습니다.

4 "제 꾀에 제가 넘어간다."는 꾀를 내어 남을 속이려다 도리어 자기가 그 꾀에 당하게 되는 경우를 이르는 말로, '자승자박'과 뜻이 비슷합니다.

독해력을 키우는 어휘와 어법

6 '꽃병'은 '꽃'과 '병'이, '산나물'은 '산'과 '나물'이, '손수건'은 '손'과 '수건'이 합해져서 이루어진 낱말입니다.

7 배가 아프다고 꾀를 부렸다가 맛있는 치킨을 못 먹게 된 ④의 상황에 어울립니다. ①은 잘못을 저지른 쪽이 오히려 남에게 화를 내는 상황이므로 "방귀 뀐 놈이 성낸다."가, ②는 나쁜 일이 겹치어 일어난 상황이므로 "엎친 데 덮치다."가, ③은 기본이 되는 것보다 덧붙이는 것이 더 큰 상황이므로 "배보다 배꼽이 더 크다."가 어울립니다.

8 내용이 서로 반대인 두 개의 문장을 이어 줄 때는 '하지만' 또는 '그러나'를 사용합니다.

9 곡식 같은 것을 주머니에 담은 양은 '자루'로 세며, 나무는 '그루'로, 일의 횟수는 '번'으로 셉니다.

10 (1) '액체 속에 무엇인가를 넣다.'라는 뜻을 지닌 낱말은 '담그다'로 씁니다. (2) '그달의 몇째 날' 또는 '몇 날'의 뜻을 지닌 낱말은 '며칠'로 씁니다. (3) '어찌 된 일, 어떠한 일'의 뜻을 지닌 낱말은 '웬일'로 씁니다.

11 (1) '무엇을 운반하기 위하여 차, 배, 비행기 등에 올려놓다.'라는 뜻을 지닌 낱말은 '싣다'입니다. '싣고', '싣는', '실은', '실어' 등으로 쓰는 것이 바른 표기입니다. (2) '이미 있는 상태 그대로 있음을 나타내는 말.'을 뜻하는 낱말은 '채'입니다.

---

1 ⑤   2 농부, 생선 굽는, 다섯
3 엽전, 값
4 창피함

독해력을 키우는 어휘와 어법

5 (3)○ (4)○   6 ②   7 ①, ④
8 (1)○
9 (1)맡고서 (2)마치고 (3)깊게
10 (1)갈게요 (2)쓸게
11 (2)○   12 ③

---

1 생선 냄새를 허락도 없이 맡았다면서 농부에게 호통을 치는 박 영감의 모습에서 화를 잘 참지 못하는 성격임을 알 수 있습니다.

2 농부가 박 영감네 집에서 나는 생선 냄새를 맡은 일 때문에 박 영감이 농부에게 생선 냄새를 맡은 값으로 엽전 다섯 냥을 내라고 하는 사건이 일어났습니다.

3 농부 아들이 박 영감을 만나 문제를 해결한 방법이 잘 드러나게 정리해야 합니다. 농부 아들은 박 영감에게 엽전 소리를 들려주고 소리 들은 값으로 다섯 냥을 받겠다고 말해서 문제를 해결하였습니다.

4 억지를 부리던 박 영감은 어린 농부 아들의 지혜로운 수에 창피를 겪었습니다. 이처럼 '코가 납작해지다'는 '몹시 창피함을 당하거나 기가 죽다.'라는 뜻입니다.

독해력을 키우는 어휘와 어법

5 (1)은 '허락'의 뜻이고, (2)는 '엽전'의 뜻입니다.

6 '굴비', '고등어', '갈치'는 모두 '생선'의 종류입니다.

7 보기 와 ①, ④는 뜻이 서로 반대되는 낱말의 짝입니다. ②, ③은 뜻이 서로 비슷한 낱말의 짝입니다.

8 (2)는 잘난 체하고 뽐내는 태도가 있다는 뜻을 지닌 '콧대가 높아져서'로 바꿔서 말하는 것이 어울립니다.

9 코로 냄새나 향기를 느꼈을 때는 '맡다'가, 수업을 끝냈을 때는 '마치다'가, 수준이나 정도가 높거나 심했을 때는 '깊다'가 쓰입니다.

10 어떤 행동에 대한 약속이나 의지를 나타낼 때 쓰이는 '-ㄹ게'는 [께]로 소리 나더라도 '게'로 적습니다.

11 '값이'는 [갑씨]로, '값을'은 [갑쓸]로 발음합니다.

12 '지금'은 현재 일어나고 있는 일이므로 알맞은 표현입니다. ①의 '내일'은 앞으로 일어날 일을 말하는 것이므로 '반납할 것입니다', '반납하겠습니다'가 알맞고, ②의 '어제'는 이미 일어난 일을 말하는 것이므로 '도와주었습니다'가 알맞습니다.

1 (1) × (2) × (3) ○   2 막을, 뚫을
3 ㉠ → ㉢ → ㉡   4 준희

독해력을 키우는 어휘와 어법

5 (1) 단번에 (2) 불쑥 (3) 일제히
6 (1) ① (2) ②   7 ②, ④
8 ①
9 (1) 갑자기 (2) 하마터면 10 ②, ③

1 장사꾼은 창으로 방패를 찔러 보지 않았고, 꿀 먹은 벙어리가 된 장사꾼을 이상하게 생각한 사람들은 창과 방패를 사지 않았습니다.

2 장사꾼은 자신의 방패는 제아무리 날카로운 창도 막아 낼 수 있고, 자신의 창은 어떤 방패라도 단번에 뚫을 수 있다고 했습니다.

3 창과 방패에 대해 사람들에게 신나게 설명하던 장사꾼은 예리한 구경꾼의 질문에 당황하여 아무 말도 못하고 부끄러운 마음에 짐을 챙겨 달아났습니다.

4 '모순'은 '창과 방패'라는 뜻으로, 말이나 행동의 앞뒤가 맞지 않음을 비유한 말입니다.

독해력을 키우는 어휘와 어법

5 (1)에는 '단 한 번에.'라는 뜻을 가진 '단번에'가, (2)에는 '생각하지 않았던 것이 갑자기 나타나는 모양.'을 뜻하는 '불쑥'이, (3)에는 '여럿이 한꺼번에.'라는 뜻을 가진 '일제히'가 들어갈 낱말로 알맞습니다.

6 '제일'은 '여럿 중에 첫째가는 것.'의 뜻으로 쓰이므로 '최고'와 바꾸어 쓸 수 있고, '다투다'는 '어떤 목표를 두고 경쟁하다.'의 뜻으로도 쓰이므로 '겨루다'와 바꾸어 쓸 수 있습니다.

7 '-꾼'은 '장사꾼'처럼 '어떤 일을 전문적으로 하거나 잘 하는 사람', '사기꾼'처럼 '어떤 일을 습관적으로 하거나 즐겨 하는 사람'의 뜻을 나타낼 때 덧붙이는 말입니다. ①에는 '-보', ③에는 '-둥이', ⑤에는 '-쟁이'를 붙여야 어울립니다.

8 살을 빼려면 많이 먹어야 한다는 것은 말의 앞뒤가 서로 맞지 않으므로 동생의 말에는 모순이 있습니다.

9 (1) '미처 생각할 틈도 없이 급히.'를 뜻하는 낱말은 '갑자기'라고 써야 합니다. (1) '하마터면'은 '조금만 잘못하였더라면.'이라는 뜻으로, 위험한 상황을 겨우 벗어났을 때에 쓰는 말입니다.

10 '어떻게'는 '어떻-'에 '-게'가 합쳐진 말로 문장의 중간에 씁니다. '어떡해'는 '어떻게 해'가 줄어든 말로 문장의 끝에 씁니다.

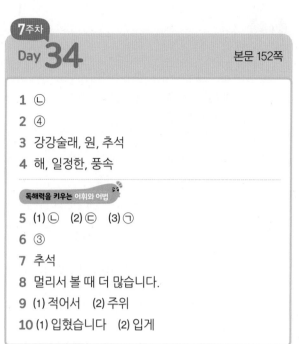

1 ㉡
2 ④
3 강강술래, 원, 추석
4 해, 일정한, 풍속

독해력을 키우는 어휘와 어법

5 (1) ㉡ (2) ㉢ (3) ㉠
6 ③
7 추석
8 멀리서 볼 때 더 많습니다.
9 (1) 적어서 (2) 주위
10 (1) 입혔습니다 (2) 입게

1 세시 풍속에 관한 책을 읽다가 강강술래의 유래에 얽힌 흥미로운 내용이 있어 친구들에게 소개한다고 했습니다.

2 이순신 장군은 멀리서 봤을 때 우리 병사가 많아 보이게 하려고 마을의 여자들에게 산봉우리 위로 가서 모닥불 주위를 손을 잡고 빙빙 돌게 했습니다.

3 강강술래가 추석의 세시 풍속으로 어떻게 자리잡게 되었는지가 잘 드러나게 정리해 봅니다.

4 '세시 풍속'이란 해마다 일정한 시기에 되풀이하여 행해 온 고유의 풍속을 뜻하는 말입니다.

독해력을 키우는 어휘와 어법

6 ③의 '의식'은 ㉠의 뜻을 지니고 있고, 나머지는 정해진 방법이나 그것으로 치러지는 행사를 가리키는 ㉡의 뜻을 지닌 '의식'입니다.

7 우리나라 명절 중 하나인 추석은 음력으로 팔월 보름날입니다. 가을에 거두어들인 햅쌀로 송편을 빚고 음식을 만들어 차례를 지냈으며, 강강술래 등의 놀이를 즐겼습니다.

8 '볼 때'와 '더'를 띄어 쓸 수 있도록 주의합니다.

멀	리	서		볼		때		더		많	습	니	다	.

9 (1) '적다'는 수효나 분량, 정도가 많지 않음을 나타낼 때, '작다'는 길이, 넓이, 부피 따위가 크지 않음을 나타낼 때 씁니다. (2) '주위'는 어떤 곳의 바깥 둘레의 뜻을 나타낼 때, '주의'는 마음에 새겨 두고 조심하는 뜻을 나타낼 때 씁니다.

10 '입었습니다'를 '옷을 몸에 걸치거나 두르게 하다.'라는 뜻의 '입혔습니다'와 '입게 했습니다'로 바꿔 써야 합니다.

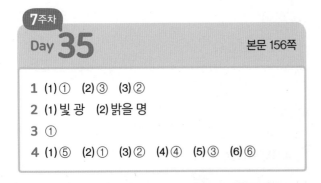

1 (1) ① (2) ③ (3) ②

2 (1) 빛 광 (2) 밝을 명

3 ①

4 (1) ⑤ (2) ① (3) ② (4) ④ (5) ③ (6) ⑥

2 뜻에 맞는 밑줄 친 낱말은 (1)은 '영광', '광복'으로 빈칸에 들어갈 글자는 '빛 광(光)'이고, (2)는 '명암', '광명'으로 빈칸에 들어갈 글자는 '밝을 명(明)'입니다.

3 보기 는 뜻이 반대되는 두 한자로 이루어진 낱말입니다. '장단'도 '길다'의 뜻을 지닌 '장(長)'과 '짧다'의 뜻을 지닌 '단(短)'으로 이루어진 낱말입니다. '편안'과 '문서'는 모두 뜻이 비슷한 한자로 이루어진 낱말입니다.

4

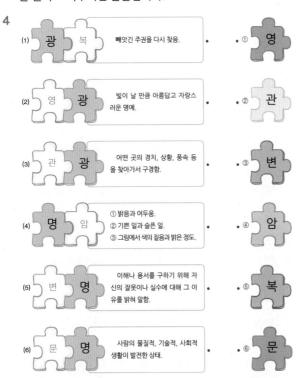

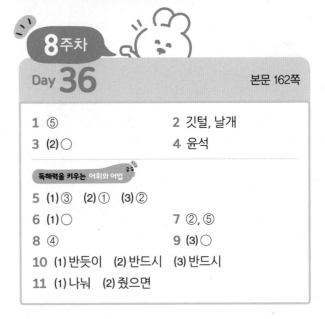

1 ⑤

2 깃털, 날개

3 (2) ○

4 윤석

독해력을 키우는 **어휘와 어법**

5 (1) ③ (2) ① (3) ②

6 (1) ○

7 ②, ⑤

8 ④

9 (3) ○

10 (1) 반듯이 (2) 반드시 (3) 반드시

11 (1) 나눠 (2) 줬으면

1 미궁에 갇힌 다이달로스는 설계도를 갖고 있지 않아서 탈출이 불가능한 상황이었습니다.

2 다이달로스는 미궁에 떨어진 새의 깃털을 주워 모아 벌집의 꿀밀로 붙여 날개를 만들었습니다.

3 다이달로스는 이카로스에게 태양열에 날개의 꿀밀이 녹을 수 있으니 너무 높게 날지 말고, 날개가 파도에 젖을 수 있으니 너무 낮게도 날지 말라고 당부했습니다.

4 이카로스는 하늘을 날고 싶은 욕망을 참지 못하고 더 높이 날아서 바다로 추락하고 말았습니다. "오르지 못할 나무는 쳐다보지도 마라."는 이카로스처럼 자기의 능력 밖의 불가능한 일에 대해서는 처음부터 욕심을 내지 않는 것이 좋다는 말입니다.

독해력을 키우는 **어휘와 어법**

6 보기 에 쓰인 '떨어지다'는 '위에서 아래로 내려지다.'라는 뜻으로 (1)이 같은 뜻으로 쓰였습니다. (2)의 '떨어지다'는 '일정한 거리를 두고 있다.'라는 뜻이고, (3)의 '떨어지다'는 '시험이나 선거, 선발 등에 뽑히지 못하다.'라는 뜻입니다.

7 '우연히'는 어떤 일이 뜻하지 않게 저절로 이루어지는 면이 있을 때 쓰입니다.

8 '어떤 일이나 경우에도 절대로'의 뜻을 지닌 '결코'는 '아니다', '없다', '않다', '못하다' 등과 같은 부정을 나타내는 말과 함께 씁니다. 따라서 '결코 오고 말았다.'는 어색합니다. '결국', '기어코' 등이 자연스럽습니다.

9 자기 능력 밖의 불가능한 일에 처음부터 욕심내어 큰일을 겪을 뻔 한 (3)의 상황에 어울립니다. (1)에는 "사공이 많으면 배가 산으로 간다."라는 말이, (2)에는 "뿌린 대로 거둔다."라는 말이 어울립니다.

10 (1)에는 '비뚤거나 흐트러지지 않고 바르게'의 뜻인 '반듯이'가, (2)와 (3)에는 '틀림 없이 꼭.'이라는 뜻인 '반드시'가 들어가야 합니다.

11 모음 'ㅜ'로 끝나는 말에 '아'나 '어'가 이어져 붙으면 'ㅝ'로 줄여서 쓸 수 있습니다.

1 ④　　　　　　2 승우

3 피란, 덕분, 도로　　4 (3)○

독해력을 키우는 어휘와 어법

5 (1)③　(2)②　(3)①

6 (1)덕분　(2)보잘것　(3)부족

7 (1)받치다　(2)바치다

8 은결

9 (1)오랜만　(2)젓가락　(3)정성껏

10 ①, ③

1 선조 임금은 전쟁이 끝난 후 수라상에 올라온 은어를 맛보더니 '예전에 먹었던 은어 맛이 안 나는구나.'라고 말하며 맛이 형편으니 다시 묵으로 부르도록 했습니다.

2 승우는 선조 임금이 피란길에서 생선을 먹었을 때의 어려운 상황과 다시 궁에 돌아와 그 생선을 먹었을 때의 상황을 짐작하여 알맞게 말했습니다.

3 피란을 떠난 선조 임금은 어부 덕분에 생선을 맛있게 먹게 되었고 생선 이름을 '묵'에서 '은어'로 부르게 했습니다. 전쟁이 끝난 뒤 다시 은어를 맛본 임금은 맛이 없다고 도로 묵이라고 부르게 했습니다.

4 '묵'이라는 생선이 잠시나마 '은어'로 불리다가 '도로 묵'으로 바뀌었다는 내용을 통해 '말짱 도루묵'은 일이 제대로 풀리지 않고 처음 상태로 되돌아 가는 헛수고를 뜻함을 알 수 있습니다.

독해력을 키우는 어휘와 어법

6 '덕분'은 '베풀어 준 은혜나 도움.'이라는 뜻이고, '보잘것없다'는 '결과나 상태, 내용 등이 매우 좋지 못하다.'라는 뜻이며, '부족하다'는 '넉넉하지 않다.'라는 뜻입니다.

7 '바치다'는 '신이나 웃어른에게 정중하게 드리다.'라는 뜻이고, '받치다'는 '물건이나 몸의 한 부분을 다른 것의 아래에 놓이게 하다.'라는 뜻으로 기울어지거나 쓰러지지 않도록 밑에서 괴도록 하는 것을 말합니다.

8 '말짱 도루묵'은 하던 일이 아무런 소득이 없는 헛된 일이나 헛수고가 됐을 때 쓰는 표현이므로 정재와 한솔이가 처한 상황에 알맞습니다. 은결이의 상황에 어울리는 말은 지은 죄가 있어 자연히 마음이 조마조마해짐을 비유하는 속담인 "도둑이 제 발 저리다." 등이 있습니다.

9 (1) '오래간만'의 준말은 '오랜만'으로 씁니다. (2) '젓가락'은 'ㅅ' 받침을 씁니다. (3) '있는 정성을 다하여.'라는 뜻을 지닌 낱말은 '정성껏'으로 씁니다.

10 '토요일'과 '귤'은 받침으로 끝나므로 '-이에요'를 쓰고, '얼마'와 '강아지'는 받침 없이 끝나므로 '-예요'를 씁니다.

1 (1)×　(2)○　(3)○

2 ⑤

3 (1)횡포　(2)불의, 양심

4 (1)②　(2)①　(3)③ / 출세, 관문

독해력을 키우는 어휘와 어법

5 (1)궁리　(2)조종　(3)관리　(4)칭찬

6 (3)○

7 규진

8 (1)가두어　(2)가두었　(3)갇히어

9 (1)공부하다　(2)인정받다　(3)오염되다

10 (1)위쪽　(2)가까이　(3)체하니

1 다른 신하들은 내시들의 불의를 보고도 모른 척했지만 이응은 불의에 맞서 싸웠습니다.

2 젊은 관리들은 이응에게 인정받아 관직에 오르는 것을 '등용문'이라고 생각할 정도로 이응을 존경했습니다.

3 내시들은 자기들 마음대로 임금을 조종했다고 했으므로 (1)에는 '횡포'가, 이응은 나라를 바로 세우기 위해 내시들과 맞서 싸웠다고 했으므로 (2)에는 '불의'와 '양심'이 알맞습니다.

4 '등용문'은 '용문에 오른다.'는 뜻으로, 여기에서 '용문'은 '출세를 하기 위한 관문'을 의미합니다.

독해력을 키우는 어휘와 어법

6 보기에 쓰인 '불리다'는 '무엇이라고 가리켜 말해지거나 이름이 붙여지다.'라는 뜻으로 (3)이 같은 뜻으로 쓰였습니다. (1)의 '불리다'는 '오라고 하거나 주의를 끄는 말이나 명령, 지시 등을 받다.'라는 뜻이고, (2)의 '불리다'는 '이름이나 명단이 소리 내어 읽혀 확인되다.'라는 뜻입니다.

7 '등용문'은 출세를 하기 위해 거치는 어려운 관문을 일컫는 말이므로, 꿈을 이룰 수 있는 관문이나 시험 등을 비유할 때 씁니다. 연아는 한꺼번에 두 가지 이익을 얻는다는 뜻을 지닌 '일석이조' 또는 '일거양득'으로 바꿔서 말하는 것이 어울립니다.

8 '가두다'는 다른 것을 나오지 못하게 하는 것을, '갇히다'는 나가거나 벗어나지 못하는 상황에 놓이게 된 것을 뜻합니다.

9 '공부하다', '인정받다', '오염되다'와 같이 붙여 써야 합니다.

10 (1) 위가 되는 쪽을 뜻하는 낱말은 '위쪽'입니다. (2) 사람과 사람의 사이가 친밀한 상태를 뜻할 때에는 '가까이'가 맞는 표현입니다. (3) '모르는 척하다.'와 같은 표현일 때는 '모르는 체하다.'라고 쓰는 것이 맞는 표현입니다.

1 (1) 울퉁불퉁합니다 (2) 많습니다 (3) 낮습니다
2 ③, ⑤
3 운석, 충돌, 용암
4 달의 고지

독해력을 키우는 어휘와 어법

5 (1) ① (2) ④ (3) ② (4) ③
6 (1) ② (2) ③
7 (1) ② (2) ①
8 (1) 덮여 (2) 덥혀
9 (2) ○
10 ③
11 (1) 빛나는 (2) 커다란

1 지구에 비해 달에는 크고 작은 크레이터가 많아 울퉁불퉁하며, 달의 바다는 달의 고지보다 높이가 낮습니다.

2 달의 바다는 검은색의 현무암으로 덮여 있고, 밝게 보이는 곳, 즉 달의 고지보다 높이가 낮기 때문에 검게 보입니다.

3 달의 바다는 운석의 충돌로 생긴 충돌 구덩이에 땅속에서 솟아오른 용암이 흘러내리면서 굳어 만들어진 지형입니다.

4 ㉠은 지구에서 보면 밝게 보이는 '달의 고지' 모습입니다. 지구의 산과 같이 높은 지형으로 달의 바다보다 높아 밝게 보입니다.

독해력을 키우는 어휘와 어법

6 '표면'은 '가장 바깥쪽'을, '충돌'은 '서로 맞부딪치는 것'을 뜻합니다.

7 (1)에는 정해진 시각보다 늦게 갔다는 ②의 뜻이 알맞고, (2)에는 지구의 바깥쪽 표면을 뜻하는 ①의 뜻이 알맞습니다.

8 밥상 위가 신문지로 씌워져 있다는 뜻이므로 (1)에는 '덮여'가, 찬 우유를 따뜻한 우유로 만들어 주었다는 뜻이므로 (2)에는 '덥혀'가 알맞습니다.

9 '얇다'에서 겹받침 'ㄼ'은 뒤에 'ㄷ'이 오면 [ㄹ]로 소리 나므로 [얄따]로 발음해야 합니다.

10 '딱딱한 재료를 베고 다듬어서 어떤 모양으로 된 것을 만들다.'의 뜻을 지닌 낱말은 '깎다(→ 깎아)'로, '무엇이 무척 알고 싶다.'의 뜻을 지닌 낱말은 '궁금하다(→ 궁금한)'로 씁니다.

11 '보름달'을 꾸며 주는 말로 알맞은 것은 '빛나는'이고, '개'를 꾸며 주는 말로 알맞은 것은 '커다란'입니다.

1 (1) × (2) × (3) ○
2 (1) 체육 (2) 사육 (3) 교육
3 몸 체(體)
4 해설 참조

1 (1)은 '체육(體育)', (2)는 '교육(敎育)'의 뜻입니다. '육체(肉體)'는 '사람의 몸.'을 뜻하고, '육아(育兒)'는 '어린아이를 돌보고 기름.'을 뜻합니다.

2 (1) '체육'은 건전한 몸의 성장을 위한 교육을 뜻하기도 합니다 (2) 가축이나 짐승을 먹이고 돌보아 기르는 것을 '사육'이라고 합니다. (3) '교육'은 지식과 기술 등을 가르치며 인격을 길러 주는 것을 말합니다.

3 물질의 상태인 고체, 액체, 기체에 대한 설명입니다.

4

1주차
주간 테스트 2쪽

1 ③	**2** ②	**3** ②	**4** ②
5 예방	**6** ③	**7** ②	

1 정현이네 반 친구들은 '우리 반 자리를 어떻게 정할까?'라는 주제를 놓고 회의를 통해 좋은 방법을 의논하고 있습니다.

2 키가 작은 예찬이는 교실에 먼저 온 순서대로 자리를 정하면 키가 큰 친구들이 앞자리에 앉아 칠판이 잘 보이지 않는다고 했으므로, 정현이의 의견에 찬성한 것이 아니라 반대(반발)하고 있습니다.

3 '조삼모사'는 잔꾀로 남을 속여 놀린다는 뜻이므로 알맞지 않습니다. ②에 쓰여야 할 표현은 '오십보백보'입니다.

4 '발견하다'는 '미처 찾아내지 못하였거나 아직 알려지지 아니한 것을 찾아내다.'라는 뜻으로, '찾아내다'와 바꿀 수 있습니다.

5 '예방'은 병이나 사고 등이 생기지 않도록 미리 막는 것을 뜻합니다. 독감 예방 주사를 맞아서 독감을 예방하고, 불이 잘 꺼졌는지 확인해서 화재를 예방합니다.

6 ①은 '지긋이', ②는 '눈길', ④는 '정성껏'으로 써야 합니다.

7 '작문(作文)'에 쓰인 '문'과 '주문(注文)'에 쓰인 '문'은 글이나 문장을 뜻합니다. '창문(窓門)'에 쓰인 '문'은 통행하는 '문'이라는 뜻이고, '질문(質問)'에 쓰인 '문'은 '묻다'라는 뜻입니다.

2주차
주간 테스트 4쪽

1 ③	**2** ②	**3** ⑤	**4** 업적
5 ②	**6** ②		

1 ③은 사람이 아니라 의견이므로 '존경하는'이 아니라 '존중하는'으로 써야 합니다.

2 태우는 공책을 제값보다 비싸게 샀으므로 '물건을 제 가격보다 비싸게 사다.'는 뜻을 지닌 '바가지를 쓰다'라는 표현을 써야 합니다. '바가지를 긁다'는 '잔소리하다.'의 뜻입니다.

3 '꿋꿋이'는 어려움에도 불구하고 마음이나 뜻, 태도가 굳세고 곧은 것을 뜻합니다. 배가 불러 한 숟가락만 먹은 상황에는 '겨우'가 어울립니다.

4 '업적'은 사업이나 연구 등에서 노력과 수고를 들여 이루어 낸 결과를 말합니다. 파스퇴르는 여러 가지 실험을 통해 전염병으로부터 인간을 구하는 업적을 남겼습니다.

5 '서로 나뉘어 떨어지게 하다.'의 뜻을 지닌 낱말은 '분리하다'입니다. ①, ③은 고치기 전이 바르게 쓰였습니다.

6 '출구(出口)'는 밖으로 나갈 수 있는 문이나 통로를 뜻합니다. 또, 어떤 상황에서 벗어날 수 있는 길을 뜻하기도 합니다.

3주차
주간 테스트 6쪽

1 고생, 낙	**2** ④	**3** ③	**4** ④
5 통신	**6** 지각을 안 하려고 열심히 달렸습니다.		
7 (1) 갔아요 → 같아요 (2) 묵고 → 묶고			
(3) 젓고 → 젖고	**8** (1) 춘추복 (2) 하복		

1 고된 일을 하고 난 뒤에는 반드시 즐겁고 좋은 일이 생긴다는 뜻의 "고생 끝에 낙이 온다."가 알맞습니다.

2 '눈도 깜짝 안 하다'는 '조금도 놀라지 않고 당황하지 않다.'라는 뜻이므로, '아무렇지 않게'와 바꾸어 쓸 수 있습니다.

3 외롭고 곤란한 처지에 놓였다는 뜻을 지닌 '사면초가'가 들어가야 알맞습니다.

4 ④는 뜻이 비슷한 관계, 나머지는 뜻이 반대인 관계입니다.

5 통신 수단은 소식을 전하는 데 이용하는 방법이나 도구이고, 인터넷과 휴대 전화는 오늘날의 통신 수단에 해당합니다.

6 반대의 뜻을 나타내는 '안'을 넣고 뒷말과 띄어 씁니다.

7 서로 다르지 않다는 것은 '같다', 끈이나 줄로 매듭을 만드는 것은 '묶다', 액체가 스며들어 축축해진 상태는 '젖다'입니다.

8 봄과 가을에 입는 옷은 '춘추복', 여름에 입는 옷은 '하복'입니다.

4주차
주간 테스트 8쪽

1 ③	**2** ②	**3** ②	**4** 포유
5 (1) 예순 살 (2) 서른 살			
6 ③	**7** ④		

1 키가 작아도 야무지게 할 수 있다는 뜻으로 한 말이므로 '작은 고추가 더 맵다.'라는 말이 들어가는 것이 알맞습니다. '입이 가볍다'는 '말이 많고 비밀을 잘 지키지 않다.'는 뜻의 관용어이고, '등잔 밑이 어둡다.'는 '가까이 있는 것을 오히려 잘 알기 어렵다.'는 뜻을 지닌 속담입니다.

2 '심하게 갈증을 느끼다.'는 뜻으로 '목이 타다.'라는 말을 씁니다. '애가 타다'와 '속이 타다'는 몹시 안타깝고 초조한 심정을, '살이 타다'는 피부가 햇볕을 오래 쬐어 검게 변한 상태를 말합니다.

3 여럿 가운데 가장 뛰어난 사람 또는 작품을 가리킬 때 '흰 눈썹'이라는 뜻을 지닌 '백미'를 사용하여 말합니다.

4 새끼를 낳아 젖을 먹여 키우는 동물은 포유동물입니다.

5 60은 예순, 30은 서른이라고 합니다. 이때 수를 나타내는 말과 단위를 나타내는 말 사이는 띄어 써야 합니다.

6 '-장이'는 어떤 기술이 있는 사람의 뜻을 나타낼 때, '-쟁이'는 어떤 특성이 있는 사람의 뜻을 나타낼 때 덧붙입니다.

주간 테스트 10쪽

1 ①   **2** ③   **3** 관포지교
4 (1) 긍정적   (2) 실패했다   (3) 불리하다
5 ②   **6** 심신
7 (1) 두꺼운   (2) 두터운   **8** ②

1 늘 말하던 것이 마침내 사실대로 되었을 때를 이르는 말은 '말이 씨가 된다'입니다.

2 '밤낮을 가리지 않다'는 '쉬지 않고 계속하다.'라는 뜻입니다.

3 관중과 포숙아처럼 우정이 아주 돈독한 친구 관계를 가리켜 '관포지교'라고 합니다.

5 음식을 먹는 일이나 음식과 관련된 생활은 '식생활'입니다.

6 마음과 몸을 아울러 이르는 '심신'이 들어가야 알맞습니다.

7 두께가 보통 정도보다 클 때는 '두껍다'를 쓰고, 믿음, 관계, 인정 따위가 굳고 깊을 때에는 '두텁다'를 씁니다.

8 지위나 신분, 자격을 나타낼 때에는 '로서'를 쓰고, 어떤 일의 수단이나 도구를 나타낼 때에는 '로써'를 씁니다.

주간 테스트 12쪽

1 ②   **2** 말을 바꾸어 타지   **3** ③
4 ②   **5** (1) 부득부득   (2) 재잘재잘
6 (1) 벌리고   (2) 벌이기
7 (1) 쟤랑(저 애랑)   (2) 웃어른   (3) 여위어
8 ①

1 윗사람이 먼저 바르게 행동해야 아랫사람도 본받아 잘한다는 뜻의 "윗물이 맑아야 아랫물이 맑다."가 알맞습니다.

2 사람이나 일 따위를 변경하다는 뜻의 관용어는 '말을 바꾸어 타다'입니다.

3 사이가 매우 나쁜 두 관계를 '견원지간'이라고 합니다.

4 '어떤 일을 할 수 있는 능력을 가졌거나 어떤 직위에 합당한 인물.'이라는 뜻인 '재목'과 바꿔 쓸 수 있습니다.

5 '드문드문'은 자주 있지 않고 드물게 일어나는 것이나 가까이 있지 않고 떨어져 있는 것을 말합니다.

6 '둘 사이를 넓히거나 멀게 하다.'라는 뜻은 '벌리다'이고, 일을 '계획하거나 펼쳐 놓다.'라는 뜻은 '벌이다'입니다.

7 '저 애' 또는 '저 아이'의 준말은 '쟤'이며, 어른은 위아래 구분이 없으므로 '웃어른'으로 쓰고, 몸의 살이 빠져 마른 것은 '여위다'입니다.

8 이용하기 쉽고 편하다는 뜻의 '편리'가 자연스럽습니다

주간 테스트 14쪽

1 ②   **2** ③   **3** ④   **4** 코
5 ③, ④   **6** 않 → 안   **7** 명암

1 욕심 많은 농부는 송아지보다 더 큰 것을 얻으려고 꾀를 부리다가 도리어 손해를 보게 되었으므로 "제 꾀에 제가 넘어간다."라는 속담이 어울립니다.

2 '얼떨결'에는 '뜻밖의 일을 갑자기 당해서 정신을 차리지 못하는 사이에.'라는 뜻으로, '뜻밖에'와 바꾸어 쓸 수 있습니다.

3 ①은 '게요', ②는 '며칠', ③은 '담그니'가 올바른 표현입니다.

4 토끼처럼 잘난 척을 하다가 기가 죽었을 때에는 '코가 납작해지다.'는 표현을 씁니다.

5 말이나 행동이 서로 어긋나 앞뒤가 맞지 않는 상황은 ③과 ④입니다.

6 '숙제를 아니 하고'라는 문장이므로 '아니'의 줄임말 '안'으로 바꾸어 쓰는 것이 맞는 표현입니다. '숙제를 하지 않고'처럼 '않'은 '~지 않다'와 같이 쓸 때에만 사용합니다.

7 '명암(明暗)'은 '밝음과 어두움'이라는 뜻입니다. '별명(別名)'에 쓰인 '명'은 '이름'이라는 뜻이고, '생명(生命)'에 쓰인 '명'은 '목숨'이라는 뜻입니다.

주간 테스트 16쪽

1 ③   **2** ③   **3** ③   **4** 만약
5 (2) ○   **6** ①   **7** ①

1 자신의 능력으로 불가능해 보이는 일에 대해서는 처음부터 욕심내지 않는 것이 좋다는 뜻의 '오르지 못할 나무는 쳐다보지도 마라'는 속담이 들어가야 알맞습니다.

2 '부족하다'와 '풍족하다'는 뜻이 반대되는 낱말이고, 나머지는 뜻이 비슷한 관계에 있는 낱말들입니다.

3 일이 제대로 풀리지 않거나 애쓰던 일이 헛일이 되었을 때 '말짱 도루묵'이라는 말을 씁니다.

4 '온다면'이라는 말이 뒤에 나오므로 '만약'이 알맞습니다.

5 '등용문'은 출세를 하기 위해 거치는 어려운 관문을 일컫는 말이므로 (2)가 바르게 쓰였습니다.

6 ①의 '반듯이'는 '비뚤어지거나 굽거나 흐트러지지 않고 바르게.'라는 뜻이므로, '틀림없이 꼭.'이라는 뜻의 '반드시'로 고쳐 써야 합니다.

7 '육체'에 쓰인 '육'은 '몸, 고기, 살' 등의 뜻을 나타내고, 나머지에 쓰인 '육'은 '기르다'라는 뜻을 나타냅니다

어휘력
자신감

3 단계

초등 풍산자로 개념을 적용하고 응용하여
연산, 유형, 서술형을 풀면 실력이 탄탄해집니다

처음 배우는 수학을 쉽게 접근하는 초등 풍산자 로드맵

연산 집중훈련서 → 교과 유형학습서 → 서술형 집중연습서 → 연산 반복훈련서

▶ 풍산자 개념X연산   ▶ 풍산자 개념X유형   ▶ 풍산자 개념X서술형   ▶ 풍산자 연산

초등 풍산자 교재	하	중하	중	상
연산 집중훈련서 풍산자 개념X연산	개념 적용 연산 학습, 기초 실력 완성			
교과 유형학습서 풍산자 개념X유형		개념 응용 유형 학습, 기본 실력 완성		
서술형 집중연습서 풍산자 개념X서술형		개념 활용 서술형 연습, 문제 해결력 완성		
풍산자 연산 **연산 반복훈련서** 풍산자 연산	연산만 집중적으로 반복 학습			

학습의 자신감을 키우고

지학사 초등 국어

자신감 시리즈

공부의 기초 체력을 높이는

어휘력 자신감

하루 15분 즐거운 공부 습관

- 속담, 관용어, 한자 성어, 교과 어휘, 한자 어휘가 담긴 재미있는 글을 통한 어휘·어법 공부
- 국어, 사회, 과학 교과서 속 개념 용어를 통한 초등 교과 연계
- 맞춤법, 띄어쓰기, 발음 등 기초 어법 학습 완벽 수록!

독해력 자신감

긴 글은 빠르게! 어려운 글은 쉽게!

- 문학, 독서를 아우르는 흥미로운 주제를 통한 재미있는 독해 연습
- 주요 과목과 예체능 과목의 교과 지식을 통한 전 과목 학습
- 빠르고 쉽게 글을 읽을 수 있는 6개 독해 기술을 통한 독해 비법 전수